KB195918

제2의 농지개혁

부재지주의 농지를 처분 명령하라!

제2의 농지개혁
부재지주의 농지를 처분 명령하라!

초판 1쇄 인쇄 2019년 9월 16일
초판 1쇄 발행 2019년 9월 20일

지은이 김영하
펴낸이 이재욱
펴낸곳 (주)새로운사람들
디자인 김명선
마케팅·관리 김종림

ⓒ김영하, 2019

등록일 1994년 10월 27일
등록번호 제2-1825호
주소 서울 도봉구 덕릉로 54가길 25(창동 557-85, 우-01473)
전화 02)2237-3301 **팩스** 02)2237-3389
이메일 ssbooks@chol.com
홈페이지 http://www.ssbooks.biz

ISBN 978-89-8120-580-5(03520)

*책값은 뒤표지에 씌어 있습니다.

제2의 농지개혁

부재지주의 농지를 처분 명령하라!

김영하 지음

새로운사람들

<책머리에>

경자유전(耕者有田)과 농지농용(農地農用)의 원칙

"농지(農地)는 더 이상 투기(投機)의 대상이 되어서는 안 된
다."는 사실에 바탕을 두고 이런 원칙이 세워진 것은 두말할 나위
도 없다.

동양에서 땅은 우주를 표현하는 천지인(天地人)의 세 가지 요
소 가운데 한 영역이다. 특히 우주의 주인이라고 할 수 있는 사
람이 딛고 사는 공간이고, 만물을 탄생하게 하는 바탕이며, 보이
지 않는 힘이 잠재된 곳이요, 어머니의 품속과 같은 영역이다. 천
(天)·지(地)·인(人) 삼재(三才)는 우주라는 입장에서 보면 하나이지
만 천(天)과 지(地)와 인(人)이라는 각각의 입장에서 보면 이상적
인 '우주 변화의 실현'이라는 공통 목적을 가진 서로 다른 존재다.

땅[土地]은 낮은 곳으로 임하고, 양의 기[雨]를 받아 만물을 소
생시키며, 먹거리를 비롯하여 사람[人]이 살아가는 데 필요한 각
종 재료[所産]를 공급하는 것은 물론, 스스로 그러함으로써 인간
이 함께 살아가는 공동체의 터전을 제공한다.

그래서 땅은 구석기시대 이전부터 공동체의 근간을 이루는 우

주의 한 틀이기 때문에 개인의 이기심에 따라 활용되어서는 안 되는 영역이다. 농경문화가 자리를 잡기 시작한 신석기시대에 들어와서도 땅은 공동체의 중심이기 때문에 함께 일하고 힘을 합하지 않으면 사회의 기반이 흔들리게 마련이었다.

청동기시대를 거쳐 철기(鐵器)가 발달하고 농기구가 개발되면서부터 인간의 이기심도 더불어 커져 갔다. 정착농경이 자리를 잡을수록 다시 수렵(狩獵)이나 채집(採集)의 시대로 되돌아갈 수도 없는 상황이었다. 새로 개발된 농기구로 보다 많은 땅을 경작할 수 있고, 이렇게 경작한 수확물을 저장하기 시작하면서 사유재산이 생겼으며, 재산의 사유화와 더불어 빈부의 격차도 발생했다.

정착농경(定着農耕)과 더불어 여러 지역으로 이동하며 목축을 하는 유목인들도 생겨났고, 이런 집단들의 형성과 더불어 재산을 약탈하거나 지배력을 키우는 전쟁이 일어나기도 한다. 이런 현상에서 씨족과 부족, 국가의 발생 연원을 꼽는 것은 전혀 이상한 일이 아닐 것이다.

물론 가야(伽耶)와 같이 지역의 부족(部族) 단위가 자치적인 통치제도를 통해 국가로 발전하는 경우도 있지만, 힘센 집단이 정복전쟁을 벌이거나 지배력을 강화하여 국가 조직으로 성장·발전한 경우가 대부분이다. 힘을 바탕으로 국가가 성립할 경우 땅은 자연스럽게 국가나 지배세력의 소유가 된다.

유럽의 농노제도나 중국의 대형국가, 아프리카의 추장 제도를 비롯한 다양한 형태의 국가가 발생하면서 땅은 국가의 소유로 생산력과 국력의 기반이 된다. 철기시대 이후 국가 간의 영토전쟁은 이와 같은 국가 생산력의 확대를 위한 전쟁이었고, 농업경제력의 확산을 위한 경작지와 인력을 빼앗는 전쟁이었던 것이다.

이러한 땅의 전쟁의 결과, 전쟁 유공자들에게 분배하는 방식으로 땅의 소유권이 넘어갔고, 이후에는 정부의 관료들에게 봉록(俸祿)의 한 형태로서 토지의 경작권과 세금에 관한 권리를 주는 방식으로 변천해 갔다. 그러나 이와 같은 녹봉전의 지급은 국가 체제가 오래갈수록 토지의 부족으로 이어져 민중의 가난과 배고 픔으로 이어져 쿠데타나 민란의 빌미가 된다.

세계에는 유목국가나 땅을 기반으로 한 농경국가만 있는 것이 아니라 고대부터 해양 세력들도 나름의 역사를 가지고 있다. 바이 킹, 해적, 왜구 등으로 지칭되는 해양 세력들의 특징은 약탈과 노 략질에 능하다는 것이다. 특히 8세기 말에서 11세기 말까지 북유 럽과 중앙유럽까지 항해하며 교역하거나 약탈을 일삼던 바닷사 람을 가리켜 '바이킹'이라고 부른다.

스칸디나비아를 중심으로 유럽 전역을 휩쓸면서 바다와 해안 은 물론 내륙 깊숙이까지 드나들며 노략질을 감행하던 '바이킹' 뿐만 아니라 12세기 이후에는 유럽의 여러 나라들에 의해 대항해 (大航海) 시대가 열려 신대륙을 발견하고, 제국주의의 기치 아래 전 지구적인 침탈(侵奪)의 시대를 가져온다.

해양 세력을 앞세운 유럽의 여러 나라는 인디언과 원주민들이 살고 있던 아메리카 대륙을 침범해 살육을 일삼으며 땅 따먹기를 벌이는가 하면, 아프리카에서 무작위로 사람을 끌어다가 노예무 역으로 유럽과 아메리카의 경제를 일으키기도 했다. 뿐만 아니라 인도와 중국 등 동양에까지 진출하여 전 지구를 대상으로 자신들의 식민지를 만들었던 것이다.

유럽 국가 간의 제국주의 경쟁은 두 차례에 걸친 세계대전으로 이어졌고, 유럽 국가들의 전쟁 때문에 전 세계가 땅을 두고 끝없는 욕망을 드러내는 "땅따먹기'에 휘말렸다. 이런 제국주의의 역사는 '땅'이라는 측면으로만 볼 때 국가라는 이름의 깡패 조직이 전 세계를 유린했다고 해도 지나친 말이 아닌 것이다.

이것을 배운 일본이 유럽의 깡패 국가들을 흉내 내어 아시아를 난도질하여 식민지를 넓혀 나가면서 사람들을 강제로 끌고 가 군수물자를 생산하고, 여성을 군인들의 성노예로 삼는가 하면, 진주만 습격으로 태평양전쟁을 일으켜 스스로 멸망의 구렁텅이에 빠질 때까지 조선의 땅을 일본인과 친일파의 소유로 만드는 악행을 저질렀던 것이다.

이와 같이 인류의 역사를 통해 살펴볼 때 지구촌에서 땅의 소유권과 생산력은 초기의 공동체적 운영방식에서 소유약탈이라는 극단적인 형태로 엄청난 변화를 겪게 되었던 것이다.

그나마 다행인 것이 제2차 세계대전의 종전(終戰)은 패전국이든, 승전국이든 식민지 국가든 세계가 모두 새롭게 출발하는 계기가 되었다. 조금씩 사정이 다르긴 하지만, 대부분의 국가들이 자의든 타의든 토지개혁 또는 농지개혁을 실시하게 된다. 당연한 일이지만, 토지[農地]개혁은 자국의 상황에 따라 저마다 다른 형태로 이뤄졌다.

우리나라도 소비에트연방공화국의 군대가 진주(進駐)했던 이북이 무상몰수 무상분배의 방식으로 완벽하게 토지개혁을 이뤄내자 남한 민중들의 여론이 나빠지는 것을 우려해 미군정이 남한에서도 유상몰수 유상분배의 방식으로 토지개혁을 단행하도록 유인해 나름으로 성과가 있는 개혁이 이뤄진다.

그러나 대한민국의 땅 문제는 아직도 미해결의 상황이다. 해방정국에서 헌법에 '경자유전(耕者有田)'의 원칙을 도입했지만 경제개발을 목표로 삼았던 박정희 정부 때부터 개발의 동력을 유지하기 위해 땅에 대해 정권부터 부동산투기를 일삼아 농지는 불로소득의 대상이 되었다.

지금은 전국의 땅을 재벌들이 나눠 먹기 식으로 부동산투기를 하는 행태가 한국 부동산경기의 요체다. 돈깨나 있는 사람치고 농지 한 뙈기 가지고 있지 않은 사람이 없을 정도다. 전국농지의 70%가량이 부재지주(不在地主)가 소유하고 있다는 것이 농민단체 관계자들의 이야기이고, 직접지불금의 대부분을 부재지주가 강탈해간다고 아우성이다.

이것을 바로잡겠다고 생각해서 집필을 시작했던 것이 이 책의 발단이다. 농지법을 개정하면 될 것 같지만, 그것만으로는 어림도 없다. 이를 위해서는 헌법에서부터 국토의 계획 및 이용에 관한 법률도 완전히 '경자유전(耕者有田)'의 원칙에 맞게 개정해야 한다. 또 지방자치단체의 도시계획조례에 숨겨진 농지훼손 분야도 바로 잡아야 한다. 독자 여러분의 혜안으로 국회가 움직여 이를 개정할 수 있도록 압력을 행사해 줄 것을 요청한다.

-마북제(馬北濟)에서 김영하

<차 례>

제6장 국회와 농지

제7장 제2의 농지개혁

제**1**장
땅에서 농지로

농업의 기원

땅의 이용과 농사

200만 년 전 지구상에 인류가 출현하여 오랫동안 수렵, 어획 등 자연 채취를 통해 식량을 획득하면서 자연 생태계의 일원으로 생활해 왔다. 그러다가 약 1만 년 전 신석기시대 말기에 이르러 비로소 식량을 인간의 손으로 직접 생산하기 시작했다. 지역적 적응에 있어 미미한 차이가 있지만 대략 그 무렵이다.

빙하기가 끝난 1만 2,000년 전 빙하기를 극복하고 살아남은 인류의 가장 시급한 과제는 식량 문제였다. 지구가 따뜻해짐에 따라 식물의 생장지역과 초원이 확대되면서 동물들의 대대적인 이동이 있었고, 이에 따라 인류의 이동도 이어졌다. 그러나 당시만 해도 바다의 조개류를 채집하고 물고기를 수렵하여 상당 부분의 식량을 충당하는 수준이어서 이동이 쉽지 않았을 것이라고 고고학자들은 분석한다.

따라서 바다의 해산물과 함께 주변의 야산에서 수렵하고 채취하는 것이 일상이었고, 이런 부류와는 별개로 빙하가 풀리면서 식물의 생장지역을 따라 이동하는 초식동물과 초식동물을 잡아먹는 육식동물의 이동로를 따라가는 유목민족이 발생한다. 동물을 잡아 식량을 충당하던 부류들은 잡아가두는 과정에 새끼를 낳는 상황을 경험하면서 목축으로 발전하기도 한다.

그런가 하면 바다와 인근에서 정착하며 수렵과 채취를 하던 부류들은 채취한 곡물이나 과실의 씨앗이 싹이 터서 새롭게 크는 과정을 경험하면서 농사를 경험하기 시작한다. 경우에 따라서는 유목민족이 씨앗의 발아를 발견하여 남성은 수렵을 하고 여성은 농사를 짓는 역할의 분화가 이뤄지기도 한다.

농업은 자연의 혜택을 이용하는 기술적 영위이다. 추위가 심한 한대에서 아한대, 몹시 더운 열대, 비가 많고 습한 몬순, 비가 적고 건조한 중근동, 아프리카의 사막 지대 등 천차만별의 환경에서 여러 종류와 형태의 농업이 이뤄지고 있다. 이와 같이 다양한 농업 양식이야말로 각 환경마다 주어진 서로 다른 조건을 배경으로 인류의 선조들의 피나는 노력에 의해 기후, 지형, 지질, 토양, 경관 등의 풍토와 작물의 조화를 창출해낸 것이기 때문에 인류의 가장 값지고 귀중한 유산이라고 할 수 있다.

농경(農耕)은 처음에 채집해온 야생 식물의 낟알이 우연히 땅에 떨어져 싹트는 것을 보고 인간들이 이를 실험해 봄으로써 시작됐다고 볼 수 있다. 처음에는 우연히 씨앗이 뿌려졌으나, 점차 인간이 계획적으로 씨앗을 뿌리게 되면서 초기의 농경은 피[稷]를 비롯한 몇 가지 밭곡식을 재배했다.

이러한 초기 농경에서는 여전히 수렵(狩獵)에 종사하는 남자들 대신 여자들이 농사일을 맡았다. 남자는 혼자 집을 떠나 사냥을 하고, 여자와 아이는 식물을 채집하는 역할 분담과 분업에 의해 농업도 시작되었다고 볼 수 있다.

그렇지만 농업은 점차 수렵이나 채취(採取)보다 중요해졌다. 수렵이나 채취에 의한 획득물의 수량이 매우 불규칙하여 생활이 불안정했지만, 농경은 이와 달랐기 때문이다. 봄에 씨앗을 뿌리면 가을에 어김없이 몇 십 배의 수확물을 가져다주는 것이 농사였다. 그래서 농업은 점점 발전하게 되는데, 밭을 갈아서 씨를 뿌리는 갈이농사가 시작됨에 따라 농업에서 남자의 역할도 커져 갔다. 이런 과정을 통해 남녀가 모두 농업에 주로 종사하게 됐고, 수렵은 농한기에 행해졌다. 이 때가 바로 신석기시대다.

농업은 신석기혁명

농업은 '신석기혁명'이라고 불릴 만큼 여러 가지 획기적인 전환을 가져왔다. 우선 농업은 인간이 한 곳에 머물러 사는 정착 생활을 가능하게 했다. 인간은 이제 한 지역에서 머물러 살면서 광대한 지구를 한 쪼가리씩 농토로 일구어 나갔다. 신석기의 공동체 사회는 주로 농업을 도맡는 여성 중심, 즉 모계(母系) 사회로 볼 수 있다. 그 사회에서는 여성의 권한이 강했다.

농토를 가꾸는 일은 결코 쉬운 일이 아니었다. 나무를 베어버리고 뿌리를 뽑고 잡초를 없앤 다음 땅을 고르고 흙을 부드럽게 해야 했다. 그래서 힘이 강하고 일 잘하는 남성을 모아 농업을 해왔다. 그들은 길고도 힘든 노동의 산물인 농토를 떠나려 하지 않았고 그것을 점유했다. 이러한 장기간의 점유로부터 점차 토지에 대한 소유의식이 생겨나게 된 것이다.

그러면서 농업에서도 분업이 시작된다. 육체적 노동은 남성이, 씨앗의 보존이나 관리, 살림 등은 여성이 맡게 되면서 남성의 역할이 높아지고 이에 따른 재산권 문제가 공동체에서 가족 중심으로 변화하는 현상을 빚게 된다. 개인이나 가족의 소유 대신 모든 것이 씨족으로 귀속됐던 공동체 의식은 스스로를 균열시킬 싹을 배태하게 된 셈이었다.

농경이 시작될 무렵 가축(家畜)도 사육되기 시작했다. 사냥꾼들은 애당초 사냥에 실패할 경우를 대비해 먹고 남는 산짐승을 울타리에 가두어두었지만, 이것이 점차 가축의 사육으로 바뀌어 갔다. 그들은 이제 산짐승을 오늘 내일 잡아먹기 위해서가 아니라 기르기 위해서 울타리에 가두었다. 몇 해를 기르면 더욱 살진 고기와 많은 새끼를 얻을 수 있었기 때문이다.

가축의 사육이 일보 진전되어 가축을 전문적으로 키우는 유목(遊牧) 집단도 나타나기 시작했다.

유목 집단은 공동체와 공동체 사이의 분업을 발생시켰다. 수렵은 공동체 안에서 성별 분업을 가져왔고, 농업과 목축의 진전은 공동체 간의 사회적 분업을 초래했다. 이러한 사회적 분업은 공동체 간의 접촉, 즉 물물교환 등 거래를 발생시켰다.

이전까지는 자급자족의 완전한 소우주이던 씨족 공동체가 변화의 소용돌이를 맞게 된 것이다. 그리고 씨족사회의 운영원리는 점차 모계에서 부계(父系)로 전환, 씨족 공동체 내부에 그것을 해체시킬 가족을 성장시켰다.

제1의 물결, 농업혁명의 주역들

1만 년 전, 소위 제1의 물결로 일컬어지는 농업혁명을 일으킨 사람은 누구일까?

문화인류학자들에 따르면 섬세한 감성을 지닌 여성들이 바로 농업혁명의 주역들이라고 한다. 씨앗이 떨어진 후 이듬해 다시 발아하는 것을 발견한 것은 여성들의 섬세한 눈이라는 것이다. 고고학자들이나 문화인류학자들은 오랜 연구 끝에 여성들이 씨앗의 발아를 발견하여 농작물의 재배에 성공하면서부터 농업이 시작된 것으로 보고 있다.

이렇게 수렵(狩獵)이나 유목(遊牧)에서 농경(農耕)으로 전환된 것은 세상의 모든 환경을 변화시킨다. 먹거리를 위한 이동이 정착생활로 바뀌고, 먹이를 마련하던 남성 중심 사회에서 여성 중심 사회로 변하자 여성의 간택을 받지 못한 남성들은 경쟁력을 상실하여 혁명의 희생자가 되었기 때문에 농업사회의 시작을 '농업혁명'이라 이름 붙일 수 있는 것이다.

그래서 여성들은 수렵과 농사일을 잘하는 힘센 남성들을 불러모아 정착생활을 시작한다. 당시의 사회가 당연히 모계사회인 것은 여성이 주도권을 갖고 있었기 때문이다. 그런 점에서 보면 여성은 최초의 농업혁명을 일으킨 장본인이라 할 수 있다.

선사시대 이래로 땅이란 유목민족의 경우 가축이 풀을 뜯어먹고 새로운 풀을 찾아 지나치는 곳이지만, 농경민족에게는 거주지이자 농지(農地)이다. 당시에는 석기와 목기를 사용해 지금까지도 상당한 농기구가 내려와 사용되고 있는 것을 알 수 있다. 그러면서 청동기시대와 고대국가의 성립이 남성 중심사회로 변화하는 계기가 된다.

철기시대에 접어들어 제2의 농업혁명이 일어나면서 엄청난 변화의 바람이 몰아쳤고, 땅의 중요성도 더욱 커졌다. 우리나라의 경우 고조선과 열국 시대를 지나 철기 시대가 되면서 고구려, 백제, 신라, 가야 등 4국 시대를 맞게 된다. 중국의 경우에는 은주(殷周)시대를 지나 춘추시대에 이르면 단단한 철기의 발명이 보편화되고, 전국시대에 접어들면서 예리한 무기와 농기구의 발명이 이뤄지는 철기문화를 맞게 된다.

한반도에서는 언제 농사가 시작되었을까?

철제 농기구의 발명

한반도에서는 신석기시대에 농사를 짓기 시작한 것으로 고고학자들은 밝히고 있다. 그때까지는 주변에서 먹거리를 채집하거나 캐먹었는데, 농업을 시작하면서부터 사람들은 의식적으로 일정한 장소에 씨를 뿌리고 가꾸어서 열매를 거두어들이게 된다.

농업혁명은 기술의 진보와 함께 생활양식에 있어서도 커다란 진화를 가져왔다. 농기구의 개발은 과거 동물을 사냥하기 위한 도구에서 식량을 재배할 수 있는 도구로 발전시켰다.

또한 생산한 식량의 보관 문제를 해결하기 위해 토기(土器) 등 그릇도 개발하게 됐다.

거주생활에서도 점차 한곳에 오랫동안 모여 살게 되면서 과거 동굴 등의 주거와는 다른 움집 형태의 새로운 주거문화로 변화를 가져왔고, 부족사회 또는 씨족사회라는 새로운 집단생활을 영위하게 된다.

농업은 인류에게 그동안의 떠돌이 생활을 청산하고 한곳에 모여서 집단 거주를 하도록 만드는 중요한 계기를 가져다 줬다. 또

▲김포 통진면의 '김포금쌀' 홍보관 모형을 통해 농사일의 순서를 보여주고 있다.

한 농사에서 잉여생산물이 나오게 되자 잉여생산물을 분배하는 과정에서 조금씩 자기의 몫을 더 차지하려는 욕심이 싹트게 된다. 이렇게 농업혁명은 과거의 집단적 삶과는 성격이 다른 집단적 삶을 통해 계급이라는 새로운 모순을 가져왔다.

정착농업의 시작

세계적으로 정착농업은 대략 1만 년 전에 시작된 것으로 추정한다. 농업은 크게 북방계와 남방계로 나누어지는데, 일반적으로 남방계가 먼저 시작한 것으로 알려져 있다. 따라서 북방계에 속하는 우리나라의 경우 정착농업은 남방계보다 좀 더 늦은 시기에 시작된 것으로 알려져 있으며 정착농업의 중심인 벼농사는 대략

4,000년 전쯤 시작된 것으로 확인되고 있다.

벼농사는 정착농업 초기부터 중심이 된 것은 아니다. 초기 정착농업에서의 주요 작물은 야생의 밀과 보리, 조를 꼽는데 우리나라의 경우 초기 농업이 시작된 신석기시대 초반에는 조와 피, 기장 등의 작물만이 발견되고 있다.

정착농업의 후기부터 재배된 것으로 알려진 벼는 탄화미를 통해 대략적인 전파 경로를 알 수 있다. 벼의 전파 경로에 관해서는 북방설과 남방설, 절충설 등으로 나누어 볼 수 있으나 중국을 통해 들어왔다는 북방설이 지배적이다. 그러나 중국 대륙의 어느 지역을 통해 들어왔는지는 확실하지 않다.

이러한 정착농업은 크게 전기와 후기의 두 시기로 나누어볼 수 있다. 전기에는 괭이나 뒤지개 등의 생산도구를 주로 이용했고, 농기구는 돌로 만든 것도 있으나 대부분 뿔로 된 것을 사용했다. 뒤지개는 사슴뿔의 뾰족한 끝을 그대로 사용했고, 괭이는 동물 뿔의 끝을 날카롭게 다듬어서 사용했다.

낫이나 보습을 주로 이용하던 후기에 들어서 쌀 등의 맥류가 점차적으로 농업의 주를 이루기 시작한다. 그것은 각지에서 출토되는 유물에서 입증된다. 탄화물 토기에서 나오는 벼와 쌀의 자국이 석기와 토기 등과 함께 발굴되고 있기 때문이다.

벼농사의 시작을 알린 김포

일반적으로 쌀을 처음 재배하기 시작한 것은 청동기시대 초기로 알려져 있었다. 그러나 이러한 설은 근래 들어 새롭게 수정되었다. 그것은 바로 1991년 일산의 가와지와 김포의 가현리, 강화 우도 등에서 볍씨와 볍씨 자국, 벼과의 꽃가루가 발견되었기 때문이다. 벼와 관련된 기존 유물은 평양과 부여, 김해에서 발견되어 모두 청동기시대로 밝혀져 왔기 때문에 벼농사의 시작을 청동기시대로 인식해 왔다. 그러나 위에서 말하는 고양과 김포 등지의 유적은 모두 신석기시대 후기 유적으로 우리나라의 벼농사의 기원을 훨씬 이전으로 앞당기게 하였다.

한국선사고고학회와 일본 도호쿠대(東北大) 스즈끼 미쯔오 교수팀이 공동으로 지난 1997년 통진면 가현리 450번지 일대의 이탄층을 채취, 방사선 탄소연대측정법을 이용한 3년간의 연구조사 발표를 통해, 이제 김포가 국내 쌀 재배의 원조라는 사실은 정설로 굳어지고 있다.

선사고고학회 임효재(서울대 문학박사) 회장은 2009년 "일본의 스즈끼 미쯔오 교수팀과 가현리에서 채취한 이탄층을 조사한 결과 가장 아래쪽은 B.C. 5천 440년, 중간층은 B.C. 4천 720년, 가장 위쪽은 B.C. 4천 420년에 형성된 것으로 판명됐다."고 밝힌 바 있다. 이렇게 김포가 우리나라 최초의 벼농사 중심지가 된 배경에 대해서는 다양한 견해가 나오고 있다.

첫째, 양자강에서 북쪽으로 계속 올라와 산동(山東) 반도에 이른 다음 황해를 건너 우리나라의 중서부 지방에 닿았다는 도해(渡海)설이 있다. 이는 중국의 산동 반도와 황해의 벽란도, 경기도의 강화도가 가까운 거리라 중국과의 교류에 유리한 지형을 이루고 있기 때문이다. 또한 중국의 하모도와 김포의 가현리가 서로 마주 보는 지형인 것도 도해설의 근거로 제시되고 있다.

중국의 하모도는 세계에서 가장 빠른 시기인 7천 년 전에 벼가 재배됐다는 기원설과 함께, 주변의 일본이나 시베리아와 활발한 교류가 있었기에 우리나라와도 교류가 있었을 것이라는 측면에서 도래설을 이야기한다.

둘째, 산동(山東)반도 북쪽의 요동열도를 거쳐 요동반도에 이르러 한동안 쌀이 재배되다 남만주를 거쳐 우리나라로 들어왔다는 주장이다. 그리고 이와 시각을 조금 달리하여 산동 반도에서 계속 바닷가를 거쳐 발해만 주위와 요동반도를 거쳐서 바로 한반도로 유입되었다는 육로(陸路)설이다.

요동반도는 한반도의 주요 터전이었을 뿐만 아니라 고대에는 우리나라와 끊임없이 문화를 교류했고 사람들의 왕래가 잦았다는 점에서 이러한 주장이 되풀이되고 있다. 그러나 아쉽게도 평양 등지에서는 조와 피 같은 초기 작물은 발견되었지만 아직까지 벼 농사와 관계된 흔적은 발견되지 않았다.

이러한 여러 유입설과는 별도로 한반도에서는 오래전부터 벼 농사를 통한 정착생활이 시작되었다는 점에서 김포는 벼농사와 함께 우리나라 정착생활의 시작을 알리는 중요한 지역이다. 또한 당시에는 고조선과 동이족이 주나라에 밀려 만주지방으로 이전하기 전이라 동아시아에서는 우리 민족의 벼 재배가 최초였다는 고고학자의 견해도 있다.

왜 김포의 벼농사가 발달했을까?

김포는 서쪽의 좁은 강화수로를 경계로 강화도와 마주보고 있으며, 동북쪽은 한강으로 둘러싸인 반도이다. 북쪽에는 한강과 임진강의 하류가 흐르며 군사분계선이 설정되어 있고, 동쪽에는 한강 너머로 경기도 파주시와 고양시가 마주하고 있다.

남동에서 북서로 길게 돌출한 김포반도는 오랜 침식작용으로 낮아진 준평원과 한강 중상류와 지류에서 운반된 토사가 매립되어 발달한 퇴적지대로 이루어져 낮고 평탄한 김포평야를 이룬다. 높이 100m 이하의 구릉성 산지는 주로 김포시 서쪽에 위치하며, 굴포천, 계양천 등이 한강으로 흘러들어가 동부의 한강 연안에는 넓고 두꺼운 퇴적평야가 발달해 있다.

이처럼 비옥하게 발달한 김포평야는 예로부터 쌀 중심의 농업이 주요 산업으로 발달해왔으며, '통진미'와 '김포미', 최근에는 '김포금쌀'이라는 이름으로 경기미를 생산하고 있다.

이러한 김포의 벼농사는 우리나라 최초의 기록인 <삼국지 위지 변지조>에 "변진국들은 오곡과 벼 재배에 알맞다."고 쓰여 있어 김포를 비롯한 반도 남서쪽을 최적의 벼농사 지역으로 꼽고 있다. 또한 <삼국사기 백제본기>에 "다루왕 6년 2월에 영을 내려 나라의 남쪽 주군에 벼농사를 시작하게 하였다."는 말로 미루어 김포지방에서 시작된 한반도의 농업이 백제 때 전국적으로 발전했음을 짐작할 수 있다.

철기의 확산과 농기구의 발명

제2의 농업혁명

전국시대는 중국 사회에서 커다란 격동기였다. 이제 신석기 말기 이래의 도시국가 체제가 마감되어 가면서, 거대한 고대 제국의 출현이 예고되고 있었다. 그 배경에는 철기(鐵器)의 발명으로 대표되는 기술상의 대혁신이 있었다.

철기는 지배계급의 상징물에 불과했던 청동기와는 달리, 사회 전반에 커다란 파문을 던졌다. 청동기시대에도 생산용구는 석기와 목기였으며, 그에 따라 생산력 수준도 신석기시대와 별반 차이가 없었다. 따라서 은주(殷周) 시대의 고도의 청동기문명은 소수의 사람들에게 부가 집중된 결과였다.

우리나라도 위만조선 시기에 철기가 들어와 삼한시대에 퍼져 나갔으며, 철기를 바탕으로 3국과 가야가 강성한 국가체계를 수립하게 된다.

철기와 더불어 점차 금속 제작기술이 발달함으로써 춘추시대 중기와 우리나라 삼한시대에 이르면 보다 단단한 철기가 발명되고 널리 보급되기 시작했다. 철기는 보다 예리한 무기(武器)로 사용되었을 뿐만 아니라, 농기구(農器具)로도 널리 사용됨으로써 정치, 군사, 경제, 사회 전반에 커다란 변혁을 초래했다.

철제 농기구는 땅을 보다 깊이 갈 수 있도록 했으며, 여기에 소를 경작에 이용하는 우경(牛耕)이 시작돼 인간의 근력에만 의존하던 농경은 비약적 발전을 거듭하게 된다. 이를 '제2의 농업혁명'이라 부른다. 이제 기계화 이전 전통 농업사회의 기본 틀이 마련된 셈이었다. 예전에는 쓸모없던 땅이었던 황무지가 개간되고, 단위 면적당 생산량도 크게 늘었다. 더불어 각국이 다투어 대규모 수리사업을 벌이게 되자 농지는 더욱 확대됐다.

농업기술의 진전에 따라 공동체의 집단농경에 의존하던 농업경영 방식은 소가족 단위의 생산도 가능하게 함으로써, 점차 사회조직에도 커다란 변화를 가져왔다. 이 새로운 물결을 재빨리 인식하고 개혁을 가속화시킬 수 있었던 나라가 장차 통일제국의 성취에도 앞섰을 것이다.

당시의 주산업인 농업생산의 발달로 경제 전반에 생기가 넘쳤다. 수공업과 상업 등이 농업에서 분리하여 독자적으로 발달하기 시작했고, 특히 제철업과 제염업의 발달이 돋보였다. 제철업은 각종 농구와 무기의 수요 폭증에 따라 눈부신 발전을 보였다.

제나라의 수도 임치에서 발굴된 야금(冶金) 유적지는 넓이가 십여 만 평방미터에 달했으며, 여러 곳에서 발굴된 주조장에서는 철제 농기구가 다량으로 나왔다. 사람들은 당시에 이미 산 위에서 적갈색 흙이 발견되면 그 아래 철이 있다는 사실을 깨닫고 있었으며, 당시 철이 발견된 산이 3,609개소였다는 기록이 있다.

▲수확한 곡물을 저장하기 위해 개발된 청동기시대 토기. 하남 미사리 출토.

중국의 사서(史書) 『삼국지 위지 동이전』에 의하면 가야의 전신인 변한(弁韓) 사람들은 철을 다루는 기술이 뛰어나 낙랑과 왜국(일본)에 철을 수출했다고 한다. 가야도 변한의 기술을 물려받았는지, 철을 잘 다루었다. 한 예로 일본은 서기 5세기 전까지 모든 철을 가야에서 수입해 사용했는데, 철의 원료인 철광석을 가공하는 기술을 몰라서 그럴 수밖에 없었다고 한다.

철기시대가 되어 농업의 대전환기를 맞았고, 농기구의 개발이 촉진되면서 불모지도 개간해 농지로 만들었다. 이를 통해 농업생산이 늘어나면서 국토의 면적은 곧 경제력과 국력의 상징이었다. 당시의 전쟁은 농지(農地)를 늘리기 위한 수단이었다는 역사학자들의 분석도 있다.

제**2**장
토지(농지)제도의 변화

고대와 삼국시대의 토지제도

고대와 삼국시대

고대국가가 형성되기 이전의 토지제도나 토지 소유 형태 등에 관한 기록은 보이지 않지만, 대체로 주민들은 마을 중심의 공동체 생활을 하였고, 토지는 원칙적으로 마을 공동체의 공동소유라고 할 수 있었으며, 공동생산과 공동분배가 이루어진 것으로 보인다.

이후 원시공동체사회가 해체되는 과정에서 계급 분화가 이루어지고 족장(族長)에 의한 토지의 사유화와 공동체 성원들의 황무지 개간 등으로 점차 가족 단위의 토지 지배 형태도 나타났을 것으로 여겨진다.

고구려·백제·신라의 토지제도는 고대국가가 체제를 갖추는 과정에서 초기에는 전쟁을 통한 승전(勝戰)의 결과물인 점령지를 국유화하여 일부는 족장에게 식읍(食邑)으로 주고, 또 일부는 공신들에게 분배해 주었으며, 정복당한 나라의 백성을 노예(奴隸) 또는 농노화(農奴化)하여 그 토지를 경작하게 하는 과정을 거쳤다는 것이 학계의 정설이다.

[출처 : 국립중앙박물관]

▲철기시대를 맞은 삼국시대에 개발된 철제 농기구. (사진은 흑백 처리)

그러다가 점차 왕권이 강화되고 중앙집권적 통제가 이루어짐에 따라 지배지의 토지가 모두 국가의 소유가 됐고, 자연스럽게 토지 국유제로 발전했으리라고 추측된다. 또한 경작은 농민과 노예에 의해 이뤄졌으며, 일부 사적 점유와 경작이 있었을 것으로 추정하고 있다.

숱하게 치러진 철기시대의 치열한 영토전쟁은 국제적인 연대에 의한 국제전쟁으로 확산되기도 했는데, 신라와 당나라가 연합한 나당(羅唐) 연합군이 백제와 고구려를 침략했던 동아시아 전쟁이 그런 경우다. 백제와 고구려 지역 일부를 점령하여 소규모 삼한일통(三韓一統)을 이룩한 신라는 늘어난 영토에 대한 제도적 정비가 요구됐다. 신라는 통일과정에서 중앙집권적 지배체제를 확립하는 한편, 비약적으로 확대된 영토와 인구를 효율적으로 통치하기 위한 토지제도의 재편성이 필요했던 것이다.

종류	내 용
녹읍	관료 귀족에게 준 토지, 수조권+노동력 징발권
식읍(식봉)	왕족, 공신에게 준 토지와 가호, 수조권+노동력 징발권
※신라의 토지제도에 대한 기록을 바탕으로 삼국의 경우 추정	

통일신라의 토지제도

통일신라시대에 새롭게 등장한 가장 특징적인 토지제도의 내용은 관료전(官僚田), 정전(丁田), 관모전답(官謨田畓), 내시령답(內侍令畓), 연수유답(烟受有畓)의 등이다. 경덕왕대에 국가체제를 정비했지만, 그 이전인 687년(신문왕 7)에 문무 관인에게 직급에 따라 차등을 두고 지급한 관료전이 있었는데 2년 후에 폐지됐다.

다시 757년(경덕왕 16)에 녹읍제도로 환원하여 관직이 있는 동안 봉급 대신에 직전(職田)으로 지급하고 퇴관(退官) 시에는 반납하게 했는데, 이 제도는 통일신라 말까지 존속했다.

정전은 722년(성덕왕 21)에 실시됐는데, 일반 백성이 국가에서 토지를 분배받고 경작해 수확의 일부를 조(租)로써 국가에 납부하고 나머지는 자기의 수입으로 하는 것인데, 60세가 되면 국가에 반납하는 형태의 토지제도였다. 이 제도는 토지 국유제를 바탕으로 중앙집권체제를 확립하기 위한 제도로서 농민들을 토지로 구속해 국가재정 수취를 증대할 목적도 있었다.

관모전답, 내시령답, 연수유답 등은 국가 직속지인데, 관료와 촌주 및 농민에게 지급하던 토지로서, 특히 연수유답은 정전제가 소멸된 뒤 정전과 비슷하게 모든 농민에게 분배했던 농민 보유지로 보인다.

통일신라 말기에는 귀족과 관료들의 소유 토지가 사전화(私田化)와 겸병 등에 의해 사유농장으로 확대되고 사전과 직전 등이 매매, 증여, 양도됐던 것으로 기록되어 있다. 또한 불교가 성행하여 국가의 보호를 받는 사원에 토지를 지급했는데, 절에 지급한 토지의 확대는 면세와 국역의 면제 등으로 국가재정의 결핍을 초래했으며, 결국 토지 국유제의 문란과 통일신라의 붕괴를 가져 오는 원인을 제공했다고 한다.

전체적으로 통일신라 때까지 토지제도는 국가의 흥망성쇠, 왕권의 변동과정에서 중앙집권적 지배체제 강화의 수단으로 이뤄졌으며, 국가 소유 토지의 분배 문제에 중점을 두었다.

통일신라의 토지제도

종류	시기	내 용
관료전 지급	신문왕, 687	관료전을 지급하면서 녹읍 폐지, 식읍 제한→국가 지배권 강화, 관직을 기준으로 수조권 지급
정전 지급	성덕왕, 722	백성에게 토지를 주어 경작하게 함
녹읍 부활	경덕왕, 757	왕권 약화

고려와 조선의 토지제도

고려의 토지제도

고려 건국 초기에는 전(全) 지역에 중앙집권적 지배권이 확립되지 않았으므로 지방 토호들에 대한 소극적인 회유책으로서 전제 개혁이 이뤄졌다. 귀순하는 지방 장군이나 성주의 기득권을 보장해 기존의 토지와 농민을 지배할 수 있도록 하고, 전조(田租)를 감면하거나 면제해 주었다. 군사적·정치적으로 충성했던 군인·신하에게는 역분전(役分田)을 보상으로 지급해 일시적으로 봉건 지배세력과 농민을 회유했다.

그러다가 976년(경종 1) 전시과제(田柴科制)를 실시하여 모든 국토에 대한 중앙집권적 지배권을 확립했다.

국내의 경작지와 삼림을 국가의 토지대장에 등록한 다음, 문무백관에서부터 한인에 이르기까지 등급에 따라 토지를 지급하고, 당해 토지에 대한 수조권(收租權)을 당대에 누릴 수 있도록 했으나, 상속과 매매는 허용하지 않는 것을 주요 내용으로 하는 토지국유제를 확립한 토지제도였다.

고려의 토지제도

종류	시기	내 용
녹읍, 식읍 시행	건국 초	
역분전	태조, 940	개국공신에게 충성도, 인품, 공훈 등을 감안해 경기도에 한해 지급-논공행상의 성격
전시과	경종, 976	• 관직 복무와 직역에 대한 대가로 전지와 시지를 차등 지급. • 소유권이 아니고 세습 불가.
과전법	공양왕, 1391	관등을 기준으로 전(前)·현직(現職) 관리에게 경기도에 한해 과전(수조권) 지급

그 뒤 성종 때 중앙집권적 통치기구가 정비됨에 따라 중앙·지방 해당 관서에 소요되는 모든 경비를 충당하기 위해 공해전시(公廨田柴)를 설정해 각 기관에 전시를 지급하고, 그 토지로부터 수납을 받은 전조(田租)로써 해당 기관의 비용을 충당했다.

그러나 잦은 관직의 교체로 새로운 관리가 계속 증가함에 따라 상대적으로 토지가 부족해졌고, 1014년(현종 5)·1034년(덕종 3)·1076년(문종 30)에 각각 부분적으로 개정했으나 근본 전시과 체제는 유지됐으며, 단지 관리에 대한 토지 지급액이 점차 감소됐다.

인종 때는 외척의 정권 농단(壟斷)으로 토지 제도가 극도로 문란해져 수조지의 쟁탈과 토지겸병에 의한 귀족들의 사유 토지 집적이 확대됨에 따라 전시과 체제는 붕괴되기 시작했다.

더욱 무인정권이 출현하고 몽고, 왜구 등 외세의 침입에 따라 정치·사회가 극도로 혼란해져 군사적 쟁탈에 의한 권문세가의 토지 독점이 전국으로 확대돼 전시과 체제는 완전히 붕괴됐으며, 국가재정을 위협해 결국 고려 붕괴의 결정적 원인이 됐다.

고려 말기에는 공전(公田)이 절대적으로 부족해 재정이 핍박을 받았을 뿐더러 새로운 관료에 대한 전시 지급이 곤란해져서 정치적·사회적 동요가 일어났다.

조선의 토지제도

문란해진 토지 제도를 해결하기 위해 신흥사대부 세력의 중심 인물인 이성계(李成桂)는 1389년(공양왕 1) 양전사업(量田事業)을 실시하고, 1390년에는 급전도감(給田都監)을 설치하여 기존의 공사전적(公私田籍)을 불태우고 과전법(科田法)을 시행함으로써 토지개혁을 결행했다. 이로써 구세력의 물질적 기반을 무너뜨리고 신정권의 지배 기초를 확립한 것이다.

양전(量田) 사업이란 고려 말기 이래 사전 확대 과정에서 은결(隱缺)돼 국가의 지배에서부터 빠져 있던 토지를 국가 소유로 편입시키고 토지의 등급을 조사하는 토지조사사업으로 국가재정의 수취원을 확대했으며, 합리적인 지대 징수를 할 수 있게 했다.

과전법의 공포로 전직·현직 문무백관에게 녹봉을 주는 대신 각각 18과(科)로 차등해 경기도의 토지를 지급하고 세습을 인정함으로써 전국적인 사전을 공전화(公田化)하고, 사전은 경기도에 한정하고 세습을 허용함으로써 한편으로는 무마시키면서 결국 사전을 축소시켜 사전에 대한 국가통제를 강화했던 것이다.

조선시대 토지제도

종류	시기	내 용
과전법	고려 공양왕/ 조선태종/ 세종	관등을 기준으로 차등 지급, 경기도에 한해 수조권 지급, 세습 불가. → 죽은 관료의 생계를 돕기 위해 세습이 가능한 수신전, 휼양전 지급해야 하는 문제점 도출
직전법	세조, 1466	현직 관리에게만 수조권 지급. → 수신전, 휼양전 폐지.
관수관급제 (官收官給제)	성종, 1470	국가가 징수해 관리에게 지급. 국가지배권 강화.
직전법의 폐지	명종, 1556	직전법을 폐지하고 관리에게 녹봉만 지급. 지주전호제 강화로 병작반수제 보편화 시작.

　그리고 군인과 한량 등 중소 봉건 지배층에 대해서는 경기 이외의 지방 토지를 군전(軍田)으로 지급했다. 과전법 제도에서는 사전에 대해 전세(田稅)를 부과, 재정 수입원으로 충당했다. 한편으로는 세습을 허용하는 등 당초부터 개인의 소유권을 어느 정도 인정했기에 조선 후기에 사전 주인이 실질 지주가 돼 봉건적 소작관계를 형성하게 되는 원인이 됐다.

　그러나 관료가 증가하고 세습이 계속됨에 따라 경기도의 토지가 부족하게 돼 1417년(태종 17)에는 경상도·충청도·전라도 토지를 과전으로 지급하는 등, 과전(科田)이 공전을 잠식하는 폐단이 나타나 1466년(세조 12)에는 과전법을 폐지하고 직전제(職田制)를 채택했다.

　직전제는 현직 관료에게만 차등으로 토지를 지급하되 전조(田租)의 수납을 국가가 대신하고, 수전자(受田者)에게는 국고로 보상해 줌으로써 공전 잠식을 방지할 뿐더러 사전 주민의 불법적인 농민 수탈의 폐해를 방지하려고 했다.

그러나 관료 신분의 세습화로 인해 결국 토지도 세습됐고, 1592년(선조 25) 일본의 침입으로 인해 정치·사회가 더욱 혼란해지면서 농지 결수도 3분의 1로 감소됨으로써 농민의 부담은 더욱 늘어나 소작농으로 전락하는 등 직전제도 사실상 붕괴됐다.

임진왜란 이후 중앙정부의 통제력이 약화됨으로써 사전이 확대돼 거대한 토지를 소유한 관료적 지주가 등장하고, 상대적으로 공전의 경작권을 상실한 농민은 관료적 지주와 소작관계를 형성하는 등 봉건제 아래의 토지의 사적 소유관계가 나타나게 됐다.

특히 농지가 황폐해짐으로써 일부 농민은 개간 등을 통해 토지를 집적하고, 문호개방 이후한편으로는 상업·수공업이 활성화되고 화폐유통과 교환경제가 진전됨에 따라 농민도 자본을 집적해 토지를 매입하는 등 농민 출신의 지주(地主)와 신흥지주가 등장함으로써 근대 토지 소유 현상이 사실상 성립되기 시작했다.

재상가의 농지 수탈과 조선 후기의 토지제도

16세기 조선은 연산군 때부터 임진왜란을 겪는 선조 대에 이르기까지다. 이 시기는 세종과 성종 시절과 같은 문화가 융성하던 시대가 아니라, 사대부가 정변(政變)으로 가장 큰 고초를 겪는 4대 사화(士禍)가 있었고, 조선에서 가장 큰 전쟁인 임진왜란을 겪은 시절이다.

특히 전국을 휩쓸고 지나간 임진왜란은 민중의 고통을 가중시켰고, 농지가 피폐해서 심각한 식량난까지 겪어야 했다. 이런 역사적 혼란기를 알아야 조선 후기의 토지제도를 이해할 수 있다.

이렇게 혼란기를 경험한 16세기 이후부터 토지의 소유는 왕족이나 일부 사대부에게 집중되는 현상이 두드러지게 나타났다. 이것은 전란(戰亂)을 틈타 토지가 힘센 자들의 몫으로 돌아가면서 자영 소농민의 몰락이 그만큼 심각하게 진전되어 영세농민들의 토지 소유가 크게 침식을 당했다.

이런 현상은 서울의 재상가(宰相家)들이 농촌에서 많은 땅과 주택, 물자를 갖고 있는 자들과 서로 짜고 그들을 경호원으로 삼아 토지를 늘려가기에 광분하였기 때문이다.

1518년(중종 13)에는 토지 소유의 편재를 타개하는 방법으로 정전법(井田法)·균전법(均田法)을 실시하자는 주장이 강력하게 대두됐으나 수용되지 못했다.

결국 도시 귀족과 재지(在地) 향호(鄕豪)들에 의한 대토지 겸병(작은 면적의 땅을 여러 개 묶어 큰 면적을 소유하게 하는 것)이 강력히 진행되는 과정에서 영세 소농민은 경작지를 상실해 몰락의 길을 걷는 심각한 사태가 이어졌다. 이로써 결국 권력을 가진 사대부들이 넓은 면적의 땅을 소유하게 된다.

농장의 규모가 클 경우에는 경작지가 수백 결에다가 삼수백가(三數百家)를 넘는 전호를 거느렸다. 이들 전호의 경우 대개 양정(良丁)을 모집해 노복(奴僕)이라고 가칭(假稱)하였지만, 본래 신분상으로는 양인이었다. 이들은 농장주(主戶)에 대해 협호라는 형식으로 부속되어 있는 예속농민이었다.

 1파(把) : 벼 한 주먹/ 1속(束) : 벼 한 단(10把)/ 1부(負) : 벼 열 단(10束)/ 1총(總) : 벼 백 단(10負)/ 1결(結) : 벼 천 단(10總)

　이러한 과정을 거쳐 지주와 전호의 소작 관계에 입각한 지주적 토지 지배가 임진왜란 이전에 이미 제법 안정된 기반을 구축하고 있었을 것으로 보인다. 상징적으로 남아 있던 직전법도 1557년(명종 12)에는 없어졌다. 16세기 후반기에 확립되는 사림파 정치 권력은 그들의 경제적 토대인 지주적 토지지배의 성장과 함께 탄생한 것으로 볼 수 있다.

　직전(職田)이 폐지된 이후 왕족이나 관료에 대하여 토지를 지급하는 제도는 완전히 없어지고 말았다. 그러나 왕족이나 관료의 대부분은 이미 광대한 농장을 소유하고 있었으므로 국가로부터 그들에 대한 토지의 지급이 끊어져도 경제 기반을 갖춘 귀족 계층으로 확고히 성장하고 있었다. 이러한 형세는 조선 말기에 이르기까지 큰 변화 없이 그대로 계속됐다. 이런 상황은 궁궐의 재정을 피폐하게 만들어 결국 경제력 없는 정부로 전락함으로써 힘없는 왕권으로 떨어지는 요인으로 작용한다.

　1592년(선조 25) 일본인의 침입으로 계속된 7년 동안의 임진왜란과 1636년(인조 14) 후금의 침입으로 일어난 병자호란은 농장을 황폐화시키고 수많은 인명을 희생시켰다. 전쟁 전 전국의 경작지는 150여 만 결이었는데 전쟁 직후에는 30만 결로 격감했으며, 전후의 시책에 있어 가장 중요한 문제는 국방의 강화였다. 국방을 강화하기 위해서는 막대한 군사비가 필요하였는데 이것을 조달할 재원이 막연하였던 것이다.

그 결과 나타난 것이 둔전(屯田)의 경영이었다. 둔전은 국가의 각 군 병영기관이 경비를 조달하기 위하여 설치 운영하던 땅이었다. 이외에 최고의 행정기관인 의정부와 기타의 일반 행정기관도 둔전을 설치했다. 둔전은 얼마 안 가서 전국적으로 확대돼 그 양이 매우 방대해졌다. 보통 전자를 영문둔전(營門屯田)이라 하고, 후자를 아문둔전(衙門屯田)이라고 하는데, 경우에 따라서는 양자를 합칭(合稱)해 아문둔전이라고 하는 경우도 있었다.

둔전은 처음에는 전재(戰災)로 인한 유망민(流亡民)을 모집하여, 그들에게 농구(農具), 종자(種子), 식량(食糧) 등을 제공하고 전화(戰禍)로 인하여 황폐화된 토지를 개간한 것이었다. 그러나 뒤에는 일반 민전을 이른바 자원에 의한 모입민전(募入民田)의 형식에 의하여 둔전으로 편입하는 일도 있었고, 또 압력을 가하여 헐값으로 일반 민전을 매입하는 경우도 있었다.

둔전(屯田)의 경영은 황무지를 개간하였을 경우나 일반 민전을 매입했을 경우에는 둔전의 소유주인 국가기관과 그것을 경작하는 농민이 수확의 절반씩을 분배하는 병작반수(竝作半收) 방식을 취한 듯하다.

원래 둔전에 편입된 민전은 그 조(租)가 국가의 기관에 수납되었을 뿐이며, 본질적으로는 그 토지를 가지고 있던 사람의 소유지였다. 그런데 뒤에 와서는 국가기관의 소유지 같이 되어 본래의 소유자는 소작인과 같은 위치에 떨어지고 말았다. 그래서 둔전 수확의 절반이 국가기관에 수취되었을 것으로 짐작된다.

토지의 종류

토지의 종류		내 용
과전		관리에게 보수로 차등지급, 수조권 지급, 세습불가
세습가능	수신전	관리 사망 후 재혼하지 않은 부인에게 지급, 자식의 유무에 따라 지급량이 다름.
	휼양전	관리 사망 후 미성년 자녀에게 지급, 딸이 시집갈 경우 조건에 따라 일부 소유
	공신전	공신에게 지급
군전		한량(閑良)의 부경시위(赴京侍衛) 대가로 지급.
학전		성균관, 향교 등 각 급 학교에 지급.
공해전		중앙 관부의 경비 충당을 위해 지급.
늠전		지방 관아의 경비 충당을 위해 지급.

조선후기 농지 소유의 혼란

본래 왕실에는 왕실 소유의 광대한 토지도 있었는데 임진왜란으로 큰 피해를 입었다. 그들의 경제적 손실을 회복하기 위해 궁

▲ 조선 말 삼정의 문란 시기의 부패한 관료를 상징적으로 표현한 그림

방전(宮房田)을 새로 설정했다. 왕실과 왕족, 기타 양반들은 조선 말기, 토지 대장인 양안에 등록되어 있지 않거나 버려진 땅을 관에 신고하도록 해, 신고자에게 경작하게 한 다음 그에 대한 지세를 받았다. 이를 입안절수(立案折受)라고 하는데 이 황무지를 불하받아 그들의 거대한 재력을 배경으로 이 토지를 다시 개간했다.

황무지는 본래 주인이 있는 땅이었으나, 왕실 및 왕족에 의하여 새로 개간된 이후부터는 이른바 궁방전의 명목으로 그들의 소유에 귀속됐다.

왕족에 대한 토지의 공적 지급은 직전법이 폐지된 이래 중단되어 있었는데, 궁방전의 설정으로 이것이 다시 재개된 셈이다.

영문둔전(군대가 소유해 경지를 충족토록 한 땅)·아문둔전(정부 부서의 경지를 충당하기 위해 운영하는 땅)·궁방전의 설정은 임진왜란 이후에 나타난 조선 토지제도 사상 매우 주목할 중요한 지목이었다. 둔전·궁방전에서는 전주(田主)에 대한 조세의 부담이 국가에 대한 공적인 조세에 비하면 다소 가벼웠고, 또 연호노역(烟戶勞役)이 면제되는 특권이 있었으므로 일반 농민은 물론 권력자들 중에서도 자기의 소유지를 영문·아문·궁방으로 전환하는 자가 많이 나타나서 영문둔전·아문둔전 및 궁방전은 점점 확대, 팽창했다. 이러한 것이 토지 소유의 실체를 매우 애매하게 만들어 뒤에 토지소유권 문제에 혼란을 일으켰다.

영문·아문·궁방은 광대한 토지를 모았을 뿐 아니라 종래 일반 민간의 이익을 위해 개방돼 있던 어장(漁場)·산림(山林) 등의 자연부원(自然富源)은 물론 염장(鹽場)까지 점령해 막대한 재산을 축적했던 것이다.

1807년경 영문둔전과 아문둔전의 합계는 전국 경작지 145만 6592결의 3.2%에 해당하는 4만 6102결이었고, 궁방전은 2.6%에 해당하는 3만 7926결이었다. 양자를 합치면 전국 경작지의 약 6%에 해당한다. 궁방전·영문둔전·아문둔전에는 도장(導掌)이라는 관리인이 붙어 있었다.

이 관리인의 가장 중요한 임무는 토지의 경작을 감독하고 그 토지에서 나오는 수확을 수취하는 것이었는데, 그는 또한 중간 착취자이기도 하였다. 도장뿐 아니라 그의 밑에 달린 중간 착취자가 농민들 위에 존재해 많은 폐단을 남겼다.

임진왜란 이후 조선의 토지 제도상에 나타난 또 하나의 주목할 현상은 이러한 혼란기를 틈타 탐욕스런 양반 관료와 지방행정의 실무자인 아전 및 지방 유력자들의 토지 집적(集積)이 현저히 늘어났다는 것이다.

특히 전란 당시 점령(占領)당했던 지역의 토지대장은 거의 소실됐는데, 이렇게 소실 도는 손상된 토지대장을 재작성하는 과정에서 많은 부정과 협잡이 이뤄졌다. 지방의 향호들이 전적의 손실에 편승해 토지를 강점하고 농민은 땅을 빼앗겨 실농(失農)하는 경우가 비일비재했다. 또 권력자 중에는 국가에 대한 조세와 기타의 부담을 포탈하기 위해 자기의 토지를 감량해 보고하거나 토지대장에 등록하지 않는 이른바 음법(陰法)을 감행하기도 했다.

이런 현상은 전국의 경작지 중에서 많은 부분의 토지가 일부 소수의 지주들 손에 집중되고 농민은 농토를 상실해 차차 몰락해 가는 과정을 의미한다. 이러한 농민의 몰락 현상에 있어서는 또 금속화폐의 일반적 통용이 큰 작용을 하고 있었다.

17세기 중엽 이후 금속화폐의 유통이 활발해지자 그것은 재래의 봉건적 자연경제를 점차로 해체시키고 농민들의 경제생활에 파괴적인 영향을 미쳤다. 그것은 농민의 소비생활을 크게 자극하여 그들의 빈약한 생계를 더욱 더 파탄으로 이끌어갔다. 이러한 환경 속에서 지주들의 고리대금업이 성행하고, 희생양이 된 농민들은 결국 토지를 빼앗기고 말았다.

또 하나의 주목할 현상은 이렇다 할 권력의 배경 없이 순수한 경제적 활동과 노력, 경영 수완과 재능으로 부를 축적한 농촌 내부의 부농(富農)이 발생했다는 사실이다. 이들은 국가기관이나 대지주의 토지를 비교적 헐한 지대를 지불하는 조건으로 빌려 몰락한 농민의 유휴 노동력을 고용해서 그 토지를 경작하고 기업적 경영을 통해 큰 부를 축적했다. 부농(富農)에 의해 고용된 경작자는 일종의 임금 노동자의 성격을 띤 농민으로서 이러한 농민이 농촌 내부에서 비교적 광범위하게 나타났다는 것은 매우 중요한 일이다. 이들 경영형의 부농은 그들이 지주가 되어 지주형의 농업을 경영하는 일도 있기는 했으나 대체로는 기업적인 농업경영을 통해 부를 축적해 가고 있었다.

조선 후기에 있어서도 전국 경작지의 면적에서 압도적인 비중을 차지하는 것은 민전(民田)이었다. 일반 농민의 경작지뿐 아니라 소작제에 의하여 경영되는 양반·관료·지방 유력자들의 소유지도 민전으로 간주됐다. 소작제로 경영하는 지주는 대개 양반이었으나 신분이 낮은 상민이나 심지어는 노예가 양반보다 더 많은 토지를 소유해 납속수직(納粟授職)하는 경우가 흔히 있었다. 이러한 현상은 아마 조선 후기부터라고 생각된다.

민전(民田)의 소유자는 그들이 소유하는 토지의 양에 따라서 국가에 조세를 바치고 또 공부 역역(力役), 그리고 기타 굉장히 많은 종류의 잡세(雜稅)를 부담하였다. 조세(租稅)는 곡물로 바치고 공부는 지방 토산물로 바쳤다.

납속수직(納粟授職) 제도

납속수직 제도란 국가재정의 부족을 보충하거나 진휼 비용을 마련하기 위해 시행한 제도로서 돈 주고 승진이나 관직을 얻는 제도다. 이 제도의 기원은 고려 초부터 있었던 역관(役官)제도로 생각된다.

역관 제도는 추밀원(樞密院)의 당후관(堂後官)·문하녹사(門下錄事)·권무(權務)·입록(入綠) 이상의 인원이 백은(白銀) 6~70근을 내고 참직(參職)을 받는 제도였다(액수와 대상은 이후 변동이 있음). 이것은 정부의 비용 충당을 위한 강제성이 강했는데, 현직 관리를 대상으로 한다는 점에서 일반 납속제도와는 조금 다르다.

정식의 납속수직은 1275년(충렬왕 1)부터 시작됐다. 육작·입속보관법(入粟補官法)이라고도 불렀다. 1349년(충목왕 4)에는 종9품직에 쌀 5석이며, 매 등급마다 5석씩 더하고 전직이 있는 사람은 쌀 10석마다 1등급을 올려줬다.

조선 초기에는 납속제도에 대한 규제를 강화해 사례가 많지 않았다. 그러나 임진왜란 이후 국가재정이 부족해지고, 농민층의 분해가 진행되자 납속수직 제도는 임진왜란으로 인한 군비 마련과 이후의 국가 재건작업의 비용조달을 위해 국가는 면천(免賤)·면역(免役)을 포함한 납속책을 활용했다.

이후 대규모 공사나 진휼(賑恤)사업이 필요할 때는 상례적으로 납속을 실시했다. 임란 이후 처음 납속은 1593년(선조 26)에 있었는데, 그때는 국역담당인구의 감소를 막기 위해 향리(鄕吏), 사족(士族), 서얼(庶孽)만을 대상으로 했다. 납부액에 따라 향리에게는 면천에서 동반 실직까지, 사족은 참하(叅下) 영직(影職)에서 동반 당상관까지, 서얼은 겸사복(兼司僕)에서 동반 6품까지의 직과 위계를 주었다. 그러나 실제 이런 규정은 잘 지켜지지 않았고, 일반 평민과 노비에게도 정식으로 확대됐다.

납속첩 역시 노직 당상첩(老職 堂上帖), 노직첩, 서얼 허통첩, 추증첩(追贈帖), 가설 실직첩(加設 實職帖), 교생 면강첩(校牲 免講帖) 등으로 다양해졌다.

대체로 이들에게는 산직(散職)인 노인직, 영직, 가설직(加設職)을 주었지만 실직을 주는 경우도 있었다. 가격도 점점 내려가서 1593년에 현직 관리가 동반 정3품직을 받는 가격이 100섬이던 것이, 18세기에는 일반 평민도 13섬 정도면 정2품 가선대부(嘉善大夫)를 받을 수 있었다. 따라서 자작농이나 중농 정도의 재력이면 충분히 관직을 획득해 신분을 상승시킬 수 있었다.

17세기 이후 부세(負稅) 제도의 모순이 갈수록 심해져 상업적 농업과 집약적 경영을 통해 성장해가던 농민들에게는 신분상승을 통해 부세 부담에서 벗어나는 것이 앞으로 성장하느냐, 몰락하느냐를 가름하는 관건이 됐다.

그 결과 이 방법을 통한 신분상승은 엄청나서 조선 후기의 양반층이 급격히 증가하는 가장 큰 원인이 됐다.

정부는 이로 인한 부세 부담 인구의 감소를 막기 위해 여러 가지 대책을 세웠다. <대전통편>에는 납속으로 실직은 줄 수 없다고 규정했으며, 납속을 시행할 때마다 관직별로 판매 대상 신분을 지정하곤 했다. 호적대장이나 공용문서에는 반드시 납속당상 등 '납속'이란 단어를 붙여 이들을 순수 양반층과 구별하여, 군역(軍役)을 면제받을 수 없게 하고, 형법에서 양반층에게 부여한 특권을 누리지 못하도록 제한했다.

그러나 이런 제한은 잘 지켜지지 않았다. 애초에 농민들이 납속하는 가장 큰 동기가 피역(避役)에 있었기 때문이다. 지방관들에게도 일정하게 공명첩(空名帖)을 발행할 수 있는 권한을 부여, 납속은 지방 관아와 지방 관리의 중요한 수입원이 됐다. 따라서 이들은 보다 많은 농민을 끌어들이기 위해 오히려 이런 규칙을 지키지 않았다.

18세기 이후 이들은 양반과 평민의 중간에 존재하는 하나의 신분층으로 자리 잡을 정도가 됐으며, 그 중에서도 성공한 집안은 재력과 관직을 바탕으로 향권(鄕權)을 놓고 전통 양반가와 대립하기도 했다. 결국 납속 수직(受職)제는 신분제와, 신분제에 기초한 부세(負稅) 제도의 모순을 증가시켜 중세사회를 해체시키는 중요한 요소가 됐다.

그런데 17세기 후반기에 대동법(大同法)이 보급된 이후부터는 종래 지방 토산물로 바치던 공부도 조세와 같이 곡물로 바치게 됐는데, 이때 대체로 조세는 1결에 4두요, 대동미(大同米)는 1결에 12두의 비율이었다.

영문둔전·아문둔전·궁방전은 면부면세(免賦免稅), 즉 대동미 등의 잡부와 조세가 면제돼 있었다. 다만 영문둔전과 아문둔전은

18세기 후반기(영조 34년, 1758)부터는 면부(免賦)·출세(出稅)로 법제가 변했다.

이 밖에 전기부터 내려온 지방관청에서 경영하는 관둔전(官屯田)·아무전(衙務田) 등과 교통의 중로(中路)에 설정된 역전·원전이 있었고, 학교전·능묘전·제전이 있었다. 이들 토지는 국가의 공적기관의 경비를 조달하기 위해 설정되었으므로 면세의 특권이 부여되어 있었다.

이 각종 면세전(免稅田)은 그 양이 굉장히 방대한 것이어서 1807년(순조 7) 당시의 기준으로 전국 토지의 8.2%에 해당하는 11만 8584결이었다. 여기에는 전국 토지의 약 6%에 해당하는 영문둔전·아문둔전·궁방전은 포함되어 있지 않다. 양자를 합친 면세전의 액수는 전국 토지의 14%를 능가한다.

면세·면역의 특전이 부여된 이러한 명목의 토지에는 세부(稅賦)의 포탈을 목적으로 많은 민전이 투탁(投托)되었다.

이러한 투탁전*은 명목이 어떻든 간에 실제적으로는 민전이었으므로 뒤에 내려와서는 소유관계에 많은 혼란이 생겨 소속이 불분명한 경우가 많았다.

*투탁전 : 세금을 안 내기 위해 권문세가의 소유로 넘어간 것처럼 꾸민 땅. 그러나 후일 이땅은 권문세가의 땅이 된다.

이러한 상황 속에서 조선사회는 19세기 후반기에 격동하는 근대화의 시기를 맞이하게 되고, 양반층의 부패와 토지 제도의 혼란에 따른 민란의 시대가 도래(到來)하고 세계적인 제국주의 침략의 시대를 맞아 1910년에는 일본에 나라를 잃고 말았다

일제 강점기의 농지 수탈

일제에 의한 토지조사사업

임진왜란 이후 토지의 권리 소재가 불명확해졌고, 토지의 권리 관계 이동도 빈번해 토지제도가 문란해졌다. 국가와 사대부가 대부분의 토지를 소유하고 있었지만 전쟁의 영향으로 농지의 소유가 일부 사대부가로 몰리고, 왕실은 왕실대로 땅을 추가로 늘리기 위해 궁방전을 확대하는 등의 영향이 있었으며, 보부상 등의 자본 집중으로 일부 자본가가 형성돼 농지를 대형으로 소유하는 전업농까지 발생하고 있었다.

고종의 대한제국 시절 1898년 토지측량 사무를 관장하는 양지아문(量地衙門)*을 설치, 전국의 양지 사무를 관장했다.

*양지아문은 1898년 전국의 토지를 측량하기 위하여 설치한 관서.

1901년 지계아문(地契衙門)*을 설립하고 양지아문을 병합해 양안(量案)을 일부 작성하기도 했으나, 1903년 지계아문이 폐지돼 토지제도를 정비하려던 업무가 중단됐다. 1876년 개항 이후

54

표면상 외국인에게는 토지 점유가 불가능했으나 개항구(開港口) 내외의 지역에서도 일본인을 비롯한 외국인이 토지를 점거했다.

*1901년 대한제국 정부는 지계아문을 신설했다. 지주 중심의 근대적 개혁을 위한 기초사업으로 토지조사사업을 시행하기 위해 양지아문(量地衙門)을 설치했으나, 이후 양전(量田)과 함께 토지소유권을 법적으로 인정하는 지계(地契) 발행의 필요성이 강하게 제기되었기 때문이다.

1894년 군국기무처(軍國機務處)에서는 외국인이 국내의 농지, 산림 및 광산을 점유하거나 매매하는 행위를 금지한다고 의결했으나 여전히 외국인에 의한 토지 점탈(占奪)이 성행했다. 1909년 6월 말 당시 일본인은 택지 661만 평, 논 6981만 평, 밭 1억 658만 평, 그리고 산림원야 4509만 평을 점유했으며, 청국인·러시아인·미국인·영국인 등 그 밖의 외국인은 택지 71결, 논 104결, 밭 134결을 점유했던 것으로 기록이 남아 있다.

1905년 러일전쟁에서 승리한 일본은 그 해 11월 통감부를 설치, 식민정책을 전면화하기 시작했다. 일제는 상품 수출이나 상업자본 침투에 만족하지 않고 당시 중요한 생산수단인 토지 자체를 지배하고자 했다.

그러나 당시 일제의 상업자본이 대규모의 토지를 소유하기에는 여러 장애요인이 있었다. 외국인의 토지 소유가 법제상 금지된 점, 토지 소유권이 관습상 인정되고 있었으나 법률에 의해 배타적 사유권이 등기제도 등으로 확립되지 않은 점, 일제의 토지 매수에 대해 농민뿐 아니라 봉건귀족까지도 완강히 반대하는 점 등이었다. 따라서 일제가 토지조사사업을 실시한 것은 근대적인 토지제도를 확립한다는 미명 하에 중요한 생산수단인 토지를 점탈하기 위한 것이었다.

　일제에 의한 토지조사사업은 1905년 통감부 정치의 출현과 더불어 착수됐다. 1906년부터 '토지가옥증명규칙'을 실시, 토지가옥의 매매·전당·교환 등에 대한 증명 제도를 실시했다. 1910년 3월 우리나라 정부에 토지조사국을 개설시켜 토지조사를 개시했는데, 1910년 8월 강점에 따라 조선총독부 임시토지조사국에서 본격적인 토지조사사업을 수행했다.

▲토지조사사업을 펼치고 있는 총독부 관계자들.

　1912년 3월에 '조선민사령', '부동산등기령', '부동산증명령'을 반포한 데 이어 1912년 8월에 '토지조사령'을 반포하여 이 사업을 추진해 나갔으며, 1918년 11월에 토지조사사업을 종결했다. 1910년부터 1918년의 기간에 걸쳐 실시된 이 토지조사사업에는 2410

만여 원(圓)의 경비와 300~400명의 직원이 동원됐다고 한다.

이 토지조사사업의 결과 토지를 신고한 일부 친일 지주는 배타적 토지 지배권을 획득했으나, 대부분의 농민은 그동안 보장됐던 토지에 대한 단순한 경작권마저 박탈당해 소작농으로 전락했다. 다시 말해 봉건적 지배층을 등장시킴으로써 부재지주(不在地主)가 등장했는데, 이들 지주 계층은 전체 농경지의 절반 이상을 점유했다. 1918년에 농민층은 지주가 3.1%, 자작농이 19.1%, 자소작농 39.4%, 소작농이 37.8%를 차지했다.

토지조사사업의 종결로 총독부는 29만여 정보를 소유하게 됐고, 일본인의 소유지로 확정된 것이 23만여 정보에 달하는데, 일제는 도시 근교나 삼남(三南) 지방의 비옥한 토지를 소유하게 됐다. 농경지가 중요한 생산수단이던 당시의 주요 상품은 농산물인데, 많은 토지를 사유한 일제나 친일 지주는 고율의 소작제도를 이용, 농민이 생산한 대부분의 농산물을 착취했다.

근대적 자본지대가 초과 이윤임에 반해 반봉건적 생산양식이 지배하던 일제 강점기의 소작료는 봉건지대(封建地代)의 성격을 지닌 것이었다. 당시 실시된 소작방법에는 집조법(執租法)·타조법(打租法)·정조법(定租法)의 세 종류가 있었다.

집조법이란 매년 수확기에 이르러 지주 측과 소작인이 입회해 수확 측정량을 산정하고 그것을 기준으로 소작료를 협정하는 방법이다. 타조법은 이미 생산된 수확물을 탈곡, 조제한 다음 그 전의 소작료와 비교해 정하는 방법이다. 정조법은 소작인이 지주와 계약한 소작료를 수확량에 관계없이 수확 후에 공납하는 방법이다.

종자비와 비료 대금은 대체로 소작인이 부담했다. 1930년의 경우 정조법에 있어서의 소작료 비율은 논의 경우 최저 2할부터 최고 9할에 달했고, 밭의 경우 최저 3푼부터 최고 8할에 달했다. 소작방법이 집조법과 타조법에서 정조법으로 전환됨에 따라 소작료 비율이 상승했다.

특히 토지의 소유가 일부 계층에 편중됨에 따라 소작권 쟁탈전이 격화돼 소작료 비율이 급등했고, 소작지에 부과되는 지주 부담의 공조공과(公租公課)마저도 소작인에게 전가됐다. 따라서 수많은 소작인들이 고율의 소작료 때문에 생활이 곤란해지자 만주나 간도로 이주하거나 화전민으로 전락했다.

일제 강점기에는 일제에 의한 토지 수탈(收奪) 정책이 주종을 이루었다고 할 수 있다. 이러한 연유로 광복 이후 경자유전의 원칙에 따른 토지개혁의 요구가 강력하게 제기된 것이다.

농민의 몰락을 가져온 토지조사사업

1905년 일본은 강압적으로 을사조약을 체결한 다음 통감부를 설치해 그들의 식민정책을 전면화하기 시작했다. 가장 두드러진 것은 다름 아닌 식량을 생산하는 농지에 관한 정책이다. 특히 자국 내에서 봉착하고 있던 식량 문제를 우리나라의 식량을 빼돌려서 타개하려는 목적 아래 그 선행조건으로서 토지조사사업을 실시했던 것이다.

1905년부터 토지조사사업의 구체적 공작에 착수했던 일제는 1906년에 외국인의 토지 소유와 매매·교환·증여 등을 법적으로 확인하는 '토지가옥증명규칙'과 '토지가옥저당규칙'을 반포, 실시하도록 우리 정부에 요구했다.

1910년 3월에는 대한제국 정부 내에 토지조사국을 설치해 실시 조사에 착수하도록 했으나, 그 해 8월 합병으로 강제점령을 함으로써 토지조사사업의 업무는 같은 해 10월 조선총독부 토지조사국에 계승됐던 것이다.

조선총독부는 1개월 동안의 준비 조사를 거쳐, 1911년 11월 『지적장부(地籍帳簿, 토지에 관한 여러 가지 사항을 기록한 책)』 만드는 일을 시작했다.

1912년 3월 <조선부동산등기령>과 <조선민사령>를 발표하고, 이어 1912년 <토지조사령>, 1914년에는 <지세령>과 <토지대장규칙>, 1918년에는 <조선임야조사령>을 공포하면서 전국적으로 토지조사사업을 실시하여, 이른바 '소유권 불가침과 무제한 보호'를 실질 내용으로 하는 근대 토지사유제도를 확립했다.

조사사업은 세 가지로 구분된다.

첫째, 토지에 대한 소유권 조사다. 그것은 지적을 설정함으로써 토지 등기 제도를 창설하는 것으로, 지적 설정을 위해 토지의 소유지·지번·지적 및 소유권자를 조사하여 각 토지의 위치와 형상, 그리고 경계 등을 조정한 것이다. 그러한 내용을 포함하는 소유권 조사는 이 사업의 핵심을 이루는 것으로 신고주의에 입각해서 실시됐다.

둘째, 토지 가격 조사다. 식민지 통치를 위한 목적으로 시행된 것으로, 토지의 시가, 임대가격, 그리고 토지 수익 등을 확립하고, 토지 가격을 통일적으로 조사해 지세(地稅)의 부과기준을 선정하려는 것이었다.

▲토지 수탈을 위해 일제가 설립한 동양척식주식회사

셋째, 지형·지모 조사다. 지형도 제작을 위해 실시한 조사로서, 이와 같은 사업을 통해 1필지마다 그 지번·지목·면적·지가·지주 및 등급을 기재한 토지대장과 기타 부속대장 및 5만 : 1 또는 1만 : 1의 지형도를 작성했다.

이러한 일련의 법률적인 조처를 토대로 실시한 토지조사사업은 1910년 10월에서 1918년 12월에 이르는 8년간의 기간과 총 경비 2,410여만 원, 300～400여 명의 상임직원이 동원되어 완결됨으로써, 부동산 등기제도의 창설을 가져오는 대사업이 되었다.

그러나 전통적인 토지 국유제가 무너지면서 왕족·관료·토호 등이 국유지를 사점한 데 대해 농민은 그들의 토지를 경작하고 현물지대를 납부하는 외에 신개간지를 점유할 수 있는 등 당시 우리나라의 토지 소유제는 국가와 국왕에 의한 추상적 소유권과 실제로 농업생산을 담당하는 농민의 경작권 등이 복합적으로 결합되어 있는 토지소유관계였는데, 이와 같은 토지소유관계에 대해 어떻게 토지소유권을 법률적으로 편성하는가 하는 것이 문제였다.

일제는 토지 소유권을 인정하는 데 신고주의를 채택했다. 당시 일반 소작인의 경작권을 관습적으로 토지 소유권으로 신고할 만큼 성장해 있지 못한 상황에서 더욱 강력한 수세권자인 지주에게 토지 소유권이 인정됨으로써, 자유로운 소농민의 토지 소유가 이루어질 가능성은 이러한 신고주의 방법 때문에 처음부터 배제되고 있었다.

더구나 양곡의 수탈을 위해 곡창지대인 호남지방을 뚫는 1번 국도를 개설하고 헐값으로 쌀을 사들이는 형식으로 쌀을 빼앗아 갔다. 김제평야의 곡물은 군산항을 통해, 전남지방의 곡물은 목포항을 통해 엄청난 양을 가져갔다.

토지조사사업의 결과는 대략 다섯 가지로 나타났다.

첫째, 전통적으로 토지의 현실적인 보유자로서 관습상의 권리였던 농민의 경작권 상실로 이어졌고, 토지의 소유에서 분리된 대다수의 농민이 영세한 소작농으로 전락했다.

둘째, 지주에 대해서는 무제한적이고 배타적인 의미의 사유권을 법률적으로 보장함으로써, 당시 우리나라의 지배계층과 구조적으로 타협하고 유착하는 계기를 마련해 우리나라에 대한 지배와 착취를 원활하게 진행할 수 있었다.

셋째, 궁장토·역토·둔토·목장토 등의 거대한 면적의 공전을 국유지로 만들었고, 민유지로서 일반 국민에게 투탁되었던 투탁전·무토궁방전·무토면세전 등을 강압적 방법으로 국유지에 편입시킴으로써, 토지조사사업의 결과 일제는 우리나라 최대 지주가 됐다.

넷째, 조세 수입의 확고한 원천을 마련하여 식민 통치의 기반을 구축했다. 토지조사사업이 완료된 1918년의 경지 면적을 보면, 1910년과 비교해서 논은 약 83.79%, 밭은 약 79%가 증가했다. 이것은 주로 이 사업이 은결(隱缺)과 신개간지를 중심으로 한데 기인하며, 경지면적의 증가가 지세수입의 증가를 가져왔음은 당연하다.

다섯째, 농촌사회에서 농민층이 극심하게 분해됐다. 이 사업으로 그때까지 가지고 있던 현실적인 경작권(耕作權)을 상실한 소작농(小作農)은 소작권에 대한 권리가 불안정해져 치열한 소작경쟁이 일어났다.

더구나 일본 자본의 토지 점유와 고리대 상업자본적 성격으로 인해 농민들은 고율의 소작료로 인한 압박에 신음할 수밖에 없었다. 말하자면 한편에 반봉건적 기생지주를 놓고, 다른 한편의 다수 영세농과 소작 관계를 편성하도록 하여 일제의 전 지배기간 동안 농민이 몰락하도록 제도화했던 것이다.

결국 일제는 일본 자본이 쉽게 침투할 수 있도록 유도하기 위한 작업으로 종래의 수조권자인 봉건계층을 토지 소유권자로 인정한 셈이다. 이에 따라 대다수의 현실적 토지 보유자인 농민은 전통적으로 유지하고 있던 경작권을 상실, 지주-소작 관계가 악화되었고, 이로 말미암아 농지가 없거나 부족한 농민이 대부분인 상황을 만들었다.

그리하여 형식적으로는 근대적인 토지 소유제도가 성립되었으나 본질적으로는 토지개혁은커녕 반봉건적인 영세농과 소작 관계의 재편성일 뿐이었다. 토지조사사업 이후 토지 소유권이 법적으로 보장되자 일본의 대재벌회사들은 우리의 소지주들을 착취 대상으로 삼아, 과다한 각종 공과잡부금을 부담하지 못하는 약점을 이용해 착취를 일삼았으며, 결과적으로 헐값에 농지가 일본인 소유로 넘어가도록 했다.

이와 같이 토지조사사업은 근대적 토지 소유 제도를 확립한다는 명분 아래 실시됐지만, 실제로는 우리나라 토지를 약탈하고, 토지세의 안정적인 확보를 위한 것이었다. 이 사업으로 일제는 왕실과 공공기관의 토지, 여러 사람이 함께 주인이던 토지 등 수많은 토지를 빼앗았다.

산미증식계획과 농업 수탈

토지조사사업과 지적제도를 완비하는 등 땅 문제를 일제의 입장에서 해결하고 나자, 이제부터는 생산량을 늘려 일본으로 가져가는 일, 다시 말해 농업 수탈이 중요한 정책이 되었다.

1920년대부터 일제는 쌀 생산을 늘리겠다며 이른바 산미증식계획을 실시했다.

3.1 만세사건 이후 '문화 통치'를 내건 조선총독부는 1920년부터 농토를 개간하고 경지를 정리하거나 수리시설(水利施設)을 확대하는 등 토지를 개량하는 한편, 종자를 개량하고 비료 사용을 확대해 쌀과 곡식 생산량을 증대시키려는 산미(産米)증식계획을 추진했다. 산미증식계획은 한 마디로 조선을 일본의 식량 공급기지로 만들려는 의도였다.

1910년대 말 일본은 중화학공업화와 도시화가 진행됨에 따라 쌀 생산이 매우 부족했으며, 1918년 '쌀 폭동'까지 발생하는 지경에 이르렀다. 이에 일본 정부는 식민지 중에서도 특히 조선에서 쌀과 곡식의 생산을 늘리고 이를 일본에 가져가 자기 나라의 쌀 부족 문제를 해결하고자 했다. 또한 일본 국내에 남아도는 자본을 산미증식계획에 투입함으로써 일본 산업이 직면하고 있던 불경기를 해소하려고 했다.

　　산미증식계획은 토지개량과 농사개선을 통한 증산에 중점을 뒀다. 농사개선 계획은 품종 개량, 퇴비 장려, 알맞은 시기에 씨앗 심기, 잡초 제거, 병충해 방지 등을 통해 단위 면적당 수확량을 높이려는 것이었다.

　　토지개량 계획은 관개시설의 개선, 지목 변경, 개간, 간척 등으로 농사지을 땅을 확장해 생산량을 늘리기 위한 것이었다.

　　산미증식계획은 크게 세 차례에 걸쳐 실시됐다. 제1차 계획은 1921년부터 1925년까지 5개년 계획으로 이뤄졌으며, 제2차 계획은 1926년부터 1935년까지 10개년 계획으로 추진됐으나 1934년에 중단됐다. 조선 쌀의 일본 수출이 크게 늘어나 일본의 농업이 위기에 부딪쳤기 때문이다. 산미증식계획은 1934년 중단됐다가 1937년 일본이 중국 본토를 침략, 중·일 전쟁을 일으키면서 다시 시작됐다. 일제는 군량미 확보 때문에 다시 조선 쌀에 대한 수요가 급증하자 1940년 다시 제3차 산미증식계획을 수립하여 추진했다. 제3차 산미증식계획은 1945년 일본이 패망할 때까지 실시됐으며, 높은 소작료와 강제 공출(供出, 정부에 농업 생산물 등을 의무적으로 내놓는 일) 등의 형태로 조선 쌀을 수탈했다.

산미증식계획이 본격적으로 추진된 1934년까지 쌀 생산량은 꾸준히 늘어났지만, 농민의 소득도 함께 높아진 것은 아니었다. 쌀 생산을 늘리기 위해 밭을 논으로 바꾸고, 비료를 사거나 수리시설 이용료를 지불하는 데 드는 돈이 더 많았기 때문이다.

늘어난 생산량보다 훨씬 많은 양의 쌀이 일본으로 빠져나가면서 농민 1인당 쌀 소비량이 갈수록 줄어들었다. 만주에서 들여온 잡곡이 겨우 그 빈틈을 메웠으나, 농사짓는 농민들조차 쌀 부족으로 고통 받았다.

쌀은 우리 농민이 먹기에도 턱없이 부족하건만 조선 쌀은 계속 일본에 팔려나갔다. 이것이 가능했던 것은 지주제 때문이다. 넓은 토지를 소유한 지주들이 농민들에게 땅을 빌려 주고 수확의 50%에 가까운 소작료를 받았는데, 그렇게 받아낸 쌀의 대부분이 시장을 통해 일본으로 팔려 나갔다.

더욱이 일제는 더 많은 쌀을 일본으로 가져가기 위해 지주의 소작료 수탈(收奪)을 눈감아주기까지 했다.

일제는 조선을 쌀 공급기지로 만들면서 한편으로 지주(地主)를 친일세력으로 육성하려는 의도까지 가지고 있었다.

결국 농업개량으로 쌀 생산 증대를 추구한 산미증식계획은, 지주의 소유권을 절대적으로 보장한 토지조사사업과 마찬가지로 지주에게는 유리한 정책이었으나 농민들에게는 몰락을 촉진하는 암(癌) 같은 정책이었다.

일제는 농토를 개간하고 경지를 정리하거나 수리시설(水利施設)을 확대하는 등 토지 개량과 함께 종자를 개량하고 비료 사용을 확대해 쌀과 곡식의 생산량을 늘리는 정책수단을 강구했다. 이에 따라 쌀 등 곡물의 생산량은 현격히 늘어났다. 일본은 쌀 생산량이 늘어났음에도 산미증식계획 이전보다 훨씬 많은 양의 쌀을 일본으로 가져갔다. 그래서인지 풍작(豊作)을 거두어도 쌀이 부족해 쌀값이 오히려 올랐다.

일본이 우리 쌀을 돈 주고 사서 수입하는 형태로 가져갔기 때문에 일부 친일(親日) 학자들은 정당한 공출이라는 주장을 펴기도 한다. 그렇지만 실상은 다르다. 당시 일본인(아마 관료조직일 가능성이 높음)들은 시중의 반값 수준인 쌀값으로 강제 공출했다는 당시 생존자들의 증언도 있다. 또 수리시설을 갖춰놓고 수세(水稅)라는 명목으로 벼 생산액의 10배에 이르는 비용을 수리조합을 통해 거둬갔던 것이다.

이런 이야기는 당시 발간되던 <신한민보> 1927년 1월 6일자에 게재돼 있다. 수세로 인한 폐해는 당시 농촌을 피폐하게 만들었기 때문에 전국적으로 수세 폐지운동이 벌어진다.

쌀값이 오르면 농민들이 좋아해야 하련만 현실은 전혀 그렇지 않았다. 대다수의 농민은 빚에 허덕였고, 그래서 추수가 끝나면 곧바로 빚부터 갚아야 했다. 빚을 갚고 나면 식량이 부족해 쌀을 사 먹어야 할 지경이었다. 그러니 쌀값 인상은 빚이 늘어나는 원인이 될 뿐이었다. 식량을 구하기 위해 빚을 내고, 빚내서 빚을 막다가, 마침내는 손바닥만 한 땅뙈기마저 팔아넘기고 소작인이 됐다. 그나마도 없는 사람은 자식이라도 팔아야 할 형편이었다.

"내 땅을 가졌으면, 쌀밥에 고깃국 한번 먹어 봤으면……."

그것은 일제하 농민 대다수의 소망이었다. 『살아있는 한국사 교과서』에 서술된 내용이다.

이처럼 일제는 우리나라에서 생산된 곡식을 수탈해 갔으며, 생산량을 늘리기 위해 갖은 방법을 다 동원했다.

곡창지대로 유명한 만경평야와 김제평야는 일제의 경제적 수탈 대상이 될 수밖에 없었다. 전라북도 김제시, 익산시, 군산시, 완주군 지역 일대의 호남평야는 만경강을 중심으로 하는 넓은 만경평야가 펼쳐져 있으며, 김제시와 정읍시, 부안군, 완주군 일대는 동진강을 중심으로 하는 김제평야가 펼쳐져 있는 곡창지대다. 더욱이 곡물을 먼 곳까지 옮길 수 있는 군산항이 가까이 있어 이곳은 일제의 경제 침탈과 농업 수탈의 주요 대상 지역이었다.

특히 익산은 원래 습지였지만, 만경강 유역의 황무지 개척이 이뤄지면서 농민들이 모여들었고, 군산항 개항 뒤 전주와 군산의 중간 지점으로 오가는 사람들이 많아졌다. 일제는 이곳에 불이농장(不二農場)'과 같은 대규모 농장을 운영했으며, 농사짓는 데 사용할 물을 관리하기 위한 각종 수리조합을 세우고, 저수지와 댐을 건설했다. 군산과 익산 지역의 농사짓는 땅을 관리하고자 설립한 익옥수리조합**이 대표적인 예이다.

'불이농장은 일본인이 설립한 불이흥업주식회사가 간척사업 등을 통해 만든 농장.
**익옥수리조합 건물은 익산시 익산역 근처에 있다. '익산 구 익옥수리조합 사무소와 창고'라는 이름의 등록문화재 제181호로 지정되어 전해지고 있으며, 지금은 재단법인 익산문화재단이 사무실로 사용하고 있다. 수리조합 사무소는 철근 콘크리트 2층 건물로, 비교적 원형을 유지하고 있으며, 현재 관사와 부속 창고가 남아 있다.

익옥수리조합은 대아저수지를 건설하면서 과다한 공사비와 물세를 농민들에게 부담시켜 지역 농민을 몰락시키는 등 일제에 의한 우리나라 농업 수탈의 역사를 여실히 보여주고 있다.

총독부는 이 토지들을 동양척식주식회사를 비롯한 후지흥업 [불이흥업(不二興業)주식회사] 등 일본 토지회사와 일본의 이민 자들에게 나누어 주거나 헐값으로 팔았다. 이렇게 하여 일본인 대 지주가 나타났고, 조선 농민들은 몰락하게 됐다.

조선총독부가 대대로 누려온 조선 농민들의 경작권을 부정하 고 지주들의 소유권만 보장함으로써 땅 없는 농민들이 늘어났다. 소유권과 경작권을 빼앗긴 농민들은 지주의 땅을 빌려서 농사짓 는 소작인(小作人)의 처지가 됐으며, 이들의 권리는 아무도 보장 해 주지 않았다. 소작인들은 지주가 원하는 대로 소작료를 내야 만 했고, 지주가 요구하는 대로 지주가 내야 할 세금까지 대신 부 담해야만 했다. 만약 항의라도 하게 되면 이듬해 농사는 포기해야 할 판이었다. 농민들의 생활은 더욱 어려워졌으며, 몰락한 농민들 은 만주, 연해주 등 국외로 이주하기도 했다.

일제가 쌀 생산을 늘리겠다며 이른바 '산미증식계획'을 실시했 던 1920년대부터 당시 조선은 산업, 특히 농업 분야에서 '개발'이 이루어지면서 주요 항구들이 증축되거나 개축, 수축되는 등 사회 간접자본이 확충됐다. 그 결과 농업 생산량이 늘어나고 무역량 또 한 증가하여 겉으로는 경제성장을 이룩한 것처럼 보였다. 그러나 그 성장은 일본인을 위한 것이지 조선인들을 위한 것은 아니었다. 산미증식계획으로 오히려 우리 농민들의 생활은 이전보다 더 어 려워졌다. 산미증식계획도 토지조사사업처럼 일제의 경제적 수 탈을 위한 도구였을 뿐이다.

봉이 김 선달보다 더한 일제와 수리조합

수리조합 반대운동

일제는 조선 토지조사사업을 통해 식민지 지주제를 확립해 수탈 체제를 갖추었다. 이를 바탕으로 본격적인 식민지 농업 수탈을 위한 산미증식계획을 3차에 걸쳐 시행했다. 산미증식계획은 한국을 일본의 선진 공업화를 위한 식량공급지로 삼기 위해 계획하고 실시했던 식민농업정책이었다.

그 목적은 농사개량과 토지개량으로 미곡(米穀)의 증산을 도모해 증식미의 일본 수출이라는 이름 아래 한국인의 식량을 약탈하는 것이었다.

이때 일제가 가장 역점을 둔 사업이 수리조합의 설치를 통한 토지개량사업이었다. 수리조합을 설치해 농경지에 관개(灌漑), 배수(配水)함으로써 토지 생산성을 높이기 위한 시도였다.

또 그것을 한국 농민의 지배와 수탈에 이용하는 수리사업은 산미증식계획의 요체였다. 따라서 일제는 조선총독부와 조선토지개량주식회사, 동양척식주식회사 등을 통해 수리사업을 적극적으로 추진했다.

일제는 자금보조 등 각종의 지원으로 식민 체제에 기생하는 대지주의 수리조합 설치를 후원했다. 친일 대지주를 위주로 한 일제의 수리사업은 중·소 자작농과 자소작농에게 과다한 공사비와 수세(水稅)를 부담시켰다. 또 소작농은 수리조합 구역 내의 소작료 인상과 지주의 수세 및 공사비의 전가로 말미암아 경제적 부담이 엄청나게 가중됐다.

수리조합 반대운동은 산미증식계획의 시행 초기부터 일어나 2차 계획이 끝난 1934년까지도 계속됐다. 첫 수리조합 반대운동은 1921년 9월 전라북도 익산에서 있었던 익옥수리조합 반대운동과 강원도 철원군 어운면에서 있었던 어운수리조합 반대운동이었다. 그 뒤 수리조합 반대운동은 1934년까지 줄을 이었다.

1922년 중앙(中央), 연해(延海), 영광수리조합
1923년 평안(平安), 박천(博川), 함안, 서천, 단천, 부평, 연해수
　　　리조합
1924년 영일, 연해, 익옥, 단천, 영광수리조합
1925년 양덕(良德), 안강(安康), 장연(長淵), 영광, 연해수리조합
1926년 동진(東津), 적성(積城), 연해, 부평수리조합
1927년 대정(大正), 양산, 고성, 송정(松汀), 우두(牛頭), 정연
　　　(亭淵), 황룡(黃龍), 서면(西面), 익옥, 동진, 부평수리
　　　조합
1928년 경산, 양동(陽東), 임천(林川), 미림(美林), 주익(州翼),
　　　함흥, 안녕(安寧), 부북(府北),용인, 송정, 연해, 평안,
　　　부평, 대정수리조합

1929년 안변(安邊), 언양(彦陽), 홍산(鴻山), 평안, 동진, 부북, 함흥수리조합

1930년 가양(嘉陽), 사천(泗川), 고원(高原), 부평, 함흥, 안변, 대정수리조합

1931년 송악(松岳), 황주(黃州), 황해(黃海), 신천(信川), 보성(寶城), 어지둔(於之屯), 김천, 해평(海平), 봉산(鳳山), 학일(鶴一), 김포, 언양, 양산, 안녕수리조합

1932년 부평, 학일, 김포수리조합

1933년 이천, 소화(昭和), 어지둔, 김포, 학일, 함안수리조합

1934년 소화, 대정, 함흥수리조합 등

전국에서 지속적으로 전개된 수리조합 반대운동은, 초기에는 수리조합의 설치 자체에 대한 반대투쟁이 가장 많았고, 다음은 침수 토지의 정당한 보상 등을 요구하는 투쟁이었다. 그러나 후기에는 조합구역 내의 소작료 인상과 과다한 수세에 대한 투쟁이 많아졌다. 또 조합 구역의 확장에 반대하는 투쟁도 나타났다.

투쟁 양상을 보면, 초기에는 중·소자작농과 자소작농이 지주회를 조직, 관계 당국에 진정하고 시위를 전개하는 데 그쳤다. 그러나 일제가 식민 체제에 기생하는 대지주를 비호해 수리조합을 설치함으로써 그로 말미암아 중·소 자작농과 자소작농, 소작농이 피해를 당하게 되자 투쟁 양상은 점차 격화됐다.

따라서 후기에는 중·소 자작농과 자소작농, 소작농이 연합, 농민조합을 조직하거나 또는 기존의 소작조합을 농민조합으로 확대 개편해 수리조합을 습격하고, 일본 경찰과 충돌하며 피검자

(被檢者) 탈환을 위해 식민통치기관을 공격하는 등 격화된 양상을 보였다.

수리조합 반대운동은 일제 식민 체제에 대항하는 독립운동의 성격을 강하게 띠고 전개됐다.

이와 같이 수리조합 반대운동은 항일농민운동의 영역을 소작농, 자소작농은 물론, 중소 자작농으로까지 확대시켰다는 독립운동사적 의의를 지니고 있다. 여기서 격렬한 반대운동을 벌였던 수리조합에 대해 좀 더 자세한 설명을 덧붙인다.

일제는 조선의 토지 확보와 수확량 증대를 위해 일본인 농업 기업가를 이용하여 광범한 토지를 침탈하는 한편 수리사업에 적극적인 관심을 가졌다. 그에 따라 수리조합조례(水利組合條例, 1906), 국유미간지이용법(國有未墾地利用法, 1907) 등을 발표했고, 1908년 옥구서부수리조합(지금의 전북농지개량조합 구역)의 설립을 시작으로, 주로 일제의 토지 침탈이 심했던 지역에서 대규모 수리조합을 설립했다.

그 뒤 1919년까지 15개 조합이 설립됐고, 관개 면적은 4만 863정보에 이르렀다. 1918년 일본에서 쌀 소동이 일어나자, 일제는 식량문제 해결을 위해 산미증식계획(産米增殖計劃)을 세워 실시하게 되었고, 그 일환으로 수리조합 사업이 적극적으로 추진돼 수리조합령(水利組合令, 1917), 수리조합보조규정(水利組合補助規定, 1919), 토지개량사업보조규정(土地改良事業補助規定, 1920) 등이 잇따라 제정되었고, 조합 수는 196개, 관개 면적은 22만 6,793정보로 크게 늘어났다.

그러나 산미증식계획은 1929년 세계공황의 여파로 닥친 농업

공황으로 쌀값이 폭락하고 일본 지주의 조선 쌀 유입 반대운동이 전개되면서 1933년에 중단됐다. 그러다가 1937년 중일전쟁이 발발하고 1939년의 대한발(大旱魃)로 식량 확보가 필요해짐에 따라 1940년 16만 3,000정보의 수리안전답 조성을 목표로 한 증미계획이 실시됐다. 그리고 이 사업의 시행기구로 조선수리조합연합회(朝鮮水利組合聯合會)를 발족시켰다.

제2차 세계대전의 발발로 식량증산이 절실해짐에 따라 1942년에는 증미계획을 확대하고 새로운 사업대행기관으로 조선농지개발영단(朝鮮農地開發營團)을 설립했다. 그러나 이 계획은 노동력과 자재 조달의 어려움으로 대형 공사는 착수하지 못하고, 단기간에 완성할 수 있는 소규모 공사를 중심으로 이뤄졌다.

이 시기에 관개 면적은 151%가 늘었으며, 1940년 이후 조합 운영의 효율화를 위해 조합들의 합병이 진행됐다. 1945년 8월 15일 총 관개 면적은 35만 6,677정보이고, 그 가운데 남한이 18만 8,166정보로, 총 관개 면적의 52.3%을 차지했다.

강대국들이 우리 땅을 나눠먹다

해방 정국

해방된 지 4개월가량 지난 1945년 말, 한반도의 정치상황은 새로운 모습으로 변화하기 시작한다. 그 변화의 중심에는 모스크바 협정과 신탁통치 분쟁이 자리 잡고 있었다. 특히 우리 땅을 전승국들인 연합군의 국가들끼리 얄타회담과 모스크바 3상회의에서 자기들 마음대로 통치하겠다고 결정을 내렸던 것이다. 그것도 패전국인 일본을 대상으로 한 조치가 아니라 일본에게 통치를 받은 우리를 자신들의 위성국으로 만들기 위해 땅 나눠먹기를 한 것이다.

1945년 12월 말 미국·소련·영국의 3국 외상은 모스크바에 모여 한국(조선) 임시정부 수립과 5년간의 신탁통치를 주요 내용으로 하는 협상안에 합의했다. 그러나 모스크바 협정 소식이 전해지면서 한반도는 심각한 소용돌이에 휩싸인다. 모스크바 협정의 지지와 반대를 둘러싸고 남과 북, 좌와 우가 심각하게 균열을 일으켰기 때문이다.

모스크바 결정은 북한 내부에도 적지 않은 영향을 미쳤다. 북한 지역에서 공산당과 신민당(독립동맹이 변신), 직업동맹과 농민동맹을 비롯하여 대중단체들은 모두 모스크바 협정에 지지를 보내지만, 조만식은 끝까지 반대한다. 소련군과 김일성, 최용건 등의 설득에도 조만식이 반대의사를 굽히지 않자 조만식을 정치무대에서 퇴장시키고, 조선민주당을 개편한다. 이로써 우익 민족주의 세력은 정치권력에서 배제되고, 북조선공산당과 조선민주당으로 대표되는 북한에서의 좌우연합도 사실상 무너지게 된다.

반면 남한의 우익세력은 신탁통치 반대투쟁을 위해 김구, 이승만을 중심으로 '비상국민회의'로 결집했다. 이어 비상국민회의를 미군정과 이승만은 자문기관인 '남조선 민주의원'(1946. 2. 14)으로 전환시켰다. 이에 대해 일부 중도 민족주의 세력이 강력히 비난했지만 그 흐름을 바꿀 수는 없었다.

또 1946년 6월 3일에는 이승만이 정읍 발언을 통해 남한만의 단독정부 추진을 주장하고, 이를 계기로 이승만과 한민당은 단독정부를 추진하게 된다.

이에 위기의식을 느낀 중도 좌파와 중도 우파 민족주의 세력의 여운형과 김규식은 좌우합작 운동을 시작하게 된다.

반면 소련과 김일성은 조만식을 제거함으로써 북한 지역에서 반탁 움직임을 재빨리 제압하고, 그 다음 단계로 나아가게 된다. 우선 미·소 공동위원회가 개최되면 유리한 고지를 점령하기 위해 임시인민위원회(1946. 2. 8)를 조직했으며, 이를 바탕으로 북한 지역에서 토지개혁과 제반 개혁에 들어가게 된다. 뿐만 아니라 북한의 공산주의 세력과 좌파의 역량을 조직적으로 결집하기 위해 북조선공산당과 조선신민당(독립동맹)은 합당을 한다. 이로써 1946년이 지나면서 남과 북의 정세는 판이하게 변화하게 된다.

북쪽에서는 북조선공산당과 조선신민당이 합당해 노동당이 탄생함으로써 당적 역할이 높아지게 됐으며, 임시인민위원회를 중심으로 역량을 결집해 개혁을 수행함으로써 일제 잔재를 말끔히 청산하게 된다.

그러나 남한에서는 반탁운동을 통해 우익 세력이 결집되는 성과를 거두기는 했으나, 친일파가 부활하고 친일경찰이 반공경찰로 탈바꿈함으로써 친일잔재 청산에 엄청난 걸림돌이 생겨나게 된다. 이 과정에서 '반공=애국'이라는 등식이 성립하게 되고, 이제 건국을 둘러싼 전선은 완전히 뒤죽박죽 엉클어졌다.

결국 신탁통치를 둘러싸고 민족 내부의 균열이 심화되면서 남북의 분단도 점점 굳어져 간다. 그런 점에서 1945년 말부터 1946년 초반 사이 신탁통치로 인한 균열은 한반도 정세를 완전히 새롭게 뒤바꾸는 하나의 전환점이 되었다. 우리 땅을 우리가 맘대로 결정하지 못하는 상황으로 변하고 말았던 것이다.

제3장
해방 후 농지개혁

북한의 토지개혁

토착 질서를 뒤흔든 '혁명', 토지개혁

8.15 해방 후 절대 다수의 농민들에게 가장 절박한 문제는 토지개혁을 통한 일제 강점기의 모순된 토지 소유관계를 청산하는 것이었다. 특히 이 문제는 소련군이 진주한 북한에서 소련군의 지원을 받는 김일성과 그들 조직이 주도권을 장악해가는 과정에서 더욱 첨예한 관심사로 떠올랐다. 당시 북한 인구의 80%는 농민이었고, 그 중 80%는 소작농과 빈농이었다. 더욱이 전체 농가의 4%에 해당되는 지주들이 북한 땅 면적의 58.2%를 차지하고 있었다. 농업에서의 봉건 질서 타파는 사회경제적 개혁 과제 가운데 가장 중요한 문제였으며, 모든 정치 세력은 절차와 방식의 차이는 있었지만, 토지개혁의 필요성을 공감하고 있었다.

문제는 그 시기였다. 토지개혁은 전 국가, 민족적 차원의 과제였기 때문에 남북으로 분리된 상황에서 어느 한 쪽이 일방적으로 시행할 수 있는 것이 아니었다. 다시 말해 전국적 차원의 정부수립 이후에 가능한 문제였던 것이다. 이 때문에 북한에서는 각 인민위원회의 지도하에 토지 소작료 비율을 60~70%에서 30%로 줄

이는 이른바 3:7제를 임시적으로 실행하고 있었다.

그러나 모스크바 3상회의 한국 문제 결정으로 조만식 등 민주당 우파 수뇌부가 퇴장하고, 좌우 세력이 극단적 대립으로 치닫는 등 한반도 정세가 긴박해지자 공산측은 북한을 정치·경제적으로 강화시키는 조치를 취했다. 이른바 북한의 민주적 근거지를 강화시켜 전 한반도 차원의 혁명을 수행한다는 '민주기지론'의 발상이 구체화된 것이었다.

그 출발은 북한 최초의 중앙권력 기관으로서 북조선임시인민위원회(북임위)의 수립이었다. 김일성을 위원장으로 하는 북임위는 좌우 세력의 대표들로 구성되었지만, 공산측이 확고한 주도권을 쥔 채 강력한 개혁 정책을 추진하였다. 바로 북임위는 출범과 함께 토지개혁 방안을 자신의 '첫 작품'으로 내놓았다.

'토지개혁'의 논란과 시행

1945년 말부터 김일성 등 공산 측은 토지개혁 실시에 대한 방안을 강구하고 그에 대한 논의를 지속했다. 초창기에 공산 측에 의해 구상된 토지개혁 방안들은 지주에 대해 비교적 온건한 내용을 담고 있었다.

예를 들면 지주의 토지 몰수 범위를 40정보 이상을 소유한 자로 규정한다든지, 동유럽 국가의 실례를 적용해 유상몰수를 실시하고 몰수된 토지는 인민위원회의 관리 하에 20년간 분할 상환 방식으로 농민들에게 넘기는 것 등이 그것이었다. 이보다 엄격한 법령안에 따르더라도 조선인 지주 소유 토지의 몰수 규모는 10정보 이하를 소유하는 지주의 경우 5정보 초과분을, 10정보 이상을 소유한 지주는 전체 토지를 몰수하도록 했다. 이처럼 초기 토지개혁 구상은 상당히 온건한 방향에서 출발하였음을 알 수 있다.

그렇지만 모스크바 결정으로 인한 정세 변동은 북한만의, 그것도 매우 급진적인 토지개혁을 예고하였다. 1946년 2월 21일자로 작성된 법령안은 5정보 이상을 소유한 지주의 토지를 몰수할 필요가 있으며, 몰수된 토지는 국유화해야 한다고 결정했다. 당시 토지 국유화에 대해서는 공산주의자들이 주도하는 농민 대표들도 대체로 찬성하는 입장을 보였다.

'북조선 토지개혁에 대한 법령'은 1946년 3월 5일 북조선임시인민위원회 법령으로 공포됐다. 이 법령은 일본인 토지 소유와 조선인 지주들의 토지소유 및 소작제를 철폐하고 몰수된 토지를 농민의 소유로 넘기는 것을 주된 내용으로 규정했다.

이와 같은 토지개혁 법령안은 북한 내부에서 적지 않은 반향을 불러일으켰다. 이를 테면, 2월 24~26일 간에 열린 농민대회 분과회의에서는 다수의 찬성 분위기에도 불구하고 그 '가혹성'이 지적됐다. 3월 5일 법령 공포일에 열린 북조선 임시인민위원회 회의에서조차 일부 비공산계 위원들이 이의를 제기하기도 했다. 그러나 김일성은 토지개혁 법령이 봉건제도의 철폐에 맞추어졌고 자본주의 질서를 건드리지 않는다고 주장해 법안은 채택됐다.

한 가지 쟁점은 '토지의 국유화' 주장이 어떻게 해서 갑작스럽게 '농민의 소유'로 바뀌게 되었다는 점이다. 아마도 이는 북한과 소련 지도부가 농민들의 보다 많은 지지를 받기 위해 그들의 토지 소유 욕구를 고려했을 것이고, 다른 한편으로 농민의 토지 소유를 규정한 동구 국가들의 개혁 경험이 영향을 미쳤기 때문으로 보인다. 법령은 토지의 개인 소유를 허용했으나 농촌에서 자본주의적 경리를 억제할 목적으로 토지의 매매, 저당, 소작을 금하도록 했다.

토지개혁은 3월 7일부터 4월 1일까지 북한 전역에서 실시되었다. 토지개혁을 실무적으로 담당한 것은 농촌에서 빈농과 농업 노동자 중심으로 조직된 농민위원회였다. 농민들 스스로 개혁의 주체로 나서도록 했던 것이다. 당시 북한 전체 토지 면적은 182만 98정보였는데, 그 중 55.4%에 해당되는 100만 8,178정보가 몰수됐다. 몰수된 토지는 고용 농민, 토지 없는 농민, 토지 적은 농민, 이주한 지주 등에게 평균 1.35정보씩 분배됐다.

다시 말해 총 농업 호수 112만 가운데 토지 분배를 받은 농가 수는 72만호로 약 70%가량이 토지개혁의 혜택을 받았다. 몰수된 토지 가운데 일부-18,935정보(1.9%)-는 인민위원회가 직접 관리하게 되어 장래 국영농장 형성의 기초를 이뤘다. 소작제가 철폐된 대신 농민들은 '현물세법'에 따라 수확 농작물의 25%를 납부해 인민위원회 재정의 밑거름을 이뤘다

토지개혁은 '혁명'

북한의 토지개혁은 의도한 대로 농촌에서의 봉건적 관계를 철폐할 계기를 만들었지만, 지나치게 급진적 성격을 띠었다. 애초 일본인 지주나 친일 지주들의 토지만을 몰수하려던 것이 5정보 이상의 토지를 소유한 모든 지주로까지 그 범위가 넓혀지면서 상당한 반발을 사기에 이르렀다. 7만 호의 지주 가운데 4,000호만이

농민과 동등하게 토지를 부여받는 것에 동의한 사실을 고려할 때, 이들의 거부감은 예고된 것이었다.

지주와 민주당 출신 일부 인민위원회 위원들은 업무 수행을 거부했고, 평양과 함흥 등지의 학생들은 동맹 시위를 도모했다. 반대세력은 테러를 조직하기도 했는데, 최용건 암살 미수 사건, 강양욱 집안에 대한 테러 등은 우익 반대세력의 북한 지도부에 대한 대표적인 물리적 저항이었다.

하지만 우익세력들의 저항이 사태의 흐름을 바꾸지는 못했다. 그들의 힘은 분산적이었고 소련군과 북한 공산당에 대적하기에는 턱없이 미약했다. 따라서 이들의 선택은 '잠재적인' 반대자로 남아 기회를 엿보거나 아니면 남한으로 도피하여 철저한 반공 교두보 확보에 나섰다. 토지개혁이 실시된 1946년도 남한으로의 도피자 수는 다른 연도에 비해 훨씬 많았다는 것은 이 개혁이 끼친 사회적 파급력을 입증해 주고 있다. 특히 한국전쟁 시기 수많은 민주당원들이 남쪽 편으로 돌아선 것을 상기할 필요가 있다.

토지개혁의 결과 북조선임시인민위원회와 공산당의 입지는 상당히 강화됐으며, 다른 유산계층들로부터 별다른 저항을 받지 않고 향후 '민주 개혁'을 지속적으로 추진할 발판이 마련됐다. 특히 토지개혁은 북한의 지도자로서 김일성의 입지를 공고히 하는 중요한 계기가 됐다. 그는 토지개혁 법령 발표 이전에 1개월 이상 지방을 순회하면서 농촌 사정을 살필 정도로 커다란 관심을 쏟았다. 토지개혁의 전 과정과 그것의 성과는 김일성의 이름과 직접 결부됐고, 이는 그의 정치적 위상을 높이는 데 기여했다.

북한의 토지개혁은 해방 후 시행된 최초의 민주개혁 조치이자

동시에 식민지 질서로부터 북한 사회의 근본을 뒤바꾸는 혁명적인 사건이었다. 그것은 구질서의 수혜자들이 대거 물러나고 새로운 지배세력의 기반을 만든 결정적인 계기였다. 또한 공산 측의 입장에서 토지개혁은 인구의 압도적 다수를 차지하는 농민의 지지를 이끌어내는 방편으로 활용됐다.

하지만 토지개혁은 여기에서 직접 피해를 당한 지주세력과 그들의 영향 하에 놓여 있던 다양한 계층들에게 북한 체제에 대한 경계심과 이질감을 심어주어 애초 북한 지도부가 의도했던 광범위한 사회계층이 결합된 민족 통일전선이 실현되지 못하고, 한반도 차원의 좌우 대립을 고착화시키는 하나의 계기로 작용했다는 점도 간과하긴 어렵다.*

*출처-<북한의 토지개혁> 작성자 정상철 참조

북한의 토지개혁과 제반 개혁

이번에 다룰 문제는 북한의 토지개혁과 노동법령 제정 등 제반 개혁에 관한 것이다. 해방 이듬해인 1946년, 남과 북에는 매우 판이한 정세가 조성된다. 북에서는 민주기지 노선에 따라 임시인민위원회가 조직되고 토지개혁을 비롯한 제반 개혁이 추진돼 친일 잔재가 철저히 청산된다. 이것은 혁명이라고도 부를 수 있을 정도의 천지개벽이었다.

반면 남한에서는 신탁통치 반대운동 과정에서 친일파가 부활하고 미군정의 좌익 탄압이 강화되면서 친일 잔재 청산이나 농지개혁 등 민주적 개혁은 지지부진하게 진행된다. 때문에 남한 민중의 불만이 높아지고, 결국 10월에는 민중항쟁을 불러오고야 만다.

그러나 남과 북에 서로 다른 정세가 만들어졌다고 해서 남과 북이 전연 무관했던 것은 아니다. 북에서 개혁이 진행되면서 그 체제에 적응할 수 없는 친일세력과 지주 등이 대거 월남했으며, 이들은 남한에서 반공 전선의 선봉에 서게 된다. 이것은 북한에서 진행된 개혁의 이면이며 그림자였다.

일본이 겪어야 할 신탁통치를 우리나라가 받는다든가, 미국과 소련이 군대를 보내기 이전 남북을 대표할 정치조직이 제대로 구성되지 못해 통치 군대의 기호에 맞는 이승만과 김일성의 조직이 우선권을 갖는다든가, 남북이 통일정부를 위한 협의가 어려워진다든가 하는 등등의 어려운 문제들이 한반도 상황을 어렵게 한다.

북한의 토지개혁에 이은 정치적 변화

1946년 2월 8일 평양에서는 북조선 정당·사회단체 및 5도 행정국 인민위원회 대표협의회가 개최됐다. 이날 김일성은 "목전 조선 정치정세와 북조선 임시 인민위원회의 조직에 관하여'라는 보고를 하게 된다. 이 보고에서 김일성은 해방 후 인민정권의 발전과정과 북조선에 중앙 주권기관을 세워야 할 필요성, 수행해야 할 당면과업에 대해 밝힌다.

회의는 김일성의 보고를 그의 그대로 수용해 임시 인민위원회 수립을 결정하게 된다. 위원장에는 김일성, 부위원장에는 신민당 당수 김두봉, 서기장에는 강량욱이 선출됐으며, 보안국장에는 빨치산 출신의 최용건이, 조직국장에는 국내파의 오기섭이 결정됐다. 세력 안배를 한 셈이다. 이밖에도 산업·교통·농림·상업·체신·재정·교육·보건·사법 등의 국장들과 기획·선전·노동·총무 등의 부장들을 비롯하여 총 23명의 위원이 결정됐다. 북한의 '현대조선역사'는 임시 인민위원회 수립의 의의를 이렇게 말하고 있다.

"지방에 새로운 정권기관들이 수립되고 더욱 발전함에 따라 우리 앞에는 각 지방 인민위원회들을 통일적으로 지도할 만한 중앙기관을 창설할 과업이 제기됐습니다. 이러한 중앙적인 국가기구를 창설해야만 인민정권기관들의 산만성과 지방 할거(割據)주의적 경향을 퇴치하고 조국과 인민 앞에 나선 절박한 정치경제적 과업들을 더욱 원만히, 통일적으로 실현할 수 있었습니다."

임시인민위원회가 조직됨으로써 5도 행정국의 결성에도 불구하고 지방 인민위원회에 의해 분산적으로 진행하던 활동을 통일적으로 지도할 수 있게 된 것이다. 이것은 해방 후 조직되기 시작한 인민들의 자치 조직이 발전돼 가는 필연적 경로였던 셈이다.

그렇지만 임시 인민위원회가 과연 그런 성격만 가지고 있었을까? 남북이 분할 점령돼 있는 상태에서 북한에서 단독으로 비록 임시라는 이름이 붙긴 했지만 중앙행정조직을 결성한다는 것은 오해의 소지가 없지 않았다. 미국과의 관계를 고려해야 했던 소련으로서는 북한 지역에서 소비에트 체제를 추진한다고 비난받을 수 있는 소지가 있었기 때문이다.

처음 소련 군정 측에서는 남북이 통일될 때까지 5도 행정국이 과도 역할을 하면 된다고 생각했던 듯하다. 완전한 정권기관을 갖춘 인민위원회를 만드는 데는 생각이 미치지 않았던 셈이다. 심지어 허가이나 이동화 같은 소련 계 공산주의자들도 5도 행정국을 그대로 유지하다 미·소 공동위원회가 개최되면 임시정부를 만들어야 한다고 주장했을 정도였다.

그러나 김일성과 항일 빨치산 세력들은 과거 항일운동의 경험과 북한 정세 등을 고려해 임시적이지만 정권기관 형태를 갖춘 인민위원회가 필요하다고 주장한다.

이들은 모스크바 협정에 따라 미·소 공동위원회가 가동되고 통일 임시정부를 구성하기 위한 논의가 진행될 때를 대비해 미리 유리한 고지를 점령해야 한다고 주장했던 것이다.

김일성과 항일 빨치산 세력이 임시 인민위원회를 주장했던 것은 그들 나름의 정세 인식과 전략적 판단이 전제됐기 때문이다. 그것은 김일성과 항일 빨치산 세력이 입북 직후부터 제기했던 '민주기지 노선'의 자연스러운 귀결이라 할 수 있었다. 남과 북에 서로 다른 정세가 조성된 상황에서 조건이 유리한 북한 지역에서 민주개혁을 통해 혁명역량을 강화함으로써 전국적으로 혁명을 확대해 갈 수 있다는 것이 민주기지 노선의 핵심 내용이었다.

북한 토지개혁의 구체적 상황

북한의 토지개혁은 1946년 3월 5일 '북조선 토지개혁에 관한 법령'이 선포되면서 시작됐다. 북한의 토지개혁은 가히 혁명적인 것으로 3월 5일 발표된 '토지개혁법령'과 '토지개혁 실시에 대한 임시조치법', 3월 8일 발표된 '토지개혁법령에 관한 세칙' 등에 따라 시행됐는데 기존의 토지 소유 관계를 전면 부정하고 무상몰수·

▲ 토지 개혁을 앞둔 북한의 포스터.

무상분배 원칙을 결정했던 것이다.

그 핵심내용은 아래와 같다.

"첫째, 일제의 소유 토지와 친일파, 민족 반역자들의 소유지 및 5보 정보 이상을 가진 지주의 토지, 계속 소작을 주고 있던 모든 토지를 무상으로 몰수하여 토지가 없거나 적은 농민들에게 무상으로 분배한다.

둘째, 농가의 가족 수와 노력자 수에 따라 토지를 분배하며 분여된 토지의 매매와 저당, 일체 소작제도를 금지한다.

셋째, 몰수한 산림, 관개시설, 과수원 및 농민들이 경작하기에 불리한 일부 토지는 국유화한다."

농민들의 토지에 대한 숙원을 김일성은 '세기적 열망'이라고 표현했을 정도로, 농민들은 토지를 생명처럼 여겼다. 그러니 토지 개혁이 농민들에게 안겨준 기쁨이 얼마나 컸을 것인가는 말할 필

▲ 토지 개혁을 위해 농지 측량을 하고 있는 북한의 당시 모습.

요도 없다. 그것은 '천지개벽'과도 같은 것이어서 농민들의 황홀한 심정을 소설가 이기영은 '개벽'에서 이렇게 묘사하고 있다.

"토지를 농민들에게 값없이 나눠준다니 세상에 이런 일도 있을까? 실로 이것은 고금에 처음 듣는 말이다.

하건만 사실로 그렇다는 데야 어찌 하랴! 그것도 내년이나 그 후년 일이 아니라 바로 지금 당장 실행을 하여서 올해 농사부터 짓도록 한다니 더욱 희한한 노릇이다. 이게 과연 정말일까. 참으로 그들은 황홀한 심정을 걷잡을 수 없었다."

그러나 땅을 빼앗기는 지주에게는 이와는 정반대였습니다. '개벽'에는 지주의 심정이 이렇게 묘사돼 있다.

▲ 무상몰수 무상분배로 토지개혁을 경험하면서 북한 농민이 웃고 있다.

"이놈들 어디 보자! 이렇게 악을 쓰는 지주도 있었지만. 그것은 이불을 쓰고 활갯짓하는 격이었습니다. 그들은 홧김에 술을 먹거나 그렇지 않으면 머리를 싸매고 누웠었다. 기껏해야 땅바닥을 치며 애고지고 저 혼자 비통할 뿐이었다. ……세상이 아무리 변한다 하더라도 땅덩이가 떠나갈 줄은 몰랐다. 천지개벽을 하기 전에야 그런 일이 없을 줄 알았었는데, 토지개혁이란, 정말 눈에 안 보이는 개벽을 해서 하룻밤 사이에 이 세상을 뒤집어엎었다."

북한의 토지개혁은 전광석화처럼 빠르게 진행됐다. 3월 5일 처음 토지개혁을 발표한 이래 26일 만인 3월 31일 토지개혁 완료를 선언했다. 토지개혁 사상 유례가 없는 일이었다. 이렇게 초(超)단기간에 마무리될 수 있었던 것은 치밀한 사전 계획과 준비, 그리고 농민들의 열광적인 지지 때문이었다.

해방 직후 북한에서는 전체 농가의 4%에 불과한 지주가 총 경지면적의 58.2%를 차지하고, 농가의 56.7%에 달하는 빈농이 경지면적의 5.4%를 나눠 가질 정도로 땅 문제는 심각한 사회문제였다.

해방이 되면서 농지개혁에 대한 농민들의 요구가 끊임없이 제기됐으며, 농민들은 투쟁을 통해 3·7제를 관철시켰다.

이런 상황에서 공산당은 1월 말부터 토론을 시작해 2월 20일 토지개혁 안을 마련하고, 3월 5일 임시 인민위원회 이름으로 법령을 공포하게 된다.

토지개혁 안을 마련하기 위해 서울에서 토지 전문가 박문규와 법학자 최용달을 초청했고, 북한의 사회경제학자 김광진과 안길·김책·주영하 등 당 인사가 참여하는 토지개혁법령 작성위원회를 조직한다. 법령 작성위원회가 조직된 뒤에는 김일성을 비롯한 위원들이 몇 차례나 농촌을 돌아보고 농민들과 좌담회를 개최하는 등 현장 조사를 거쳤다.

특히 김일성의 열의는 대단해 한 달 이상이나 농민들과 살면서 그들과 담화하고 의논했다고 한다. 그 과정에서 봉건의식에 젖어 지주에게 대항하지 못하고 있던 농민들의 혁명적 열의를 불러일으킬 수 있었던 것이다.

그렇게 해서 한 달이 채 안 되는 짧은 기간 동안에 100만 325정보의 토지가 몰수되어 72만 4,522호의 농민들에게 98만 1,390정보의 토지가 무상으로 분배됐다.

나중에 국유화되어 협동농장으로 변모하지만 당시로선 내 땅을 가진 희망찬 일이 아닐 수 없었을 것이다.

토지개혁 이후 일제청산과 개혁 작업

북한의 토지개혁은 북한 사회 발전에 새로운 전기를 마련했다. 토지개혁은 우선 농업 발전의 질곡이었던 봉건적 토지 소유관계를 청산했으며, 북한에서 공업이 정상적으로 발전할 수 있도록 식량과 농산물 원료를 공급할 수 있는 계기가 마련됐다.

또한 공산당은 토지개혁 과정에서 빈농과 고농 가운데 많은 당원을 흡수해 농촌에서 당의 기초를 세웠으며, 당의 성분을 바꿔 당을 확대시킬 수 있었다.

북한은 토지개혁의 성과를 토대로 계속해서 다음 개혁 작업을 추진해 간다. 북한이 다음 단계로 추진한 개혁 작업은 8시간 노동제에 기초한 노동법령(46. 6. 24)과 남녀평등법(46. 7. 30)의 제정이었다. 그리고 1946년 8월 10일에는 주요 산업의 국유화에 관한 법령을 발표하기에 이르렀다.

국유화 법령에 의해 일본 국가와 일본인 소유 또는 민족 반역자 소유의 기업소, 광산, 발전소, 철도, 운수, 체신, 은행, 상업과 문화재 등이 국유화됐다.

그 결과 북한 지역의 90%에 달하는 공장과 기업소 1,034개가 전면 무상몰수 됐으나, 개인 소유는 특별한 경우에만 인민재판소나 임시인민위원회의 결정에 의해 몰수할 수 있도록 했다. 당시의 개혁이 반제반봉건 혁명노선에 의해 진행됐는데, 소자산가와 민족 자본가를 건국에 참여시키기 위한 민족통일전선 원칙에 따른 것이었다고 역사가들은 분석하고 있다.

이렇게 해서 북한은 1946년 3월 초 토지개혁 법령을 발표한 이래 6개월 남짓한 기간 동안에 주요한 개혁을 완전히 마무리 짓게 된다. 제도가 변한다고 모든 것이 변하는 것은 아니었지만, 그래도 북한은 개혁의 추진으로 일제 잔재를 청산하고 새로운 사회로 발전해갈 기초를 마련하게 된 것이다. 북한에서의 토지개혁과 일제청산 개혁은 미군정이 지배하던 남한 사회에 강력한 자극제가 됐다. 북풍이 진정으로 매섭게 몰아친 것이다.

미군정의 지지 부진한 개혁과 친일파의 득세는 북한의 토지개혁과 제반 법령 제정, 그리고 친일파 제거와 대비됐던 것이다. 이에 따라 남한 민중들의 미군정에 대한 불만이 높아갔으며, 농민들의 토지개혁에 대한 요구는 더욱 거세어졌던 것이다.

전격적 토지개혁과 민주 개혁의 '빛과 그림자'

북한의 개혁은 사상 유례를 찾기 힘들 정도로 매우 빠르게 진행됐다. 그 결과 북한 사회는 근본적인 변화를 맞게 된다. 식민지 반봉건적인 사회경제구조가 청산되고 사회주의적 국영경제와 소농경제가 중심이 되는 경제구조가 자리 잡게 됐다. 지주와 대자본가, 친일파가 몰락하고, 농민과 노동자, 근로 인텔리 그리고 소생산자로 구성된 계급구조가 정착하게 됐다.

이러한 북한 사회의 급격한 변화는 농민과 노동자 등 근로대중에게는 희망을 줬지만, 구(舊)지배층에게는 참을 수 없는 고통이었다. 지배자의 몰락과 피지배자의 상승, 이것은 혁명이 있는 곳에는 항상 나타나는 사회적 현상이었다.

북한에서 일어난 이러한 혁명적 변화는 그 어느 나라의 경우보다 빠르고 철저했다. 북한 혁명도 기본적으로는 제2차 세계대전이 끝난 뒤 소련군이 진주한 동구권과 모택동의 공산당이 승리한 중국에서 있었던 인민민주주의 혁명과 궤를 같이 하는 것이지만, 북한의 개혁 조치들은 그 어떤 경우보다 빠르고 철저했다는 특징을 갖고 있다.

그렇다면 북한은 어떻게 이처럼 빠르고 철저하게 혁명을 진행할 수 있었을까? 여기에 답하기 위해서는 분단이라는 한반도의 특수상황을 이해해야만 한다.

다시 말해 북한 지역에서 혁명의 대상이 되었던 세력들이 모두 남한 지역으로 탈출했기 때문에 북한에서는 상대적으로 저항이 격렬하지 않았고, 그 때문에 비교적 저항이 미미한 상태에서 빠르고 철저하게 혁명이 진행될 수 있었던 것이다.

다시 한 번 살펴보면 소련군이 북한 지역에 진주하면서 일차적인 숙청 대상이었던 친일파 관료나 친일경찰들이 대거 이남으로 탈출하게 된다.

그들은 처벌을 피해 탈출할 남한 땅이 있었기에 북한 지역에서 저항을 선택하기보다는 월남을 선택했던 것이다. 그 대신 그들은 남한 땅에서 미군정에 의해 재(再)등용되고, 그들은 반북, 반공, 반소를 위해 중용된다. 특히 친일경찰의 80% 이상이 다시 남한 땅에서 경찰로 거듭나게 된다.

그런 문제들은 친일 경찰이나 관료들에게만 나타난 것은 아니다. 신탁통치 균열로 북한 지역에서 조만식이 배제되고, 조선민주당이 공산당의 위성정당으로 전락하자 기독교 세력과 지도층인 조선시대 사대부 기반의 우파 계층과 일부 민족주의자들도 대거 월남하게 된다.

또 토지개혁이 일어나자 지주와 자본가들도 상당수가 남쪽으로 넘어와 버린다. 그렇게 해서 한국전쟁 전까지 수십 만 명(학자들마다 차이가 있는데 많게는 75만 명, 적게는 15만 명)의 월남자들이 생겨나게 된다.

만일 한반도가 분단되지 않았다면, 그래서 북한이 분단된 반쪽이 아니었다면 이들 가운데 대부분은 다른 나라로 떠나지 못했을 것이다. 그랬다면 이들의 저항도 만만치 않았을 것이며, 그 저항 때문에라도 개혁은 실제보다 다소 천천히 진행되었을지도 모른다. 아니면 적어도 세력관계를 고려해 보다 완만한 개혁을 선택했을 것이며, 약간은 중도적인 모습으로 진행되었을 가능성도 있다.

이것은 북한의 개혁, 북한 혁명이 갖고 있는 다른 측면이다. 북한의 반혁명 세력이 대거 이남으로 넘어옴으로써 북한에서는 급진적이고 빠른 진행에도 불구하고 상대적으로 저항도 격렬하지 않았고 사회적 혼란도 비교적 적었다.

물론 북한에서도 저항이 없었던 것은 아니다. 1946년 3월 1일 3.1절 기념식장에서 있었던 김일성 암살기도 사건을 비롯하여 소련군 장교들과 북한 지도부에 대한 테러 사건이 계속 일어났고, 토지개혁을 반대하기 위한 테러 활동도 벌어졌기 때문이다.

그러나 그것은 대부분 월남한 사람들이 조직한 청년단이나 이남의 우익단체들이 북쪽에 가서 행한 활동들이었지, 북한에 기반을 두고 활동한 것들은 아니었다.

그리고 설령 그런 단체들의 활동이 벌어졌다 할지라도 상대적으로 그것은 미미했다는 것이다.

그런데 이런 월남민(越南民)들은 남한 사회에서 반공과 애국의 이름으로 극단적인 활동을 벌인다. 좌익에 대해서는 물론이고 대중들의 정당한 일상적 요구나 민주적 요구조차도 무차별적으로 공격하게 된다.

이렇게 해서 한국사회에는 서서히 '피의 보복'이라는 악순환의 고리가 만들어지게 되는 것이다.

그 대표적인 경우가 4.3 제주 사건이다. 서북청년단 등의 반공단체들이 벌인 무차별적인 살육으로 제주도는 총인구 27만 가운데 최소한 3만 명 이상이 살해되는 비운의 땅이 되고 만다.

혁명이 급진적이면 급진적인 만큼 그에 대한 반대세력의 저항도 격렬한 법이다.

북한 혁명도 결과적으로는 마찬가지였다. 빠르고 철저했던 만큼 그에 대한 반작용도 컸다. 그러나 북한 혁명에 대한 저항은 북한 내에서가 아니라 오히려 남한에서 시작된다. 이것이 북한의 개혁, 북한 혁명이 갖고 있는 그림자다.

북한의 개혁이 당시의 북한 인민대중에게는 빛을 주었을지 모르지만 남한의 많은 인민들에게는 빛으로만 다가온 것이 아니라 그림자로 다가왔던 것이다.

'빠르고 철저한' 만큼의 그림자를 미군정과 이승만 세력이 활용해 남한 땅에서 거꾸로 자행(恣行)되기 시작됐고, 그것은 후에 한국전쟁 과정에서 더욱 확대되었던 셈이다.

남한의 농지개혁

농지개혁을 끝까지 막은 한민당

"정부수립 후 파악해 보니깐, 6명의 대지주가 전국 땅을 좌지우지하고, 나머지는 사찰(절) 땅이더라."

이 말은 해방 후 토지조사를 담당했던 어느 정부 관료의 말이라는 것이 사학자들의 기록이다. 그만큼 우리의 농지제도는 조선시대부터 엉망이었고, 그마저도 일제 강점기에 들어서 일본인들과 친일파에게 배분됐다는 이야기다.

이런 여건에서 북한은 1946년 3월 6일부터 31일까지 26일이라는 짧은 기간에 무상몰수-무상분배라는 방식으로 신속하게 토지개혁을 실시했다. 소련 군정과 김일성 조직이 그만큼 정권에 대한 인수 준비가 잘 돼 있었다는 말이다

당시 남한의 농지소유 상황도 누대에 걸쳐 전통적으로 세습되어 온 소작제도가 일제침략 이후로 더욱 심화되어, 1945년 8.15 광복 전후의 농지소유 실태를 보면 농지 총 면적 222만 5751.6ha로 1호당 평균 1.078ha였고, 자작농이 전 농토의 37%인 85만 ha, 소작농이 63%인 147만 ha였다.

농가 호수에서는 순(純)자작 13.7%, 자작 겸 소작 34.6%, 순(純)소작 48.9%, 피용자가 전체 호수의 2.7%였다. 또 소작료는 경작자 대 지주의 비율이 5:5였다. 이와 같은 농지 소유 상황 때문에 한국의 농촌사회는 신흥 일본 지주의 출현, 부재지주 증가, 소작쟁의, 소작농의 급격한 증가, 소작농의 몰락과 이농(離農) 등의 현상이 두드러졌다.

이에 미군정은 전(前) 일본인 소유 농지의 한국 귀속을 위해 1945년 8월 9일 이후 동양척식회사가 소유한 전 재산 및 조선 내 법인의 일본인 재산을 관리할 목적으로 동양척식회사의 후신인 신한공사를 설립했다. 그리고 해외에서 귀국한 동포와 월남 동포에게 분배했다.

그렇지만 남한의 농지개혁은 북한과는 상황이 너무 달랐다. 남한의 경우는 미군정 당시 미국이 입법을 시도했으나 한민당 등의 반발로, 귀속농지에 대한 분배 작업만 개시되었을 뿐, 통과되지 못했다. 미군정은 1945년 10월 5일 소작료의 상한을 연 수확량의 3분의 1로 제한하는 조치를 취한 데 이어 12월에는 조선 내 모든 일본인 소유 재산을 미 군정청 소유로 귀속시켜 신한공사로 하여금 관리하도록 했다.

이어 미군정은 1946년 2월 27일자로 토지개혁법안 기초위원회를 구성해 초안을 작성한 다음 1947년 초 남조선과도입법의원에 회부했다. 이 법안은 산업노농위원회의 수정을 거쳐 1947년 12월 본회의에 상정됐으나 정원 미달로 본회의가 유회된 데 이어 1948년 3월 입법의원이 해체됨으로써 자동 소멸됐다. 지주의 이익을 대변하는 한민당의 조직적 반발 때문이었다. 그래서 미군정이 끝나고 미군은 이를 제헌헌법 제86조에 명시하는 것으로 제1공화국에 떠넘겼다. 이것이 '제1차 농지개혁'이다.

바통을 이어받은 '제2차 농지개혁'은 농지개혁법을 한민당 계열이 누더기로 만든 다음 겨우 통과시켰으나 곧 이은 전쟁으로 농지 이전이 제대로 마무리되지 못해 농민들이 개혁의 실익은 보지 못하게 됐다.

그 내용을 보면 제1공화국에서는 미군정 측에서 낸 안보다 지주들에게 유리한 방식으로서 보유가능 면적을 3정보로 상향 수정함으로써 농지개혁법은 1949년 6월 마침내 법률 제31호로 공포됐으나 빈농에게 농지 가격의 최대 30%까지 보조금을 줄 수 있다는 제7조 제1항 제5호가 삭제되고 정부보증 융통식 증권을 지가증권으로 바꾸는 등의 개정작업을 거치느라 집행되지 못했다.

결국 농지개혁법은 1950년 3월 10일 법률 제108호로 개정이 완료돼 집행됐으나 곧 6.25 전쟁이 발발하여 완전한 집행이 이뤄지지 못했다.

이 법은 전쟁이 끝나고 군사정부 시절인 1960년 1월 13일 법률 제561호로 개정돼 1967년이 돼서야 완결된다. 농지개혁법은 제6공화국 때인 1996년 폐지되고 현행 '농지법'으로 전환된다.

농지개혁법의 제정 배경

8.15 광복 후 대한민국 토지의 80%를 지주가 소유하고 있었고, 자작농의 비율은 극도로 낮았다. 이것은 지주와 소작농의 대립을 심화시킬 수 있는 원인이 되었다. 기존의 소작료는 5할이었고 많

게는 6~8할도 있었다. 광복 후에 미군은 미군정을 설립하면서 농업 정책을 나중으로 미뤘다. 그들의 임무는 원래 일본군 무장해제와 본국 송환이었기 때문이다.

1946년 3월 5일 북한에서 무상몰수-무상분배 방식으로 토지개혁이 전격적으로 시행됐다. 이때는 북한의 소식이 여과 없이 신문을 통해 남한에서 보도되었기 때문에 남한 농민들도 북한의 토지개혁 소식을 듣게 되었고, 당연히 '우리는 왜 토지개혁 안 하느냐?'고 불만을 토해내기 시작했다.

이에 좌익세력의 농촌 침투를 우려한 미군정은 북한과 같이 소작료를 3분의 1만 낸다는 3.1제(33%)를 실시했다. 이로써 소작료가 크게 줄어들어 농민들의 부담이 많이 줄었지만 갈등의 불씨는 여전했다. 기존의 동양척식주식회사를 개편한 신한공사 체제에서 토지개혁이 시도됐으나 지주들의 반발과 곧이어 실시된 1948년 제헌국회 총선거의 여파로 연기가 되었다.

한국민주당, 이승만 대통령 지원하고 오히려 '팽(烹)'

제헌국회에서 한국민주당의 협력을 받아 대통령으로 지목된 이승만은 정작 국무총리와 초대 내각 임명 과정에서 한국민주당 인사를 완전히 배제해 서로 척을 지게 되었으므로 지주가 다수 속한 한민당의 경제적 기반을 약화시킬 필요성도 느끼고 있어 서두를 수밖에 없었다.

이승만은 토지개혁의 책임자인 농림부장관 자리에 공산주의에서 전향한 좌익계 출신 조봉암을 앉혔다. 진보당 사건의 바로 그 조봉암인데, 조봉암은 헌법 제정 당시 30명 중 대통령 중심제 안을 반대한 단 두 명의 헌법위원 중 한 사람이었다.

그 탓에 조봉암은 이승만에게 단단히 찍혀 있었던 상태라 누구도 조봉암이 농림부장관이 될 것이라 예상하지 않았다. 심지어 그 자신조차 기대도 안 했다가 조각 당일 연락을 받아 이화장에서 임명 소식을 들었다고 한다.

그렇기 때문에 농지개혁을 강하게 주장하던 조봉암이 농림부장관에 취임했다는 소식에 한민당은 발칵 뒤집혔다. 이승만은 조봉암의 과격한 농지개혁을 말리는 척하면서 실질적으로 유상매입-유상분배 방식으로 한민당 세력을 약화시키기 위한 농지개혁을 조봉암에게 맡긴 것이다.

그래서 미군정 당시의 '유상매입-무상분배' 대신 '유상매입-유상분배'의 안이 1949년 6월 23일 국회 본회의에서 통과됐다. 한 농가의 토지소유 한도는 2정보에서 3정보(1정보는 약 3,000평)로 늘어났고, 상환방식을 단기간으로 줄이는 것이 그 골자였다. 또한 농지개혁이 적용된 지주들에게는 국가사업 우선 참여권이 주어져(예를 들어 적산공장 불하에서 우선적 협상대상 등) 이들의 재산이 산업자산으로 전환될 수 있도록 한 것이다.

이를 바탕으로 1950년 4월부터 농민들에게 토지 분배가 시작됐고, 5월부터는 토지장부 열람이 개시됐다. 드디어 농민들은 자신의 토지를 소유할 수 있게 된 것이다. 이후 한국전쟁으로 인해 토지개혁이 중단되기도 했으나 1967년 일단락됐다.

상당수 지주들이 몰수 토지에 대한 보상으로 받아낸 지가증권 또한 한국전쟁으로 가치가 하락해 일찍 팔렸고, 이는 귀속재산 불하 납입 대금으로 사용되곤 했다. 사실 한국전쟁 시기에 이미 현대의 증권시장과 유사한 지가증권 거래소가 임시수도인 부산 광복동에 있었고, 정부에서 증권거래소 허가까지 해서 지가증권의 거래가 이뤄졌다.

그렇기 때문에 지주라고 해도, 전쟁 와중의 식량 문제 때문에 지가증권을 헐값에 매각한 사례가 허다하며, 막말로 정부가 망하면 정부가 지급보증을 하는 지가증권이라고 가치가 있을 리 없기 때문에 지가증권의 가격은 더더욱 바닥을 쳤다. 절반 가격은 다행이고, 액면가의 10%에 판매되기도 했다.

그렇기 때문에 불하대금으로 흘러갔다. 지가증권 거래로 피해를 본 대표적인 이들이 호남평야에 땅을 가지고 있던 대지주들이었다. 낙동강 방어선을 친 영남 지방에 비해서 호남은 거침없이 털렸고, 호남지역 지가증권 가격은 특히 헐값에 거래됐다.

사실 건국 초기 인플레이션 때문에 5년 유예였던 지가증권의 가치는 상당히 낮았는데, 이것을 정부가 적산을 불하받고 귀속재산을 구매할 때는 액면가 그대로 사용할 수 있게 했기 때문에 지가증권이 가치를 유지할 수 있었다.

이런 사실은 영남 지역에서 적산을 불하받은 이들이 나중에 기업가들로 성장하게 되는 경우를 통해서 알 수 있다. 영남 지역은 전쟁 통에도 지가증권의 가치가 떨어지지 않거나 조금 떨어졌고, 그 밖의 지역은 헐값으로 전락해 영남 출신 기업가가 많이 배출되었던 것이다.

조봉암과 농지개혁

　과거 공산당 활동을 했고, 북한과 같이 급진적인 농지개혁을 주장하던 조봉암이 농림부장관이 될 것이라고는 아무도 생각하지 않았다. 한민당이 밀어서 대통령이 된 이승만이 지주 계층을 대변하던 한민당의 노선에 역행할 것이라고는 생각하지 않았기 때문이다.

　그러나 이승만의 생각은 달랐다. 정부를 자신의 친위세력으로 구축하고 싶었던 이승만은 미국의 힘을 빌려 정국의 주도권을 잡으면서도 한민당의 힘을 약화시켜야 했다. 지주계층으로 구성되어 있고, 지주계층을 대변하는 한민당과 거리를 두면서 세력을 약화시키면서도 이들의 자본력을 약화시키고 이를 통해 한민당의 힘을 자신의 손아래 두기 위해서는 농지개혁이 절대적으로 필요했다. 또한 북한의 농지개혁으로 민심이 북한에 쏠렸던 당시의 상황을 어떻게든 반전시켜야만 했다.

　미국도 소련의 북한 공산화에 대응해 남한을 자신의 위성국가로 만들기 위해서는 북한의 무상몰수 방식에는 다가가지 않더라도 대대적인 농지개혁을 필요로 했다. 북한의 개혁을 그리워하는 남한의 민심을 돌리기 위한 시도도 필요했다.

　조봉암의 비서실장이었던 이영근의 증언에 따르면 당시 조봉암 선생은 끈질긴 이승만의 설득에 한민당이 모든 개혁을 반대하니 그것을 물리치고 대대적인 개혁을 지지해 준다면 맡아보겠다며 승낙했다고 한다. 권력을 쥔 이승만은 하시(何時)라도 조봉암을 제거할 수 있었기에 그의 개혁을 활용해 한민당 세력을 약화시키는 데 활용하려고 했던 것이다.

1949년 1월 한국민주당(한민당)과 대한국민당이 합당을 결의하여, 2월 10일 결성대회를 갖고 민주국민당(민국당)으로 정식 발족하였다. 민주국민당은 한민당이 제헌의회 선거에서 예상 밖의 패배를 맛본 데다 초대 내각의 구성 과정에서마저 소외당하자 이승만에 대한 반감이 작용하여 결성한 한국 정당사의 최초 야당이다.

누구보다도 철저한 반공주의자인 이승만이 민국당의 반대를 익히 알면서도 조봉암의 거절의사를 꺾으면서까지 농림부장관으로 임명한 것과 진보당 사건으로 사형에 처해진 조봉암의 상황을 돌이켜보면 이승만은 농지개혁을 원했다기보다 철저히 조봉암을 민국당의 세력 약화용으로 활용하려 했다는 것이 상당수 사학자들의 평가다.

조봉암 장관은 농지개혁 팀의 진용을 혁명적인 인물들로 꾸렸다. 장관과 함께 농지개혁을 추진했던 농림부차관 강정택(姜挺澤)은 민주주의민족전선의 농업문제연구위원회 총책임위원을 역임하면서 북한 식의 토지개혁을 주장했던 좌파 이론가였다. 농지개혁 사업의 실무총책인 농지국장 강진국(姜辰國)도 조봉암의 '열렬한 신봉자'였다. 그 밑의 행정관계 3개 과장이 있었는데 이들도 개혁적인 인사였다고 한다. 이들 과장 중 2명이 한국전쟁 당시에 자진 월북한 것을 보면 당시 개혁적인 북한을 선망한 진보적 인사였던 것으로 추정된다.

농림부의 정책 결정자와 실무진 등 당시 토지개혁을 맡았던 농림부 구성원들은 남한 체제에서 포용할 수 있었던 이념적 스펙트럼에서는 가장 급진적인 인물들로 구성된 셈이었다. 민국당 의원들은 당시 농림부의 토지개혁 담당자들을 두고 공공연하게 '빨갱이', '공산당 앞잡이'라고 공격했다는 것이 강진국 당시 농지국장의 구술이다. 이들은 조선시대 말기부터 일제 강점기에 걸쳐 비정상적으로 얻은 토지를 지키기 위해 이념 논쟁을 부각시키면서 정상적인 농지개혁을 반대했던 것이다.

조봉암 장관은 정부수립 후 조속한 농지개혁의 완성을 위해 법을 빨리 만들라고 독촉했다고 한다. 조 장관의 독촉으로 토지개혁 팀이 초안을 만들었는데 그 안은 무상몰수도 아니고, 유상매수도 아닌 적당한 보상을 주고 공공의 복리를 위해 수용하는 방식이었다고 한다. 다시 말해 해방 후 좌우익(左右翼)의 오랜 주장인 유상매수-유상분배도, 무상몰수-무상분배도 아닌, '제3의 길', '제3의 형태'를 채택하려는 것이었다. 또한 이러한 인식은 조봉암을 비롯한 초기 토지개혁 팀의 구상이었다.

당시의 강진국 국장은 남한농지개혁의 기본방침을 설명하면서 "지주에게 억울한 희생을 시키지 않고 또 농민에게는 염가로 분배하는 방법, 즉 유상매수 유상분배와 무상몰수 무상분배의 중간적인 입장을 채택한 것"이라고 주장했다.

지주에게는 개인의 재산권을 보장하되 재산권의 행사는 공공복리에 적합하도록 적절한 보상을 해주고 공공의 이익을 위해 강제수용도 가능하도록 농가에게 상한선 2정보까지 분배하도록 하되 농지가의 30% 정도를 보조하는 방식을 택하고 있다. 특히 지주에게는 정부보증 융통식 증권으로 보상하는 방안을 내세웠다.

농림부는 이러한 초안을 만든 뒤 1949년 1월 4일부터 곧바로 전국을 돌며 지방공청회를 실시하여 농민들과 지방의 농지 담당

관료들의 의견을 수렴해 1월 24일 거의 원안 그대로의 내용을 국무회의에 상정했다. 공청회는 가는 곳마다 '초만원(超滿員)'을 이룰 만큼 이 문제에 대한 농민들의 관심은 지대했다고 한다.

그러나 농림부의 제3의 길은 좌절되고 말았다. 국무회의는 이 초안을 기획처에 보내어 재심한 것을 보면 '징수'는 '매수'로 바꾸었고, 지주보상지가는 20할(200%)로, 농민의 상환지가도 20할(200%)로 바꾸었다. 상환기간은 10년이었다. 땅값을 높이 쳐준 것이며, 상환기간을 크게 단축시켰다.

강제수용 방식을 없애고, 농지분배 상한선을 3정보로 늘려 지주가 유리하도록 바꿨으며, 농민에게 줄 혜택인 땅값 30% 보조는 아예 없애버렸다. 농림부 안이 완성돼 제출될 때인 1949년 초 조봉암 장관은 민국당의 음모와 집요한 제거공작으로 인해 장관에서 쫓겨날 위기에 놓인 상황이었다.

조봉암의 축출과 토지개혁 묵살

1949년 2월에 이승만은 농림부장관을 바꿨다.

이승만의 목적인 농지개혁(안)이 만들어졌으니 민국당의 재정적 기초에 목을 조일 수 있는 제도가 만들어졌고, 민국당의 축출의견을 받아들인다는 명목으로 진보세력인 조봉암을 자연스럽게 축출할 수 있었던 것이다.

제헌의원 최태규 씨는 조봉암의 축출을 '토지개혁을 묵살(默殺)시키려고 하는 음모가 있다는 것이 민중의 여론'이라고 지적한 바 있다. 민중들도 이를 알고 있었다는 지적이다.

106

그러나 제3의 길을 채택한 최초의 입법 의도가 흔적도 없이 사장된 것은 결코 아니었다. 조봉암의 퇴진에도 불구하고 이 최초의 입법 의도는 실제의 토지개혁에 반영됐다. 입법의도가 살아있는 이유는 두 가지로 꼽힌다.

하나는 이승만과 정부의 반(反)민국당적인 개혁의지 때문이었고, 다른 하나는 이 문제에 관한 한 만개된 언론자유와 농지개혁 지지 일변도의 보도 경향과 여론 때문이었다. 정부는 각국의 예를 제시하며 이를 언론에 보도해 지주와 민국당의 요구가 반(反)농민적인 내용임을 간접적으로 폭로하고 있었다.

지주의 반대에 직면하여 이승만 정부는, 전형적인 이승만의 정치라고 할 수 있는 대중동원방식으로 도청 소재지를 비롯한 전국 각지에서 청문회를 개최해 농민의 의견을 들으며 지주들을 고립시키고 농민을 체제 내의 지지 세력으로 포섭했다. 이를 계기로 농민들은 농지개혁에 대해 확실하게 의식화됐으며, 이승만 정부의 편이 되어 갔다. 친정부적으로 바뀌어간 것은 반(反)지주의식이었고, 현 정부를 지지하는 친정부화였다.

이런 가운데 농민과 국민들은 반공의식, 즉 공산주의를 반대하는 정서를 만들어갔다. 이것은 이승만이 의도했던 궁극적인 목표였다. 이런 상황으로 몰고 간 이승만의 시도로 토지개혁문제에 관한 한 포위된 것은 정부가 아니라 민국당이었다. 결국 토지개혁을 계기로 민국당은 계급정당으로서 지주 계급의 대변자 역할을 상실할 수밖에 없었다.

조봉암은 농림부장관에서 축출된 뒤에도 의회 토론에서 여전히 농지개혁에 있어서 '제3의 길'을 강력히 주장했는데 그의 토론은 보수적인 농지개편안(당시 산업위원회 안=산위안)을 좌절시키는 데 크게 기여했다.

다음은 당시 조봉암의 의회토론 발언 내용이다.

"소작인은 지금 땅을 거저 준다고 하면 그 뒤에 세금을 안 받겠다고 하는 것을 조건으로 할 때에 기뻐할 것입니다. (그러나) 만일 (농민상환율이) 20할 30할 한다고 할 것 같으면 이 법을 우리가 제정한다고 하더라도 실시가 되지 않는다는 점을 여러분에게 확실히 말씀해 드립니다. 왜 그러냐 하면 지금 소작인들은 (소작률이) 15할이나 20할이 된다고 하더라도 그냥 소작인으로 있는 편이 나은 거요. 이것은 다른 나라에 그런 예가 있고 가까운 일본에서도 소작인이 분배하는 것을 거절한 일이 있어요. 그런 까닭에 이것은 무상으로 한다면 세금을 부과하지 않는다는 조건이어야 좋아할 것이로되 그렇지 아니한 이상 15할 이상 올라가서는 절대로 실행되지 않는 법이라는 것을 우리가 기억해야 되겠다는 것이올시다."

이 진술은 중요한 인식을 담고 있다. 북한의 무상몰수-무상분배 방식과 농민들로부터 지나치게 높은 상환율을 받아내려는 '지주와 민국당' 안을 동시에 비판하고 있다. 사실에 비추어 조봉암의 지적은 매우 타당한 것이었다.

농지개혁을 위한 '제3의 길'과 조봉암

앞서 보았듯 북한의 토지개혁은 농민들에게 토지를 주었지만 현물세율을 27%로 정했고, 실제의 세금 부과는 이보다 더 높아 농민들 입장에서는 지주의 소작인에서 국가의 소작인으로 바뀐 것에 불과했기 때문이다.

조봉암은 이것을 지적하고 있었던 것이다. 땅을 거저 주어 봤자 높은 세금을 받으면 소용이 없다는 지적이다.

북한의 실제 현물세 비율은 최소 25%에서 최고 40% 내외에 달했다. 유상분배와 무상분배는 말의 의미가 갖는 차이에 비해 실제 혜택과 복리의 차이는 거의 없는 방식들이었다.

지주와 민국당의 농지개편안에 대한 조봉암의 지적은 더욱 타당했다. 농민에게 30할(5년 평균생산고의 300%)에 달하는 고율의 지가상환액을 받아내려 한다면 소작률 15%가 차라리 농민의 지가 상환율 30할보다는 더 낮다는 주장이었다.

지주와 민국당에 대한 공격이었다. 이 공격을 통해 조봉암은 지주에게 산위안대로 너무 높은 보상을 해준다면 '지주까지도 미친놈이라고 웃을 것'이라며 산위안이 얼마나 탐욕에 찬 방안인가를 조롱하듯 비판했다. 조봉암은 문제의 핵심을 찌르고 있었다.

극단적인 반동정책을 취할 때 농민들은 차라리 과거의 농촌공동체에서 유지되던 지주소작 관계를 받아들여 안정적 생존을 보장하는 후원-수혜(patron-client)의 관계를 유지하려 하거나 아니면 반대로 참을 수 없는 착취에 직면해 많은 농민혁명의 사례에서 보듯 혁명이념에 경도돼 급진혁명에 호소하게 될 것이었다.

결국 실제의 남한 토지개혁에서는 '상환지가 150%에 5년 균분(연간 30% 상환)안으로 결정됐는데(농지개혁법 개정안 1950.3.10), 이는 상환지가 '300%-10년 균분(연간 30% 상환)'을 주장한 의회 안보다는 2분의 1 수준 정도로 낮은 것이었다. '200%-10년 균분(연간 20%)'의 정부공식·안(기획처 안)보다는 낮고, 최초의 원안이었던 '120%-10년 균분(연간 12%)'의 농림부 안에 근접하는 것이었다.

여기서 초안의 10년 균분 안이 최종 법률에서는 5년 균분으로 그 시기가 절반으로 짧아졌음은 주목할 필요가 있다.

상환기일의 단축은 농민들의 단기적 상환부담을 그만큼 크게 했다는 측면과, 농민들의 토지소유를 단축시켰다는 상반되는 두 측면을 동시에 지니고 있었다. 좀 더 커다란 효과는 후자였다. 농민들 역시 하루빨리 자기 토지를 갖고 싶어 했으며, 국가는 각 지역에서의 공청회를 통해 이를 확인하고 있었다. 내각에서 논의할 때도 기획처는 상환연한 15년을 주장한 데 반해 조봉암은 5~10년으로 줄일 것을 주장했다. 실제의 농민들은 거의 5년이 아니라 1년 정도면 상환시점이 아예 끝나 있었다.

농촌에서 지주와 농민들은 소작료를 놓고 이미 팽팽하게 대립하고 있었고, 지주의 강매 노력과 소작인들의 소작료 제공 거부로 각지에서 크고 작은 소작쟁의와 갈등이 빈발했다. 또 농민들은 국가의 토지개혁 방침과 소문, 청문회 등을 듣고는 국가에 의탁하면서 지주에 맞서는 사례가 늘어가고 있었다.

이승만은 이미 지주들의 토지 강매에 대해 "곧 토지개혁이 실시될 것이니 농민들은 지주들의 협박을 경찰에 신고해 국가의 보호를 받으라."고 언명했다. 이는 곧 국가가 지주의 보호자로서가 아니라 농민의 보호자로서 기능해 농민의 친정부적 정서를 바탕으로 통치를 하겠다는 의도가 깔려 있다.

정부는 1949년 8월까지도 연내 실시를 시도했지만 민국당의 반발로 지연됐지만 1949년 말부터 다시 준비에 착수해 1950년

110

들어서면서 그해 봄이 다 가기 전에 토지개혁을 단행했다.

남한의 토지개혁이 이뤄진 시점은 한국전쟁의 기원과 관련해 중요한 문제이다.

전쟁 후에 이뤄졌다면 한국전쟁은 혁명을 이룬 집단이 봉건적-식민지적 상태에 놓여 있는 나머지 지역을 해방하려 시도한 계급투쟁이자 사회혁명적인 성공을 거둘 수 있어 북한이 전쟁에서 유리할 수 있었다고 역사학자들은 분석하고 있다.

남한의 토지개혁과 관련하여 오랫동안 치밀한 연구를 해온 학자 김성호(金聖昊) 선생은 "실제의 토지분배는 시행령 공포일인 1950년 3월 25일 이전에 완료됐다."고 주장하고 있다.

서산시 근흥면의 사례를 연구한 장상환 박사 역시 1950년 4월 19일에 농지개혁이 완료됐다고 주장한다.

농지개혁법 개정법률 안이 공포된 것이 1950년 3월 10일이고 시행령이 공포된 것이 3월 25일, 시행규칙이 공포된 것은 4월 28일이었음에 비추어 볼 때 실제의 토지개혁은 이러한 법률적 준비에 관계없이 미리 진행됐던 것이다.

미군정과 이승만의 농지개혁 시도

미군정과 이승만 세력은 북한의 토지개혁으로 민심이 북한에 우호적이어서 탈남(脫南)을 해 북한으로 이주하는 인사들이 많아지면서 통치 차원의 민심을 회복해야 함은 물론, 농민층에게 새로운 시대가 열린다는 메시지를 던지기 위해서라도 남한에서의 농지개혁에 대한 필요성이 크게 제기되고 있었다.

이 때문에 농지개혁은 이미 좌우합작위원회, 남조선과도입법의원회 당시 미군정 측에서 요구하던 바였다.

이 시기 일본에서 미국은 고강도의 농지개혁을 실시했고, 북한은 이미 1946년 5월에 '정권에 의한 강제적 토지몰수'라는 과격한 토지개혁 안을 통과시킨 바 있으므로 남한의 농민들도 강하게 이를 요구하고 있었다. 이런 상황 속에 남한 농민들의 속은 폭발 일보 직전이었다고 봐도 과언이 아니다. 이런 상황에서 대한민국의 농지개혁은 필연이었다.

1948년 3월 중앙토지행정처(中央土地行政處)의 설립과, 그해 8월 15일 신정부의 수립과 더불어 신헌법(새 한국헌법 제86조에 농지는 농민에게 분배하며 그 분배방법·소유한도, 소유권의 내용과 한도는 법률로써 정한다고 규정함)의 제정과 함께 본격적으로 농지개혁을 정책화했다. 그 내용의 핵심은 유상몰수-유산분배로 1949년 6월 21일 법률 제31호에 그 내용이 담겨 발효됐는데 그 법 이름이 '농지개혁법'이다.

그런데 일본인의 토지유산은 조선연보(朝鮮年報)의 1942년 통계로 보아 전국에 전답 40만 ha인 13%로 추산되고 있었다. 농지개혁의 방법은 신한공사가 관리하는 적산농지와 국유로 소유자가 분명하지 않은 토지는 흡수하고 비농가의 농지, 자경(自耕)하지 않는 자의 농지, 3ha를 초과하는 농지는 국가에서 수매해 이들 지주에게 해당농지 연(年) 수확량(收穫量)의 150%로 5년간 연부상환 보상하도록 하는 지가증권을 발급했다.

그리고 매수농지의 연(年) 수확량 측정은 소재지위원회(所在地委員會)의 의결을 거쳐 지목별 표준 중급농지를 선정, 지번별로 보상액을 결정했다.

한편, 정부가 수매한 농경지는 직접 경작하는 영세농민에게 3ha를 한도로 분배하되 그 대가를 5년 연부상환으로 해당 토지 수확량의 30%씩을 곡물이나 금전으로 상환토록 했다. 농지개혁에 의해 영세농에 분배된 농지는 일반 수매농지가 75만 5000ha, 적산농지 26만 9000ha로, 총면적은 102만 4000ha였다.

그런데 농지개혁이 있게 되자 이에 앞서 지주의 소작농에 대한 토지 강매운동이 전개돼 일부 선량한 소작인은 평시의 값보다도 비싼 값으로 농지개혁 전에 지주로부터 토지를 매입하게 돼 농지개혁 전에 이미 절반 이상의 농지 분배가 이뤄졌다. 한편, 농지개혁법에 의해 분배사업이 이루어진 1951년 4월 통계에 의하면 지가증권(地價證券)을 보상받은 지주는 24만 4,250명이었다.

이상의 농지개혁은 1950년 한국전쟁으로 시행 초부터 중단돼 당초의 5년 상환계획이 늦추어져서 박정희 군사정부 시절인 1961년 5월 11일 농지개혁사업정리요강(農地改革事業整理要綱)을 제정해 1964년까지 종결하도록 기간을 연장했다.

농지개혁의 성격을 보면, ①농지개혁의 원만한 수행이 이뤄지기 전에 지주 계층의 소작인에 대한 3ha 이상의 자기 토지 강매현상으로 그 실효를 충분히 거둘 수 없었다. ②농지개혁 기간 동안 한국전쟁으로 혼란이 야기돼 기간의 연장이 불가피했다. ③기생지주(寄生地主)를 배제하고 건전한 농가경제를 기대했으나 지주 계층의 사전 강매에 따른 경제적 부담과 유상분배(有償分配)에 따른 빈농(貧農)의 곤란으로 자기소유 농지를 방매하고 부농(富農)이 이를 겸병(兼倂)해 신흥(新興) 지주계층(地主階層)과 소작제가 부활하는 현상이 나타났다.

이 법안이 상정될 것 같다는 소문이 국민 사이에서 유포되기 시작하자, 지주들은 토지를 빈농층에게 강매(强賣)하였으며, 심지어는 토지개혁이 아니라 농지개혁이라는 점을 악용하는 지주들도 있었다.

또한 정부의 의도인 '토지자본에서 산업자본으로의 전환'과는 달리, 토지채권의 값은 6.25와 초(超)인플레이션을 걸치면서 엄청나게 떨어져 지주에서 자본가로 전환한 계층은 극소수에 지나지 않았다. 이에 더해서 농지개혁법이 실시되고 얼마 지나지 않아 6.25전쟁이 터지면서 피난을 다니던 지주들이 인민재판에 걸려 죽거나 피난처에서 지가증권과 생활물자를 교환하는 일도 있었다.

오히려 경남 진주의 정씨 가문처럼 농지개혁법 발표 즈음하여 소작농들에게 토지를 무상 분배하다시피 한 사람들이나, 평소 품삯을 후하게 주고 소작료를 적게 받은 사람들, 전남 영암의 현준호(현재 현대그룹 회장인 현정은의 할아버지)처럼 OO년 후 토지분배를 약속한 일부 지주들이 살아남아 가문을 보전하고 오늘날까지 대를 잇는 자본계급으로 전환하는 데 성공하는 아이러니한 일이 생기기도 했다.

소위 '문중 땅'이 분쟁에 휘말리는 경우도 많이 있었다. 농지개혁에 대비해서 같은 집안사람에게 농지의 명의를 이전해 주었는데 돌려주지 않는다거나 하는 사례도 많다.

아울러 남한의 토지개혁에 대한 농민의 기대가 얼마나 컸는지에 대해서는 아직도 논란이 있다. 1950년 5월에 토지대장 열람이 개시되기는 했지만 전쟁 이전에 농지개혁이 완료되지는 못했기 때문에 농민들이 어떻게 생각했는지에 대해서는 아직 불분명한 점이 존재한다.

다시 말해 정말 농민이 이 법안 때문에 북한의 선전에 넘어가지 않은 것인지에 대한 인과관계는 아직까지 불확실하다. 또한 북한처럼 남한도 농민들에게 현물세를 징수했다. 1950년 북한의 남한지역 토지개혁에 농민들의 호응이 그리 강하지 않았던 것에 대해 위의 입장에서는 "전쟁으로 인한 불안정 위에서 이루어진 토지개혁이라 토지를 공짜로 받아도 이것이 그대로 내 것이 될 수 있을지 장담하지 못했기 때문"이라고 한다.

일부 재력가는 사학재단을 만들고 자기 땅을 재단 땅으로 해 농지개혁을 면하기도 했다. 사학재단 중 친일 성향의 설립자들이 많은 원인이기도 하다. 일부 재력가들이 사학을 설립하면 토지개혁으로 인한 피해를 줄일 수 있다고 생각해 사학을 설립하고 재산을 재단 산하에 넣었는데 이 재력가들 중 식민지 시대에 부를 축적한 사람들이 꽤나 있었기 때문이다.

섣불리 그 시기에 세워진 학교/재단이 전부 친일사학이라고 생각할 필요는 없지만 본 교육시설이 있는 부지 외에 뜬금없이 먼 곳에 학교/재단 소유의 땅이 있다면 의심해 볼 법하다. 동방문화재단(산하 숭문중·고) 같이 재단 설립이 40년대 중후반이고 학교 본관 외에 멀리 재단 소유 토지가 있고 설립자가 공식적인 친일파라면 더더욱 그렇다고 볼 수 있다.

해방 후 문학에서 당시의 시대상과 현실의 모습을 찾아볼 수 있다.
• 이태준의 <농토> : 일제 강점기의 대갓집 머슴살이에서부터 시

작하여 빈농을 거쳐 해방을 맞는 농민 억쇠를 그린 소설. 공간적 배경이 북한이기 때문에 북한의 토지개혁에 대해 자세히 다루고 있다.

• 채만식의 <논 이야기> : 구한말까지는 자영농이었지만, 일제 강점기 때 자신의 논을 빼앗기고 소작농이 된 한 생원을 그린 소설. 한 생원은 해방이 됐다는 소식을 듣고 옛날에 빼앗긴 자신의 논을 되찾을 수 있을 거라는 희망을 가진다. 공간적 배경이 남한으로 남한의 토지개혁이 주 소재이다.

• 채만식의 <낙조> : 논 이야기와는 다르게 지주 입장에서 토지개혁을 바라본 특이한 소설.

• 조정래의 <태백산맥> : 전남 벌교와 그 인근에서 벌어지는 소작농과 지주들 사이의 갈등이 수많은 사건의 원인으로 작용하며, 인구 대부분이 농민이었던 당시 전라도의 실정상, 등장인물들도 대다수가 소작농 집안 아니면 지주 가문 출신이다.

• 오유권의 <농지상한선> : 잘 알려지지는 않은 소설이지만, 어떻게 구(舊) 지주 계급들이 옛날에 자기들이 가졌던 땅을 되찾았나 하는 과정을 보여 주는 것으로 보인다.

두 가지 다른 농지개혁의 비교

	남한	북한
소작제	철폐	철폐
농업노동자에 대한 농지분배	분배 않음	분배
소작인에 대한 농지분배	분배	분배
구래지주의 농지보유상한선	농가평균농지보유량 초과	농가평균보유량과 같음

사적 농업노동시장	존속	철폐
농업용 기계 및 연장 등의 분배	미분배	분배
비료 등 농업용 상품 조달 방식	사적 상업시장에서 조달	국가나 협동조합에서 조달
저수지, 산림 등 농업 하부구조의 사유화	사유화 존속	국유화 또는 사회화
분배농지의 저당 및 판매	농지대금 완납 시까지 금지	영구금지
지주에 대한 농민부채 면제조치	면제조치를 전혀 취하지 않음	전면면제조치
고리대금업 등 사적신용시장	존속	전면금지 후 공적신용기관으로 대치

제4장
법(法)으로 보는 농지

헌법상 영토·국토·농지, 그리고 탐욕

해방 후 지금까지 헌법이 규정한 농지

일본에 나라를 빼앗긴 후에는 인구의 4%였던 지주들이 우리 농업을 지배하고 있었다. 수리조합과 동양척식주식회사의 착취와 일제의 토지 수탈로 엄청난 양의 농지를 일본인과 일본의 작위를 받은 친일파들에게 빼앗겨 소작농 비율은 무려 65%에 달했다. 농민들의 식량수탈을 위하여 농지제도 따위는 없었고, 곡창지대의 쌀을 일본으로 운송하기 위한 1번 국도를 개설하고 목포항과 군산항을 여는 것만이 일본의 목적이었다.

이러한 상황에서 우리나라는 해방을 맞이했고 전쟁을 치렀다. 당시 이념 분쟁과 전쟁으로 국가는 제대로 된 정책을 펼칠 수 없었지만 이승만 정권에게는 두 가지 숙제가 있었다.

첫째, 어떻게 일제가 가지고 있던 귀속자산을 처리할 것인가? 둘째, 지주로부터 농민에게 땅을 돌려주는 농지개혁을 어떻게 수행할 것인가? 바로 이 두 가지가 해방을 맞은 1945년 이후 한국사회에 던져진 숙제였다고 할 수 있다.

어찌 되었든 1949년 6월 농지개혁법을 제정해 소작지 전부와

120

3정보가 넘는 자작농 소유지를 정부가 강제 매수하여 소작농과 영세농에게 3정보 한도 내에서 유상으로 분배했다. 이러한 농지 개혁은 1950년 5월에 어렵사리 실시하게 되었으나 그해 6월에 일어난 6.25 한국전쟁으로 인해 실행을 마무리하지 못한다.

전쟁으로 시행이 중단됐던 농지개혁 사업은 1961년의 '농지개혁사업 정리요강'에 의해 재개되고, 1964년에 종료된다. 그리고 이 한가운데를 관통하고 있는 정신이 '경자유전(耕者有田)의 원칙(原則)'이라고 할 수 있다.

1948년의 제헌헌법*은 다음과 같이 경자유전의 원칙을 규정하고 있다.

*제헌헌법 제86조 농지는 농민에게 분배하며 그 분배의 방법, 소유의 한도, 소유권의 내용과 한계는 법률로써 정한다.

이러한 제헌헌법의 경자유전 체계는 1962년의 제5차 개정헌법*에서는 조금 더 강화되어 다음과 같이 규정하고 있다.

*1962년 제5차 개정헌법 제113조 농지의 소작제도는 법률이 정하는 바에 의하여 금지된다.

이렇게 우리나라 헌법에 흐르는 경자유전 사상은 1987년 개정된 개정헌법*에서도 명문화(明文化) 되어 헌법 조문으로 포함된다.

*1987년 개정헌법 제121조 ①국가는 농지에 관하여 경자유전의 원칙이 달성

될 수 있도록 노력하여야 하며, 농지의 소작제도는 금지된다. ②농업생산성의 제고와 농지의 합리적 이용을 위하거나 불가피한 사정으로 발생하는 농지의 임대차와 위탁경영은 법률이 정하는 바에 의하여 인정된다.

헌법상으로 농지의 합리적 이용 등 부득이한 사유가 아닌 경우에는 경자유전의 원칙이 달성될 수 있도록 국가가 노력해야 한다는 것이 우리 사회의 기본 원칙이다.

그런데 우리나라 농업정책에서 경자유전의 원칙이 흔들리고 있는 것은 10여 년 전부터다. 농지법이 헌법의 '경자유전의 원칙'을 무시한 '비경자(非耕者)의 유전(有田), 즉 농사를 짓지 않는 사람도 농지를 소유할 수 있도록 한 것을 허용하고 있기 때문이다. 또 정부가 나서서 부동산투기를 조장하고 이를 통해 정치자금을 조성하기 위해 강남개발을 부추기면서 국민들의 땅에 대한 개념이 달라졌다.

그러면 이런 시기(1987년 헌법 개정, 농지법 제정 시기는 10년 가까운 시차가 있지만 그 무렵까지를 통틀어)가 있기까지 정부가 농지(農地) 또는 땅에 대해 어떤 조치를 취해온 과정이 있었는지 알아봐야만 한다.

정권이 조장한 부동산 투기

이승만 정부는 해방 후 제헌(制憲)과 함께 정부를 수립하고 대통령으로 취임했지만 2년도 채 안 돼 6.25 전쟁(戰爭)이 일어나고 전쟁이 끝난 후에도 전후 복구에 집중해야 하는 까닭에 개발계획이 구체적으로 수립된 것도 아니기 때문에 토지와 농지 등 땅과 관련된 별다른 이슈는 없었다.

또 4.19 이후 장면 정부에서도 1년이 조금 넘은 시점에 5.16 군사 쿠데타가 일어나 박정희 정부로 넘어갈 때까지 별다른 정책적 변화나 개발 이슈가 없었기 때문에 농지와 관련된 큰 변화가 없었다.

그런데 3공화국인 박정희 정부에서부터 변화가 일어난다. 박정희 정부는 3선 개헌마저 넘어선 유신헌법으로 개정해 종신 집권의 시도를 감행했다. 정당성이 부족한 쿠데타 정부였기에 학생운동과 민간운동에 대한 탄압을 극대화하고, 국민들을 우민화하는 정책을 펼쳤다.

종신 통치를 위한 정치자금이 필요했던 것인지 어떤지는 역사가들이 판단할 문제이지만, 정권 차원에서 강남개발을 시도했던 것은 잘 알려져 있다. 한강변 이촌동, 신반포를 시작으로 강남 고속버스터미널 인근부터 서초동에 이르는 광활한 지역에 대해 1977년경까지 지금은 제2도심이지만 땅값은 더 높은 제1도심 격인 강남 부촌을 건설했던 것이다. 역사가들은 평가는 나중에 이루어지겠지만, 당시 정부의 실세들은 부동산을 이용하여 엄청난 부(富)를 취득했던 것으로 알려지고 있다.

이런 개발과 더불어 중동지역의 해외 건설수출로 유입된 유휴자금까지 아파트를 비롯한 부동산시장으로 몰린다. 업자들의 부동산투기가 급증하게 된 것이다. 이렇게 부동산 투기가 급증하면서 1978년 박정희 정부에서 칼을 빼든 것이 8.8 대책이다.

그것은 '부동산 투기 억제 및 지가안정을 위한 종합대책'이다. 양도소득세를 30%에서 50%로 중과하는 등 투기 억제책을 시행한다. 자신들은 부동산으로 충분히 재미를 보았으니 일반인들의 투기 억제책을 펼친 것으로 볼 수 있다.

　노태우 정부에서도 사정은 마찬가지다. 노태우 정부는 정권 초기 군사작전 식으로 주택 200만호 건설을 발표하면서 분당, 일산, 평촌, 산본, 남양주 등 5개 지역의 아파트단지 건설을 추진했다. 일부 재벌 건설기업만을 대상으로 경기도내 엄청난 면적의 농지를 훼손해 아파트 단지를 건설하는 사업이었다.

　노태우 정부는 이와 반대되는 정책도 꺼낸다. 1989년 토지공개념의 확대를 발표했던 것이다. 이때 토지공개념을 기반으로 한 '택지소유 상한에 관한 법률', '개발이익 환수에 관한 법률', '토지 초과이득세법' 등 토지공개념 3법을 제정한다. 1990년에는 종합토지세를 과세(課稅)했다.

　일부에서는 경기도 일대에 대단위 아파트를 건설하면서도 다른 지역의 개발은 억제하는 정책을 펼치는 것이다. 정부가 개발계획을 발표하면 그에 상응하는 이권도 정부를 통해 나오게 되어 있다. 이런 개발계획은 건설 하청구조의 계열화를 통해 대기업-중소기업-영세기업-하청 노무업자 등으로 건설업이 대기업 중심으로 재편되는 결과를 초래하고 대기업 중심의 부동산 투기가 본격화되는 계기로 작용한다.

　노태우 대통령이 선출되기 이전에 6.29 선언이 있었고, 그 후 헌법이 새롭게 개정되면서 헌법 제121조에 '경자유전(耕者有田)의 원칙(原則)'이 구체적으로 들어오지만 노태우 정부는 주택 200만호를 짓겠다면서 분당, 일산, 평촌, 산본, 남양주 등 5개 지구 아파트단지를 조성하면서 국토종합계획에 따른 개발이 아니어서 어마어마한 농지전용이 이뤄진다.

박정희-전두환-노태우 정부를 통해 수도권을 중심으로 한 농지의 전용과 훼손은 극에 달하고 지대도 엄청나게 오른다. 시골에서 공장에 취업하기 위해 서울로 집중되던 인구의 흐름과 달리 수도권에서 농사를 짓던 농민들은 서울에서 서울 근교로, 다시 경기도로, 그리고 또 다른 농촌지역으로 이동하는 역(逆)이동 현상마저 발생하기에 이른다.

현행 헌법상의 농지

우리는 전범국도 아닌데 해방 후 강대국에 의해 독일처럼 국가가 반으로 나뉘어 한동안 소련과 미국의 통치를 받아야 했다. 우리 땅을 우리가 마음대로 하지 못하고 강대국들이 자기네 위성국을 만들려고 군정(軍政)을 펼치게 되었고, 우리나라는 6.25 한국전쟁까지 치르며 분단국가로 전락했다.

우리는 북한을 소련의 괴뢰국으로 표현했고 북한은 우리를 미국의 앞잡이 반동국가로 지칭했다. 그런 가운데 남북은 각기 다른 법체계에서 땅을 규정하며 살아가고 있다. 외세에 의해 우리가 스스로 단일국가로 통일하는 길이 막혀버린 것이다.

그러면 군사독재를 종식시키면서 개정된 1987년의 우리 헌법은 우리의 땅을 어떻게 규정하고 있을까?

대한민국 헌법 제3조에는 "대한민국의 영토는 한반도와 그 부속도서로 한다."고 규정되어 있다. 이 규정은 북한을 포함한 '통일한국의 영토'를 우리 영토로 규정한 것으로 보인다.

그리고 헌법 제120조 2항에는 "국토와 자원은 국가의 보호를 받으며, 국가는 그 균형 있는 개발과 이용을 위하여 필요한 계획을 수립한다."고 규정함으로써 국토와 자원을 보호하고 계획적으로 이용할 것을 권장하고 있다.

그러나 농지와 관련된 법안에 있어서는 상징적 규정이 아니라 구체적 소유의 방식을 규정하고 있다. 헌법 제121조*에 따르면 1항에서 경자유전(耕者有田)의 원칙을 제시함으로써 농지만큼은 농민이 소유하도록 규정하고 있다.

*헌법 제121조 ①국가는 농지에 관하여 경자유전의 원칙이 달성될 수 있도록 노력하여야 하며, 농지의 소작제도는 금지된다. ②농업 생산성의 제고와 농지의 합리적인 이용을 위하거나 불가피한 사정으로 발생하는 농지의 임대차와 위탁경영은 법률이 정하는 바에 의하여 인정된다.

이런 경자유전의 원칙 표명은 조선시대를 거쳐 일제 침탈 시기를 겪었던 지주제와 너무나 농민들을 괴롭혔던 소작료의 폐해를 알기에 봉건사회에서 민주사회로 변신을 꾀해야 하는 입장에서 농지만큼은 생산자가 소유함으로써 식량의 안정적 생산을 도모해야 할 필요성이 제기됐기 때문이다.

더구나 북한이 먼저 벌인 무상몰수-무상분배의 토지개혁이 북한 민중의 지지를 받은 만큼 우리도 그 정도는 아니더라도 유상몰수-유상분배로 농지를 재배분하는 것을 넘어서서 농민이 아닌 자가 농지를 소유할 수 없도록 함으로써 소작료의 폐해를 막아보고자 하는 취지가 있었던 것이다. 이와 함께 소작제도를 헌법에서 금지함으로써 이를 더욱 확고히 했다. 그 대신 농업 생산성과 농지 이용도를 높이기 위해 임대차와 위탁경영을 일부 풀어놓았다.

이에 더해서 국가는 국토의 효율적이고 균형 있는 이용·개발과 보전을 위해 법률로 이에 필요한 제한과 의무를 규정하고 있다. 그 내용이 헌법 제122조*의 규정인데, 그 내용은 '국토의 이용 및 계획에 관한 법률'에 담고 있다.

*헌법 제122조 국가는 국민 모두의 생산 및 생활의 기반이 되는 국토의 효율적이고 균형 있는 이용·개발과 보전을 위하여 법률이 정하는 바에 의하여 그에 관한 필요한 제한과 의무를 과할 수 있다.

뿐만 아니라 헌법에는 농지의 소유에 관한 문제만이 아니라 식량의 확보와 안정적 공급을 위해 농어민을 보호하고 육성해야 한다는 것을 의무화했다. 또 이에 필요한 계획을 수립하면서 국토 일부만의 육성이 아닌 균형적인 발전을 도모할 의무까지 부과했다.

*제123조 ①국가는 농업 및 어업을 보호·육성하기 위하여 농·어촌종합개발과 그 지원 등 필요한 계획을 수립·시행하여야 한다. ②국가는 지역 간의 균형 있는 발전을 위하여 지역경제를 육성할 의무를 진다. ③국가는 중소기업을 보호·육성하여야 한다. ④국가는 농수산물의 수급균형과 유통구조의 개선에 노력하여 가격안정을 도모함으로써 농·어민의 이익을 보호한다. ⑤국가는 농·어민과 중소기업의 자조조직을 육성하여야 하며, 그 자율적 활동과 발전을 보장한다.

아울러 헌법에는 소비자에게 안정적으로 공급하기 위해 유통구조의 개선을 지속적으로 추진할 것을 요구하고 있으며, 식량을 생산하는 농어민의 공직자적 성격을 규정해 이를 위한 자조조직의 육성으로 생활의 안정을 도모하는 것을 헌법이 지원하도록 하고 있다. 이 헌법은 1987년 전면 개정되지만 해방 후 첫 농림부의 수장인 조봉암 장관이 농지개혁을 위해 제정한 농지개혁법의 취지와 방향을 그대로 담고 있다는 것이 헌법학자들의 이야기다.

법으로 농지의 개발을 유인한 정권, 그리고 농지 불법구입

개정된 헌법으로 당선된 노태우 정부를 거쳐 김영삼 정부에 들어서서 농지법이 제정된다. 이때는 노태우 정부가 발표한 200만 호 개발이 완성되는 과정에 있었다. 그래서 정권 후기에는 아파트 개발이 끝나 건설경기가 죽으면서 대형 유명 건설업체가 부도와 도산을 거듭하면서 건설업 구조조정의 시기가 오게 된다. 이러면서 농지법이 제정됐는데 법제정 이전 소유한 비(非)농민의 농지 소유를 부칙에서 인정해줌으로써 헌법을 위반한 비(非)농민 소유 농지를 그대로 유지하게 된다.

그렇지만 농지법 제정 이후 지금까지 농지를 소유하는 것은 농민이거나 농지법상의 조건을 갖춰야만 소유가 가능해졌다. 그러다가 IMF가 오고, 이를 김대중 정부가 이어받는다. IMF 졸업만이 지상과제였던 당시에는 국가재정을 마음대로 할 수 없는 여건이어서 별다른 변화는 없었으나 부동산 관련 정책에 있어서는 부동산시장이 침체로 이어져 경기부양을 위해 토지 공개념 제도의 완화, 아파트 분양가 전면 자율화로 집값 상승의 요인이 됐다.

노무현 정부는 국토의 균형 개발을 목적으로 강남 위주로 수도권의 부동산가격이 상승하는 것을 억제시키기 위한 부동산 안정 정책이 주를 이루고 있다.

그러나 이명박 정부에 들어서는 상황이 많이 달라진다. 건설업체 CEO 출신답게 개발을 중시하는 정책을 펼친다. 이 내용은 대부분 정부가 개발계획을 발표하기보다 법의 개정을 통해 개발을 손쉽게 해주는 것이 핵심이다.

특히 농지법과 산지법의 개정은 후일 엄청난 농지와 산지의 훼손으로 이어진다.

이명박 정부는 우선 비(非)농민도 농지를 소유할 수 있는 조항을 만들었다. 이전에는 농지를 소유하면서도 영농을 하지 않으면 매년 중과세가 부과되고 그래도 계속 방치할 때는 농지를 강제로 처분할 수 있었다. 물론 원칙적인 측면에서 사라진 것은 아니지만 비(非)농민이 법적 한계를 교묘히 피한다면 농지를 소유할 수 있도록 농지법을 개정한 것이다.

2008년 우리나라는 쌀 직접지불금 부당수령 때문에 나라 전체가 시끄러웠던 적이 있다. 규모가 워낙 커서 공무원이나 직장인 중에도 엄청나게 많은 사람이 여기에 연루되어 정부가 어떻게 이를 처리해야 할지 고민거리였다. 일반인까지 연루되었으니 얼마나 많은 사람들이 농지를 불법으로 구입했는지, 또 농민에게 가야 할 직불금을 불법 수령했는지 알려졌다.

이런 현상은 투기꾼에 의한 탐욕의 결과이며, 이런 투기 열풍이 공무원, 직장인 등 안정된 직장을 갖고 있는 고소득의 기득권층에게까지 널리 퍼져 있다는 이야기다.

농민의 이야기와 당시 언론의 보도를 살펴보면 이들은 쌀 직불금만이 아니라 경영이양 직불금, 친환경농업 직불금 등 각종 직불금과 농어촌영유아 지원금은 물론, 농어민연금 보험료와 농어민건강보험료에 이르기까지 각종 농어민지원대상금에도 손을 펼친 것으로 나타난 바 있다.

이것은 바로 농지가 투기의 대상이었기 때문에 양도소득세를 면제받거나 농업인이라는 것을 입증하기 위해서라도 이를 받아갔다는 것이다. 그러나 여기까지 이르게 된 데는 정부의 농지법 완화가 한 몫을 했다고 볼 수 있다.

농지법이 경자유전의 원칙에 따라 제정됐더라도 개발계획을 손쉽게 추진하려고 하거나 또는 산업자본의 요구에 따라 이루어진, 수차례에 걸친 규제 완화로 농지법을 누더기로 만들었기 때문이다. 농림부(당시 부처이름)장관만이 가지고 있던 농지전용 허가 권한이 조금씩 지방자치단체로 이양됐고, 농업인 아니면 소유할 수 없었던 농지도 주말농장 형이면 소유할 수 있게 되는 등 조금씩 농지법이 완화됐다.

이런 추세와 더불어 최근 10여 년 간에는 각종 새로운 제도로 농지가 훼손됐다. 지역특구라는 제도는 지역에 따라 지방자치단체장이 융통성을 갖고 농지를 전용할 수 있는 핑계가 됐으며, 이명박 정부에 들어서서는 대체농지 조성제도를 없애는 것은 물론, 농민소유로 투자하는 골프장 용지에 농지전용 부담금을 면제하고, 국토해양부까지 농지를 토지은행에 포함시키려 하는 극단의 지경까지 갔었다.

불가피한 개발을 위해 농지전용을 할 수밖에 없는 상황이라면 농지법이 아니라도 국민들은 인정한다. 또 농지를 없앴으면 식량 안보를 위해 대체농지를 조성하는 비용을 부담하는 등 이에 상응하는 부담을 져야 한다. 그러므로 무리하게 완화된 조항을 강화하고, 투기를 막는 것만이 농지법 제정의 목적을 달성하는 길이다.

농지란 무엇이고, 누가 살 수 있나?

농지란 전(田), 답(畓), 과수원 등 지목을 불문하고 실제 농작물의 경작지 또는 다년생 식물 재배지로 이용이 되는 토지로서 토지대장 지목에 따르지 않고 토지현상에 따라 농지로 구분이 된다. 지목이 전, 답, 과수원인 농지와 잔디, 묘목 등 다년생 식물재배지, 농지의 이용에 필요한 수로, 배수지, 제방 등 모두 농지로 보면 된다. 축사나 비닐하우스는 물론 가축이나 농작물과 다년생 식물을 재배하는 데 필요한 거의 모든 시설이 농지에 포함된다.

농지는 경자유전의 원칙과 법에 따라 농지취득 자격이 제한된다. 다만, 초지법(草地法)에 의해 조성된 초지와 지목이 전, 답, 과수원이 아니면서 농작물이나 다년생 식물 재배지로 계속 이용되는 기간이 3년 미만인 토지, 지목이 임야(林野)이면서 형질변경 없이 다년생 식물에 이용되는 토지는 산지에 속해 대상에서 제외된다.

농지는 사고 싶다고 살 수 있는 토지는 아니다. 농지(農地)를 이용해 농업경영을 하거나 할 예정인 사람만 소유할 수가 있다. 농지는 농업의 생산성을 높이고 투기의 대상이 되어서는 안 된다는 법령에 의해서 농업취득자격증명을 발급받은 사람에게만 소유의 제한이 없이 농지를 소유할 수가 있다.

농지법에 따르면 농지취득자격증명 발급 대상자는 농업인 또는 농업법인이다. 농지법상 농지취득이 가능한 농업인은 △1,000㎡ 이상의 농지에서 농작물 또는 다년생 식물을 재배하거나 1년 중 90일 이상 농업에 종사하는 자 △농지에 330㎡ 이상의 고정식

온실, 비닐하우스, 버섯 재배실 등 농업재배에 필요한 시설을 설치하여 농작물 또는 다년생 식물을 재배하는 자 △대(大)가축 2두, 중(中)가축 10두, 소(小)가축 100두, 가금 1천 수 또는 꿀벌 10군 이상을 사육하거나 1년 중 120일을 축산업에 종사하는 자 △농업경영을 통해 농작물의 연간 판매액이 120만 원 이상인 자 등을 말한다.

농지를 이용해 농업경영을 할 예정인 사람도 농지를 소유할 수 있는데 농지를 구입하려면 농지취득자격증명을 받아야 한다. 이는 농지의 소재지 시, 구, 읍, 면의 장(長)에게 발급받아야 하는데 이때 필요한 서류는 농지자격증명 신청서와 구입할 농지의 농업경영 계획서, 취득원인 입증서류, 주민등록등본 등을 소정의 수수료와 함께 제출해야 한다.

농지 소유의 예외조건

그런데 농업을 경영하지 않아도 농지를 소유할 수 있는 예외조항이 있다.

1. 상속에 의한 농지 취득 10,000㎡(약 3,002평)까지 소유
2. 8년 이상 농업경영을 하고 이농(離農) 당시 소유농지 중 10,000㎡까지 소유 가능
3. 주말 체험농장을 위한 농지 취득은 1,000㎡(약 302평)까지 소유 가능
4. 2항과 3항에 의해 농지를 10,000㎡까지 취득 후 초과된 농지에 대해서는 농어촌공사에 위탁하여 임대차나 사용대차를

하면 초과된 농지도 소유 가능

5. 국가나 지방자치단체의 소유

6. 학교나 공공단체 소유

7. 담보농지 소유

8. 농지전용허가를 받거나 농지전용신고를 한자의 소유

9. 농지전용협의를 마친 농지를 소유

10. 수용농지취득

11. 매립농지취득

12. 평균 경사율이 15% 이상인 농지

그러나 소유자격이 없는 농지를 소유한 경우나 농지 소유 상한 위반, 농지를 이용하지 않는 경우 농지를 처분해야 하고 처분명령을 이행하지 않으면 강제 이행금까지 부과된다.

부자와 대기업들의 농지에 대한 탐욕

현대사회에 와서는 농산물의 경제적 가치가 많이 떨어졌지만 농지는 국민에게 식량을 공급하고 국토발전의 기반이 되는 한정적인 자원이기 때문에 개인의 재산이지만 권리를 함부로 사용할 수 없도록 제한과 의무가 따르는 것이다. 이에 따라 헌법과 농지법에서는 경자유전의 원칙에 따라 농업 생산자만이 농지를 소유하도록 하는 것이다.

그렇지만 자본의 탐욕(貪慾)은 아무리 농지를 '경자유전(耕者有田)의 원칙'에 따라 소유하도록 헌법과 농지법에 규정하고 있어도 그 법망을 피하면서 농지를 소유해 부동산 투기를 노리는 계층이 많다.

농업을 경영하지 않아도 소유할 수 있는 예외조항이 있다는 점을 악용해 농업과 아무런 관계가 없는데도 버젓이 농지를 소유하고 있는 부재지주(不在地主)들이 많다. 몇몇 정권에서 농지 규제를 대폭 완화해 비(非)농민도 농지를 소유할 수 있는 길이 대폭 열렸다. 예외규정을 대폭 손질하기만 해도 농지 훼손을 막는 길이 열릴 것으로 생각된다.

그 내용을 살펴보면 선대의 농지를 상속받거나 담보농지를 빚대신 소유권을 넘겨받은 경우, 자연재해 등으로 불가피하게 탈농(脫農)했으나 농지를 처분하지 못한 경우 등 불가피하게 비(非)농민이어도 농지를 소유하는 경우가 발생한다. 이 경우도 농지를 마음대로 팔거나 다른 용도로 사용할 수 없도록 법으로 규정되어 있어 농지의 훼손은 막을 수 있다.

그러나 이들은 경작자(耕作者)가 아니다. 그래서 농지를 소유할 수 있는 한도 기간이 설정돼야 한다. 농지는 누구든 호시탐탐 지가(地價) 상승을 노리고 농지전용을 시도하기 때문이다. 한 번 훼손된 농지는 복원하기가 매우 어렵다.

주말 체험농장을 위해 1,000㎡까지 농지 취득을 가능하게 한 것은 농지의 훼손을 조장하는 규정이다. 당장 폐지해야 한다. 또 국가나 지방자치단체, 학교와 공공단체 등은 불가피하게 농지를 소유할 경우가 있다.

하지만 공공단체의 경우에는 사적 목적으로 활용하는 것을 방지할 수 있도록 농지법상 이용 규제가 반드시 있어야 한다.

또 지역특구를 통해 지역 특색에 맞게 농지전용을 실시할 수 있도록 규제를 푼 것은 재검토하여 농지전용을 할 수 없도록 해야한다. 또 2016년 초반에는 국회가 일자리를 창출하고 지역경제발전에 활력을 불어넣는다는 명분으로 규제프리존특별법(안)을 발의해 2018년 3당이 합의한 바 있으나 참여연대 등 시민사회의 반발로 아직 처리되지 못하고 있다.

이 법안 또한 지역 내 산업을 위해 무소불위의 권한을 담고 있어서 이 법안이 통과되면 규제완화의 가장 큰 대상인 농지 규제의 기본 틀이 무너질 우려까지 제기된다. 이런 조치들이 모두 경제활성화라는 명분으로 자본가나 대기업의 로비에 의해 농지 규제를 풀기 위한 선제적(先制的) 작업으로 판단된다.

한국에서 땅의 개발은 개발이 불가능한 산지와 규제가 심한 농업용지를 빼면 웬만한 토지는 땅값이 너무 올라 부동산 투기의 대상이 되기 어렵다. 그래서 부동산 투기에 익숙한 기업들은 아직도 농지의 투기에 관심이 많다.

산업의 기술력이나 아이디어 상품, ICT 등을 활용한 첨단제품, 신에너지 등 시장의 개발을 통한 산업의 융성은 전혀 고려하지 않고 규제완화를 핑계로 호시탐탐 농지(農地)를 노리고 있는 것이다.

농촌지역 농지 소유자 조사가 절실하다는 이야기가 나온다. 지역에 없는 사람이 논 농업 고정 직접지불금(직불금)은 물론, 변동직불금, 경영이양 직불금 등 다양한 직불금까지 받아간다. 아무리 깡촌이라도 부재지주들의 땅 소유 문제는 심각하다. 더욱이 기업들이 소유한 토지는 어마어마하다.

몇 년 전 경기도 화옹 지구에 유리온실 생산업에 진출하겠다고 시도했던 동부한농그룹의 ㈜팜한농(지금은 LG그룹 인수)이나 새

만금단지에 스마트팜 생산업에 진출하려는 LG CNC 등 대기업들은 말로는 농업생산이지만 그 뒤의 배경은 이를 통한 농지의 확보에 눈독을 들이고 있을 가능성이 높다.

이런 추정은 과거 농지를 통해 엄청난 시세 차익을 본 재벌의 사례를 보면 알 수 있다. 삼성이 중앙개발을 통해 용인자연농원을 조성하고, 일부 고소득 작물과 양돈업에 진출한 바 있으나 결국 나중에는 삼성그룹의 개인 묘역, 미술관, 이건희 가(家)의 시설물로 채워진 것은 물론, 용인자연농원도 에버랜드공원으로 엄청난 부가가치를 올렸고, 현재도 그 가치는 더욱 오르고 있다.

2019년 중반 경기도 용인시 원삼면 일대에 SK하이닉스라는 회사가 입주한다는 발표가 있자 용인시민들은 이를 매우 환영했다. 그러나 이 일대는 이건희 회장의 지시로 수년 전 삼성그룹 차원에서 대단위 땅 구입이 완료돼 삼성이 가장 큰 혜택을 봤다는 지역민들의 이야기가 있다.

서산 간척지를 개발한 현대그룹도 당초에는 간척지를 농지로 활용할 계획서를 제출했으나 나중에는 대부분의 농지를 외부에 팔고, 한우개량사업소 인근의 부지는 엄청난 땅값 상승으로 흔들리지 않는 현대가 되는 데 기초가 됐다고 한다.

동아건설도 김포 매립지를 농지로 활용한다며 1970년대 후반 이후 간척지를 개발했지만 결국 땅을 모두 외부에 팔아 정부는 동아건설의 시세 차익을 돕는 역할을 한 셈이 됐다.

그러면서 그 어마어마한 땅들이 모두 개발돼 지금은 농지로 되돌릴 수 없는 상황이 되고 말았다. 현재 남아 있는 농업진흥지역이 1,650,000㎡인데 쌀 자급을 위한 절대 필요면적은 1,700,000

㎡에 달해 지금도 식량자급을 위해 부족한 상황이다. 당장이라도 쌀 수입이 중단되면 쌀 자급은 무너진다. 식량을 지키는 소중한 농지는 계란을 낳는 닭과 같다. 오늘 하루 배부르겠다고 닭을 잡아먹고 나면 다음에는 어떻게 할 것인가?

농지를 맘대로 주물럭거리게 만든 MB정부

이명박 대통령은 2008년 한국토지공사가 2009년 7월에 설치한 토지은행에 농지 매입을 허용하도록 했다. 이를 통해 농업진흥지역 해제도 보다 쉬워졌다. 이는 당시 대통령직속 국가경쟁력강화위원회(국경위)에서 대통령이 참석한 가운데 열린 '국가 경쟁력 강화를 위한 국토 이용 효율화 방안' 발표를 통해 반영한 내용이다.

국경위는 이를 위해 '절대농지', '절대산지'로 묶여 있는 땅 가운데 농업과 임업 등 생산이나 자연보존 차원에서 가치가 떨어지는 경우 과감히 다른 용도로의 전환이나 거래를 허용하겠다고 했다. 그러나 이는 헌법상 경자유전의 원칙에 대한 훼손인 동시에 적정 농지면적 축소, 난개발, 환경파괴 등의 문제가 우려됨에도 밀어붙였던 것이다.*

*당시 농림수산식품부의 농지과에 농지 완화를 위한 청와대 지시와 압력이 많이 들어온 것으로 알려졌으나 똑똑한 한 사무관의 소신으로 상부가 요구한 농지 완화는 경자유전의 원칙을 위반한 위헌이라는 것을 부각해 농업진흥지역은 물론, 그 외 영역의 농지 완화도 막아낸 것으로 전해진다. 그래서 당시 농지보다 산지가 더 많이 완화되는 기현상이 빚어졌다고 한다.

더구나 이는 사회적인 쟁점이 된 직불금 부당수령과 같이 농지법의 완화로 농민이 아닌 사람도 적은 면적의 농지를 살 수 있도록 규제를 풀었으나 실질적으로는 투기자들의 엄청난 농지 소유로 귀결되듯이 환경은 고려하지 않은 채 절대농지·절대산지의 엄청난 개발과 투기로 이어져 난개발로 이어진 사례를 많이 본다.

뿐만 아니라 이명박 대통령은 농업진흥지역(農業振興地域)의 해제도 확대했다. 진흥지역 내의 수질오염 등을 우려해 묶어둔 '보호구역' 땅 12만ha 가운데 오염 가능성이 낮은 지역 6만 5,000ha가 있다는 명분으로 현지조사도 없이 풀어줬다.

또 경사율 15%를 넘는 '한계농지'의 경우 소유 및 거래제한을 완전히 없애고, 농업 이외의 다른 용도로 사용할 때도 신고만 거치도록 바꿔버렸다.

당시 '보전산지'의 일부도 개발이 쉬운 '준(準)보전산지'로 전환하는 등 토목업자들의 입장에서 개발하기가 쉽지 않은 문제를 무분별하게 푼 조치로 볼 수 있다. 이를 통해 농지와 산지를 포함해 어디든지 건설 산업 불황을 해소하기 위해 개발할 수 있도록 농지법과 산지법의 빗장을 모두 열어주었던 것이다. 당시에는 국제적인 곡물 파동의 시기였음에도 부동산경기를 살린다는 이유로 무리하게 농지 규제를 완화함으로써 있는 자와 기업의 땅 투기를 조장했던 것이다.

투 트랙으로 농지규제를 완화한 박근혜 정부

박근혜 정부는 투 트랙으로 농지규제를 완화했다.

하나는 10만 ha라는 농업진흥지역 해제 목표를 설정하고 무리하게 농업진흥지역을 푼 것과 지방자치단체의 도시계획조례를

138

개정(改定)하도록 함으로써 건설업자와 기업의 개발수요를 핑계로 농지 완화를 추진했다.

2015년 11월 박근혜 대통령이 주재하는 경제장관회의에서 최경환 당시 기획재정부 장관 겸 경제부총리는 농업진흥지역 해제 계획을 발표했다. 이때 내용에는 농업진흥지역이지만 도로건설이나 도시계획으로 인한 자투리땅 10만 ha를 전국적으로 조사해 비(非)진흥지역으로 해제하겠다는 발표였다. 그러나 10만 ha는 조사를 통해 나온 것이 아니라 10만 ha에 맞춰 해제 면적을 꿰맞춘 결과를 초래함으로써 무리한 해제(解除)*가 됐다.

*경상남도 김해시 봉하 마을 친환경농업단지의 농지에 대한 농업진흥지역 해제가 그 사례다. 김해시 봉하 마을은 고(故) 노무현 대통령이 퇴임하고 고향으로 내려가서 공을 들여 조성한 친환경농업단지다. 이곳은 친환경 쌀로도 유명하고 각종 가공식품을 생산해서 농민의 부가가치를 올리는 경쟁력 있는 지역임에도 농림축산식품부가 한국농어촌공사 김해지사를 통해 현지조사를 의뢰했지만 10만 ha의 농업진흥지역 해제 실적을 채우기 위해 무리하게 포함된 것으로 알려졌다. 더구나 부재지주와 땅 소유자들의 땅값 상승을 기대한 요구도 반영한 것이어서 농업진흥지역 해제와 반대를 둘러싼 지역 내 갈등도 빚어졌다.

10만 ha를 목표로 삼은 농업진흥지역의 해제였기에 지방자치단체에 해제 면적을 할당하는 방식으로 추진됨으로써 자투리땅이 아니라 경지정리가 잘 된 농지까지 포함된 사례도 많다.

그 중 지역의 반발을 받은 대표적 사례가 노무현 대통령이 퇴임한 후 귀촌하면서 조성한 봉하 마을 친환경농업단지다. 결국 8만 5,000ha의 농업진흥지역이 해제됐으나 당초 목표 10만 ha에는 달하지 못했다.

그 후에도 농림축산식품부는 농민단체의 반대 여론에도 불구하고 당초 목표보다 미치지 못한다며 2016년 내에 1만 5,000ha 를 추가로 해제할 것이라고 하며 고삐를 늦추지 않았다. 또 박근 혜 정부는 2015년 초 국회를 통한 '국토의 계획 및 이행에 관한 법률(이하 국토법)'* 개정이 아니라 법 규정과 상반되게 임기 동안 한시적으로 규제를 푸는 방식으로 국토법 시행령을 개정했다. 그리고 정부는 지방자치단체에 후속적으로 도시계획조례를 개정하도록 하라는 지침을 내려 보냈다.

*국토법은 국토의 이용·개발과 보존을 위한 계획 수립 및 집행 등에 관해 필요한 사항을 정함으로써 공공복리 증진, 국민의 삶의 질 향상 등을 목적으로 한 법률로서 2002년 '국토건설종합계획법', '국토이용관리법', '도시계획법' 등을 통합해 제정한 것이다.

그 내용에는 주민동의서도 없이 개발이 가능하도록 하는 등 용인시를 비롯한 여러 지방자치단체들이 도시계획조례를 개정해 토건족(土建族)과 땅 소유자들의 입맛에 맞게 땅값 상승을 부추기는 일이 발생했다. 이때 농지법상 농업 관련 시설의 신축 시 규모를 확대하도록 개정한 지방자치단체가 줄을 이었다.

생산녹지 지역에서의 건폐율 완화, 농지법에 따라 허용되는 건축물의 건폐율 완화, 기존 건축물에 대한 특례조항 신설, 공동주택 건축에서의 도로 폭 완화 등의 내용을 담고 있으나 건폐율 완화의 경우 국토법 77조에 규정한 '용도지역의 건폐율'을 2017년까지 자기 임기 동안 한시적으로 허용하도록 하면서 법을 피해가도록 위법적 조례를 도입하기도 했다.

이렇듯이 농지는 참으로 지키기가 어렵다. 한 번 풀면 농지로 돌아오지 못한다는 점을 알아야 한다. 가진 자는 투기로 이익을 보지만 농지의 사회적 기능을 유지·보전하지 못하면 미래 세대의 자원을 우리 세대가 망가뜨린다는 생각을 해야 한다. 더구나 그 미래 세대의 자원이 바로 식량 안보요, 미래의 농촌 환경이다.

법으로 보는 땅

국토이용관리법과 도시계획법

국토를 효율적으로 이용하기 위한 최초의 법은 국토이용관리법으로 1973년 12월 30일 제정됐다. 그 이전까지 도시계획법으로 국토를 이용하는 법만 존재했다. 그런데 이 도시계획법마저도 1934년 근대적 의미의 도시계획을 위해 일제에 의해 만들어지고 도입된 '조선시가지계획령'을 원용해 1962년에 제정되었던 것이다.

국토이용관리법은 '국토건설종합계획'의 효율적인 추진과 국토이용 질서를 확립하기 위해 토지이용계획의 입안 및 결정과 토지거래의 규제 및 토지이용의 조정 등에 필요한 사항을 정하기 위한 목적의 법률 제2408호로 제정된 것이다.

이 법은 1972년 12월 30일 제정된 이래 30차에 걸친 개정이 있었다. 국토이용계획은 국토의 종합적인 이용·관리에 관한 견지에서 토지를 그 기능과 적성에 따라 가장 적합하게 이용, 관리하기 위한 계획을 말하는데, 전 국토를 그 특성에 따라 용도지역·지구로 지정하고 여러 가지 행위 규제를 하고 있다.

당시에는 도시지역-준(準)도시지역-농림지역-준(準)농림지역-자연환경보전지역 등으로 구분해 그 특성에 따라 공업단지로 개발을 하든지, 절대농지로 보전하든지, 자연녹지(그린벨트)로 보호하든지 개발을 결정하도록 했다.

도시지역은 도시계획법상의 도시계획에 의해 당해 지역의 건설·정비·개량 등을 시행했거나 시행할 지역과 주택개발 예정지구 국가산업단지·지방산업단지 전원개발 사업구역 및 예정구역으로 지정, 개발했거나 개발할 지역을 말한다.

준도시지역은 도시지역에 준하여 토지의 이용과 개발이 필요한 주민의 집단적 생활근거지, 국민여가선용과 관광휴양을 위한 체육 및 관공휴양시설용지·농공단지, 집단요지 및 기타 각종 시설용지 등으로 이용되고 있거나 이용될 지역을 규정한 것이다.

농림지역은 농림 진흥지역 및 보전임지 등으로서 농림업의 진흥과 산림의 보전을 위한 지역이고, 준(準)농림지역은 농업진흥지역 외의 지역의 농지 및 준(準)보전임지 등으로서 농림업의 진흥과 산림보전을 위해 이용하되, 개발용도로도 이용할 수 있도록 개발여지를 둔 지역을 규정한 반면, 자연환경보전지역은 그린벨트라 불리는 곳으로 자연경관·수자원·해안·생태계 및 문화재의 보전과 수산자원의 보호·육성을 위해 필요한 지역 등으로 세분하여 지정하고 있다.

이 법은 1982년 12월 31일 전면 개정된 바 있다. 그 후 2002년 1월 26일 법률 제6627호로 29차례의 일부 개정이 됐다. 전문 6장 35조와 부칙으로 구성됐으며, 시행령과 시행규칙이 있다. 그러나 이 법은 2004년 2월 4일 폐지되고 도시계획법과 국토이용관리법이 합쳐져서 '국토의 계획 및 이용에 관한 법률'이 제정된다.

국토이용관리법은 1999년 2월 8일 토지거래신고제 및 유휴지 제도를 폐지하는 등 토지거래와 관련된 규제를 완화하고, 토지거래허가제 운영과정에서 나타난 일부 미비점을 개선·보완하기 위해 개정됐는데, 주요 골자는 토지거래허가제 운영에 지방자치단체의 참여 기회를 확대한 것과 토지거래 허가기준을 명확히 해 토지거래가 투기를 합리화하는 계기가 됐다는 비판이 있는 반면, 투기거래 허가제도의 투명성을 높였다는 긍정 평가도 있다. 아울러 토지거래신고제도 및 유휴지제도를 폐지했다.

1994년에 도입된 준(準)농림지역 제도는 부족한 주택-공장용지 확대에 기여했으나 계획성의 부족으로 난개발(亂開發)을 초래했으며, 우리나라의 경우 선진국에 비해 도시적 용지가 부족하므로 개발수요를 충족시키면서 난개발을 해소하는 '선(先) 계획-후(後) 개발' 체계를 구축할 필요성이 제기됐다.

준농림지역 등 1990년대부터 완화된 토지이용규제는 200만호 주택건설 등에 필요한 토지공급에 상당히 기여했으나 난개발 등 부작용을 초래했다.

도시적 용지가 선진국에 비해 크게 부족한 실정으로 난개발을 방지하면서 지속적인 국토개발도 필요해 국토이용관리법이 새롭게 개방돼야 한다는 의견이 개발자들에 의해 제기된다.

5.3%에 불과한 도시적 용지 비율이 제5차 국토종합계획이 수립되는 2020년이 되면 9.1%로 늘어날 것으로 분석했고, 선진국의 도시적 용지비율은 당시 일본이 7%, 영국이 13%인 것을 감안하면 그 열악함으로 비교된다는 것이다.

제4차 국토종합계획에서 제시하는 '선(先) 계획-후(後) 개발'

체계를 확립하기 위해 '난개발 방지 종합대책'(2000.5.30)을 발표해 우선 난개발의 주요 원인인 준농림지역의 관리를 강화하고, 도시지역의 과도한 고밀도 개발을 억제해야 한다는 것이다.

결국 국토이용관리법과 도시계획법을 통합해 '국토의 계획 및 이용에 관한 법률'을 제정해 국토이용 체계를 일원화하게 된다.

국토의 계획 및 이용에 관한 법률

땅을 어떻게 쓸 것인지 계획하고 용도를 정해 개발하는 모든 내용이 담긴 법이 '국토의 계획 및 이용에 관한 법률(이하 국토법)'이다. 요약하자면 국토의 이용·개발과 보전을 위한 계획의 수립 및 집행 등에 필요한 사항을 정해 공공복리를 증진시키고 국민의 삶의 질을 향상시키는 것을 목적으로 제정된 법이다

농지법은 하위법이기 때문에 '국토법'에서 농지를 개발하기 쉽도록 하면 농지의 전용은 매우 쉬워진다. 도시계획법과 합쳐지기 전 국토이용관리법 시절 땅의 용도는 도시지역-준(準)도시지역-농림지역-준(準)농림지역-자연환경보전지역 등으로 구분되어 있었지만 도시계획법과 통합되면서 용도별 토지의 구분은 준(準)도시지역과 준(準)농림지역이 하나로 합쳐져 관리지역으로 되면서 용도별 구분은 도시지역-관리지역-농림지역-자연환경보전지역 등의 구분으로 바뀌었다. 준(準)농림지역이 없어진 만큼 농지의 전용은 더욱 심화된 것이다.

'국토법'은 제1장 총칙, 제2장 광역도시계획, 제3장 도시기본계획, 제4장 도시관리계획, 제5장 개발행위의 허가 등, 제6장 용

도지역·용도지구 및 용도구역에서의 행위 제한, 제7장 도시계획
시설사업의 시행, 제8장 비용, 제9장 도시계획위원회, 제10장 토
지거래의 허가 등, 제11장 보칙, 제12장 벌칙 등 전문 144조와 부
칙으로 이뤄져 있다.

국토법 제3조에 보면 국토 이용 및 관리의 기본원칙을 제시하
고 있다. 국토는 자연환경의 보전과 자원의 효율적 활용을 통하여
환경적으로 건전하고 지속가능한 발전을 이루기 위하여 다음 각
호의 목적을 이룰 수 있도록 이용되고 관리되어야 한다고 규정하
고 다음 8개항을 두고 있다.

1. 국민생활과 경제활동에 필요한 토지 및 각종 시설물의 효율
   적 이용과 원활한 공급
2. 자연환경 및 경관의 보전과 훼손된 자연환경 및 경관의 개선
   및 복원
3. 교통·수자원·에너지 등 국민생활에 필요한 각종 기초 서비스
   제공
4. 주거 등 생활환경 개선을 통한 국민의 삶의 질 향상
5. 지역의 정체성과 문화유산의 보전
6. 지역 간 협력 및 균형발전을 통한 공동번영의 추구
7. 지역경제의 발전과 지역 및 지역 내 적절한 기능 배분을 통
   한 사회적 비용의 최소화
8. 기후변화에 대한 대응 및 풍수해 저감을 통한 국민의 생명과
   재산의 보호

이와 같은 규정에서 법을 활용하는 개발자들은 이용에 관한 규정에 집중해 해석을 요구하고 이를 통해 개발을 확대해 간다.

국토법 제4조에서는 개발과 관련된 국가계획, 광역도·시 계획 및 시·군 계획의 관계 등을 규정해 개발의 근거를 마련하고 있다. 국가계획이나 광역도·시 계획은 국가 차원에서 불가피하게 개발하는 계획을 담고 있어 농지훼손 등과 관련이 멀지만 시·군 계획은 무분별한 난개발을 초래할 수 있는 계획이어서 이에 대한 관심이 필요한 영역이다.

농지의 전용 등 개발목적으로 토지의 용도를 개편할 때 필요한 규정이 제8조에 담겨 있다. 다른 법률에 따른 토지 이용에 관한 구역 등의 지정 제한 등으로 된 이 규정은 중앙행정기관의 장이나 지방자치단체의 장은 다른 법률에 따라 토지이용에 관한 지역·지구·구역 또는 구획 등(이하 '구역 등')을 지정하려면 그 '구역 등'의 지정목적이 이 법에 따른 용도지역·용도지구 및 용도구역의 지정목적에 부합되도록 하여야 한다고 설명하고 있다.

또 중앙행정기관의 장이나 지방자치단체의 장은 다른 법률에 따라 지정되는 '구역 등' 중 대통령령으로 정하는 면적 이상의 '구역 등'을 지정하거나 변경하려면 중앙행정기관의 장은 국토교통부장관과 협의하여야 하며 지방자치단체의 장은 국토교통부장관의 승인을 받도록 하고 있다.

토지의 용도로는 용도지역, 용도지구, 용도구역 등으로 나뉜다.

제36조에 규정한 용도지역은 다시 세분화된다. 도시지역은 주거지역, 상업지역, 공업지역, 녹지지역 등으로 나뉘는데, 주거지역은 말 그대로 거주의 안녕과 건전한 생활환경의 보호를 위하여

필요한 지역이다. 상업지역은 상업이나 그 밖의 업무의 편익을 증진하기 위하여 필요한 지역이고, 공업지역은 공업의 편익을 증진하기 위하여 필요한 지역이며, 녹지지역은 자연환경·농지 및 산림의 보호, 보건위생, 보안과 도시의 무질서한 확산을 방지하기 위해 녹지의 보전이 필요한 지역을 말한다.

관리지역은 보전관리지역, 생산관리지역, 계획 관리지역으로 나뉘는데, 보전관리지역은 자연환경 보호, 산림 보호, 수질오염 방지, 녹지 공간 확보 및 생태계 보전 등을 위해 보전이 필요하나, 주변 용도지역과의 관계 등을 고려할 때 자연환경보전지역으로 지정해 관리하기가 곤란한 지역을 말한다.

생산관리지역은 농업·임업·어업 생산 등을 위하여 관리가 필요하나, 주변 용도지역과의 관계 등을 고려할 때 농림지역으로 지정하여 관리하기가 곤란한 지역인데, 다시 말해서 농지이지만 인근 지역이 개발돼 농지전용이 될 가능성이 높은 지역을 말한다.

계획 관리지역은 도시지역으로의 편입이 예상되는 지역이나 자연환경을 고려해 제한적인 이용·개발을 하려는 지역으로서 계획적·체계적인 관리가 필요한 지역, 즉 녹지를 일부 지키면서 개발을 고려할 수 있는 땅을 말한다.

농림지역은 농업진흥지역과 보전산지를 말하며, 자연환경보전지역은 국립-도립-군립공원 등 환경과 경관의 가치가 높은 곳이다.

제37조에 있는 용도지구는 다음과 같이 나눌 수 있다.

1. 경관지구 : 경관의 보전·관리 및 형성을 위하여 필요한 지구
2. 고도지구 : 쾌적한 환경 조성 및 토지의 효율적 이용을 위하

여 건축물 높이의 최고한도를 규제할 필요가 있는 지구

3. 방화지구 : 화재의 위험을 예방하기 위하여 필요한 지구

4. 방재지구 : 풍수해, 산사태, 지반의 붕괴, 그 밖의 재해를 예방하기 위하여 필요한 지구

5. 보호지구 : 문화재, 중요 시설물(항만, 공항 등 대통령령으로 정하는 시설물을 말한다) 및 문화적·생태적으로 보존가치가 큰 지역의 보호와 보존을 위하여 필요한 지구

6. 취락지구 : 녹지지역·관리지역·농림지역·자연환경보전지역·개발제한구역 또는 도시자연공원구역의 취락을 정비하기 위한 지구

7. 개발진흥지구 : 주거기능·상업기능·공업기능·유통물류기능·관광기능·휴양기능 등을 집중적으로 개발·정비할 필요가 있는 지구

8. 특정용도제한지구 : 주거 및 교육 환경 보호나 청소년 보호 등의 목적으로 오염물질 배출시설, 청소년 유해시설 등 특정 시설의 입지를 제한할 필요가 있는 지구

9. 복합용도지구 : 지역의 토지이용 상황, 개발 수요 및 주변 여건 등을 고려하여 효율적이고 복합적인 토지이용을 도모하기 위하여 특정시설의 입지를 완화할 필요가 있는 지구

10. 그 밖에 대통령령으로 정하는 지구 등 10가지다.

용도구역은 개발제한구역, 도시자연공원구역, 시가화조정구역, 수산자원보호구역, 입지규제최소구역 등 5가지가 있다.

농지법과 농지전용 허가제도

농지전용이란?

농지를 비(非)농민이 소유하게 되면 농지를 다른 곳으로 이용하려 든다. 그래서 발생하는 것이 농지전용이다. 비(非)농민이기에 농사용도의 땅은 필요 없으나 농지가 전용돼 다른 용도로 쓰이면 땅값은 10배 이상 뜬다. 그래서 비(非)농민들은 기를 쓰고 농지를 소유하려 하며 여기에서 발생하는 소득이 바로 불로소득이다. 자본주의 사회에서 가장 큰 불평등을 만드는 것이 바로 농지투기다.

그럼에도 최근 한겨레신문 현장취재에서 밝혔듯이 힘 있는 자들은 농지를 소유하고 이 땅을 개발해 자신의 땅값을 올리려 한다. 최근 밝혀진 30여 명의 국회의원들은 다른 곳으로 도로가 날 계획이 확정된 것조차 국회에서 자신의 힘으로 바꿔 자신의 땅 옆으로 길을 나게 해서 땅값이 뛰어오르게 해 불로소득을 거두고 있는 것이다.

농지전용 허가제도란 농지를 농업생산·농지개량 이외의 목적으로 전용하기 위해서는 농림축산식품부장관의 허가를 받도록 한 제도다. 다만 협의 전용·신고 전용의 경우, 산지전용허가·신고를 하지 않고 불법으로 개간한 농지를 산지로 복구하는 경우 및 하천관리청의 허가를 받고 농지의 형질을 변경하거나 공작물을 설치하기 위해 농지를 전용하는 경우 등은 전용허가 대상에서 제외된다(농지법 제34조).

다시 말해 농지를 전용하려면 농지전용허가, 농지전용협의, 농지전용신고 등 3가지 중 하나의 절차를 거쳐야 한다.

농지전용허가의 신청은 농지를 전용하고자 하는 자가 신청하며, 농지전용허가·협의권자는 농림축산식품부장관이 되나 절차의 간소화를 위해 일정 규모 이하의 농지전용 허가·협의권은 시·도지사와 시장·군수·구청장에게 위임하고 있다(농지법 제51조와 시행령 제71조).

농업진흥지역 안의 농지를 전용할 경우 3만㎡(9,000평) 이상은 농림축산식품부장관, 3,000 ~ 3만㎡(900~9,000평)는 시·도지사, 3천㎡(900평) 미만은 시장·군수·구청장이 농지전용허가·협의권을 행사하며, 농업진흥지역 밖의 농지를 전용할 경우 20만㎡(6만평) 이상은 농림축산식품부장관, 3만 ~ 20만㎡(9,000~6만평)는 시·도지사, 3만㎡(9,000평) 미만은 시장·군수·구청장이 농지전용허가·협의권을 행사한다.

처음 농지법이 제정됐을 때 농지전용은 농림부장관에게만 허용 권한이 있었다.

그러나 농지를 통한 재산 증식을 원하는 유산계급들이 손쉬운 농지전용을 원해 법은 규모에 따라서 지방자치단체장에게 권한이 넘어가면서 농지전용은 엄청난 속도로 늘어났다.

용도별 농지전용 면적 추이(1974~2014)

단위: ha

연도별	총면적	공용·공공 용시설 및 공익시설	주택시설	학교시설	광·공업 시설	농·어업 용시 설	기 타
'78	1,192	178	274	30	183	146	381
'79	1,245	265	324	156	201	85	214
'80	975	242	264	47	125	30	267
'81	1,521	987	165	65	49	29	226
'82	1,233	519	174	136	49	28	327
'83	1,987	1,205	255	105	88	74	260
'84	1,933	762	585	89	145	32	320
'85	2,122	1,266	296	61	200	50	249
'86	2,563	1,171	910	101	101	159	121
'87	3,542	2,191	286	79	485	177	324
'88	4,844	2,481	1,165	47	224	252	675
'89	7,096	3,169	1,885	113	923	503	503
'90	10,593	4,402	2,229	72	2,415	593	882
'91	11,861	4,801	2,882	110	1,730	1,744	594
'92	12,255	6,065	1,465	64	1,325	2,300	1,036
'93	13,207	5,398	1,482	97	1,148	4,112	970
'94	11,984	3,495	1,722	-	1,382	3,701	1,684
'95	16,279	5,252	2,352	-	1,675	4,687	2,313
'96	16,611	5,421	2,787	-	1,602	4,282	2,519
'97	15,395	5,862	2,839	-	1,920	2,365	2,409
'98	15,141	9,253	2,080	-	1,114	1,566	1,128
'99	12,017	6,481	1,442	-	1,054	1,712	1,328
2000	9,883	4,059	1,742	-	1,142	1,581	1,359
2001	10,209	4,838	1,277	-	1,048	1,706	1,340
2002	13,275	5,857	1,971	-	1,471	2,172	1,804
2003	12,996	5,613	2,491	-	1,114	1,793	1,985
2004	15,686	6,887	3,804	-	915	1,783	2,297
2005	15,659	7,396	2,340	-	862	2,245	2,816
2006	16,215	5,593	3,517	-	1,334	2,442	3,329
2007	24,666	11,961	3,949	-	2,249	1,570	4,937
2008	18,215	8,369	2,424	-	2,490	893	4,039
2009	22,680	9,427	2,632	-	5,370	849	4,402

2010	18,732	7,603	4,378	-	2,766	768	3,217
2011	13,329	6,321	1,828	-	1,789	669	2,722
2012	12,677	5,061	3,076	-	1,617	669	2,254
2013	10,960	4,608	1,858	-	1,298	643	2,553
2014	10,718	3,950	2,311	-	1,198	597	2,662
2015	12,303	4,647	2,706	-	1,401	618	2,931
2016	14,145	4,764	3,554	-	1,852	775	3,200
2017	16,296	5,432	3,213	-	2,293	619	4,739
2018	16,303	4,278	2,315	-	1,847	547	7,316
합계	414,282	188,726	79,429	1,495	52,304	51,749	79,579

주: 1994년부터 학교시설용지는 공용·공공용시설에 포함
자료: 농림축산식품부 지자체 행정조사

다음으로 농지전용협의제도(농지법 제34조 2항)란 사전에 농지전용(農地轉用) 협의를 거치도록 함으로써 농지전용허가가 제외되는 제도로서, 농지전용협의의 유형은 다음과 같이 두 가지로 구분할 수 있다.

첫째, 개발용도로 토지이용계획을 수립할 때 해당 지역 안에 있는 농지 전체를 대상으로 농지전용에 관해 일괄 협의하는 경우로서, ①도시지역에 주거·상업·공업지역과 도시·군 계획시설을 지정·결정할 때 그 안에 농지가 포함된 경우(농지법 제34조 제2항 제1호)와 ②계획 관리지역에 지구단위계획구역을 지정할 때에 해당 구역 예정지에 농지가 포함되어 있는 경우(농지법 제34조 제2항 제1의2호) 및 ③자연공원법에 따른 공원계획 결정 시 지정·결정하기 전에 주무부 장관이나 지방자치단체장은 농림축산식품부 장관과 미리 협의하도록 하고 있다.

농지전용협의권자는 ①의 경우 10만㎡ 미만은 시·도지사, 10만㎡ 이상은 농림축산식품부장관이며, ②의 경우 시·도지사, ③

의 경우 농업진흥지역 안과 밖으로 구분하여 농지전용 규모에 따라 협의권이 위임되어 있는데 그 내용은 농지전용 허가의 경우와 동일하다.

용도별 농지전용 면적 추이(1974~2014)

단위: ha

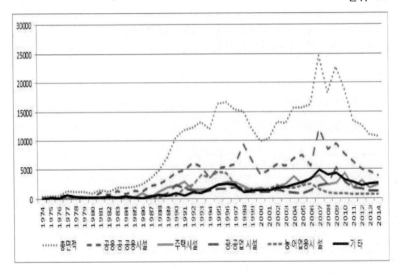

둘째, 다른 법률에 의한 인·허가 시 농지전용허가를 의제 처리하는 경우로서, 도시지역의 녹지지역 및 개발제한구역의 농지에 대하여 개발행위허가나 토지 형질변경허가를 하는 경우(농지법 제34조 제2항 제2호)와 건축법에 따른 건축 허가나 공장설립 승인 시 해당 법률에 의해 허가나 승인을 받으면 따로 농지전용허가를 받지 않아도 된다.

이 경우 농지전용협의권자는 농지전용 허가와 마찬가지로 농

154

업진흥지역 안과 밖으로 구분하여 농지전용 규모에 따라 농림축산식품부장관과 시·도지사 및 시장·군수·구청장이 된다.

농지전용신고제도(농지법 제35조)란 전용신고만으로 농지를 전용하는 제도로서, 농업인주택·어업인주택, 농축산업용시설, 농수산물 유통·가공시설, 어린이 놀이터·마을회관 등 농업인 공동생활편의시설, 농수산연구시설과 양어장·양식장 등 어업용 시설 등은 다음과 같이 일정 규모 이하일 경우 농지전용 신고에 의해 농지를 전용할 수 있다.

① 농업진흥지역 안 : 농업인 1,500㎡ 이하 및 농업법인 3,300㎡ 이하의 농업용 시설(농산물 건조보관시설과 탈곡장·잎담배건조장·농업자재보관시설·농축산업용 관리사·콩나물 재배사), 비영리법인의 3천㎡ 이하 농수산업 시험·연구시설 등.

② 농업진흥지역 밖 : 660㎡ 이하의 농업인·어업인 주택, 농업인 1,500㎡ 이하 및 농업법인 7천㎡ 이하의 농업용 시설(농산물 건조보관시설과 탈곡장·잎담배건조장·농업자재보관시설·농축산업용 관리사·콩나물 재배사, 야생조수인공사육시설·간이양축시설·축산업관리사), 농업인 3,300㎡ 이하 및 생산자단체·영농조합법인·농업회사법인·어촌계·수산업협동조합·영어조합법인 7천㎡ 이하의 농수산물 유통·가공시설, 어린이놀이터·마을회관 등 농업인 공동편의·이용시설(규모 무제한), 비영리법인의 7천㎡ 이하 농수산업 시험·연구시설, 농어업인과 농·어업법인의 1ha 이하 양어장·양식장과 1,500㎡ 이하 어업용 시설 등

③ 시장·군수가 고시한 한계농지를 전용할 경우 이상과 같은 농시전용 허가·협의·신고제도에도 불구하고 대기오염물질시설.

이같이 농지전용을 위해 필요한 방법과 절차를 농지법이나 시행령, 시행규칙에서 구체화하고 있으나 실제 시행되는 것을 보면 대부분의 국민들은 농지전용을 받아내기가 극히 어렵다. 그러나 건설회사, 재벌, 권력자들은 너무도 손쉽게 농지전용을 하고 있다. 법은 농지를 지키는 제도라고 하지만 실제로는 힘 있는 자들에게만 농지를 손쉽게 풀어주는 통로라고나 할까? 세밀한 농지법 점검이 필요하다.

농지전용이 안 되는 경우

농지전용을 해줄 수 없는 경우도 구체적으로 제시하고 있다. 폐수배출시설, 농업진흥•농지보전을 저해할 우려가 있는 시설 등을 목적으로 하는 농지전용은 도시지역•계획 관리지역•개발진흥지구 안의 농지를 제외한 전 지역의 농지에 대해 농지전용을 허가하지 않는다.

또한, 농업생산기반이 정비되어 있거나 정비사업 시행예정 지역으로 편입되어 우량농지로 보전할 필요가 있는 경우, 일조•통풍•통작(通作)에 매우 크게 지장을 주거나 농지개량시설의 폐지를 수반하여 인근 농지의 농업경영에 매우 큰 영향을 미치는 경우, 토사가 유출되는 등 인근 농지 또는 농지개량시설을 훼손할 우려가 있는 경우, 전용 목적을 실현하기 위한 사업계획 및 자금조달계획이 불확실한 경우, 전용하려는 농지의 면적이 전용 목적 실현에 필요한 면적보다 지나치게 넓은 경우 등은 농지전용 및 일시사용을 제한한다.

농지전용 허가 절차를 보면, 시장·군수·구청장은 농지전용 허가신청을 받은 때에는 심사기준에 따라 심사한 후 농림축산식품부령으로 정하는 서류를 첨부하여 제출받은 날로부터 10일 이내에 시·도지사에게 보내야 하며, 시·도지사는 10일 이내에 이에 대한 종합 심사의견서를 첨부하여 농림축산식품부장관에게 제출하여야 한다(시행령 제33조). 심사 기준에 적합하지 않을 경우 농지의 전용허가를 해서는 안 되며, 제출 서류에 흠이 있을 경우 보완·보정에 필요한 기간을 정하여 신청인에게 보완·보정을 요구하고, 기간 내에 보완·보정하지 않을 때에는 신청서류를 반려할 수 있다. 심사기준은 다음과 같다.

농업진흥지역 안팎별 농지전용 면적 추이(2000~2014)

단위: ha, 연도

연도	합계			농업진흥지역 안			농업진흥지역 밖		
	계	답	전	계	답	전	계	답	전
2001	10,209	5,346	4,863	2,376	1,850	526	7,833	3,496	4,337
2002	13,275	7,016	6,259	3,118	2,404	714	10,157	4,612	5,545
2003	12,996	6,951	6,045	2,810	2,213	597	10,186	4,738	5,448
2004	15,686	8,525	7,161	3,124	2,414	710	12,562	6,111	6,451
2005	15,659	8,743	6,916	3,826	3,070	756	11,833	5,673	6,160
2006	16,215	8,159	8,056	2,904	2,116	788	13,311	6,043	7,268
2007	24,666	14,380	10,286	5,125	4,159	966	19,541	10,221	9,320
2008	18,215	9,977	8,238	3,190	2,645	545	15,025	7,332	7,693
2009	22,680	12,867	9,813	4,004	3,207	797	18,676	9,660	9,016
2010	18,732	9,843	8,889	2,429	1,888	541	16,303	7,955	8,348
2011	13,329	6,901	6,428	2,526	1,888	638	10,803	5,013	5,790
2012	12,677	6,637	6,040	2,334	1,841	493	10,343	4,796	5,547
2013	10,960	5,595	5,365	1,963	1,603	360	8,997	3,992	5,005

2014	10,718	5,236	5,482	1,786	1,438	348	8,932	3,798	5,134
2015	12,303	5,906	6,397	2,032	1,600	432	10,271	4,306	5,965
2016	14,145	6,982	7,163	2,420	1,973	447	11,725	5,009	6,716
2017	16,296	8,320	7,976	2,834	2,147	687	13,462	6,173	7,289
2018	16,303	7,824	8,479	2,310	1,803	507	13,993	6,021	7,972
합계	284,947	150,351	134,596	52,778	41,539	11,239	232,169	108,812	123,357

자료: 농림축산식품부 지자체 행정조사

①농업진흥지역 농지의 경우 용도구역에서의 행위제한에 저촉되지 않아야 하며 농지전용 허가 제한 대상 시설이어서는 안 된다.

②시설의 규모와 용도의 적정성, 건축물인 경우 도로•수도•하수도 설치 등 지역 여건을 참작하여 전용하려는 농지가 전용목적 사업에 적합하게 이용될 수 있을 것으로 인정될 것

③전용농지 면적이 건폐율 등 건축법 규정, 건축물 또는 공작물의 기능•용도 및 배치계획 등을 참작할 때 전용목적 사업의 실현을 위하여 적정할 것

④농업생산기반정비사업 시행 여부, 해당 농지가 포함된 지역 농지의 집단화 정도, 해당 농지의 전용으로 인하여 인근 농지의 연쇄적인 전용 등 농지 잠식과 농업경영 환경 저해 우려 여부 및 농지축(農地築)의 절단이나 배수 변경으로 물의 흐름에 지장을 주는지 여부 등을 참작하여 농지 보전의 필요성이 크지 아니할 것

⑤해당 농지의 전용이 인근 농지의 농업경영과 농어촌생활환경의 유지에 피해가 없을 것. 다만, 농지개량시설 또는 도로의 폐지•변경, 토사유출과 폐수배출 및 악취•소음 발생, 인근 농지의 일조•통풍•통작(通作)에 현저한 지장을 초래하는 경우 그 피해방지

계획이 타당하게 수립되어 있을 것

⑥사업계획과 자금조달계획이 전용목적사업의 실현에 적합하도록 수립되어 있을 것 농지전용허가·협의·신고를 통해 농지를 전용한 경우, 농어촌용수개발사업이나 농업생산기반 개량사업의 시행에 의해 토지개량시설의 부지로 변경되는 경우, 시장·군수·구청장이 천재지변 등 불가항력의 사유로 농지의 형질이 현저히 달라져 원상회복이 거의 불가능하다고 인정하는 경우 등을 제외하고는 지목변경을 엄격히 제한한다. 또한, 농지전용허가 또는 일시사용허가를 받지 않거나 농지전용신고를 하지 않고 농지를 전용한 경우와 농지전용허가가 취소된 경우 기간을 정하여 원상회복을 명할 수 있으며, 원상회복을 하지 않을 경우 대집으로 원상을 회복할 수 있다(농지법 제42조).

농지전용 허가를 위반한 경우 벌칙(농지법 제57조)으로는 ①농업진흥지역 농지를 농지전용 허가를 받지 않고 전용하거나 부정한 방법으로 농지전용 허가를 받은 자는 5년 이하의 징역 또는 해당 토지 개별공시지가에 따른 토지가액 이하의 벌금에 처하며, ② 농업진흥지역 밖의 농지를 농지전용 허가를 받지 않고 전용하거나 부정한 방법으로 농지전용 허가를 받은 자는 3년 이하의 징역 또는 해당 토지가액의 100분의 50에 해당하는 금액 이하의 벌금에 처하되 ③징역형과 벌금형을 병과할 수 있다.

그러나 이와 같은 벌칙조항이 제대로 적용된 사례를 찾아보기는 매우 어렵다. 과거 박근혜 정부 우병우 수석의 처가가 화성에 비(非)농민이면서 농지를 소유했지만 이런 벌칙을 받았다는 이야기는 없다. 평민들은 규정을 어기면 법 규정이 적용되지만 힘 있고 권력 있는 사람들은 용케도 이런 벌칙을 피해간다.

농지전용의 문제점

그러면 현행 농지전용 허가제도는 어떤 문제점이 있을까?

농지전용을 하기 위해서는 허가·협의·신고 등 3가지의 제도가 있는데 무엇이 잘못돼 매년 3000여 ha에 달하는 면적의 농업진흥지역이 전용되는 걸까?

농지전용 면적과 건수 추이

단위: ha, 건

2,008	2,009	2,010	2,011	2012	2,013	2,014	2,015	2016	2017	2018	누계
18,215	22,680	18,732	13,329	12,677	10,960	10,718	12,303	14,145	16,296	16,303	191,024
9,977	22,680	9,843	6,901	6,637	5,595	5,236	5,906	6,982	8,320	7,824	100,470
8,238	9,813	8,889	6,428	6,040	5,365	5,482	6,397	7,163	7,976	8,479	90,556
63,765	59,280	57,464	56,009	56,952	57,816	62,504	75,472	83,809	85,676	88,982	808,682

자료: 농림축산식품부 지자체 행정조사

그것은 우량농지에 해당하는 농업진흥지역이라고 하더라도 농지법 32조 1항 1호에서 농수산물 가공·처리시설과 관련 시험연구시설의 설치를 허용하고 있고, 3호에는 농어업인의 주택을 허용하고 있을 뿐만 아니라 9호에서는 농어촌 소득원 개발 등 농어촌 발전에 필요한 시설, 즉 시행령에 따라 산지유통시설, 농기계수리시설, 부산물 유기질비료 제조시설, 사료제조시설 등으로 사용할 수 있도록 허용하고 있다.

또한 농지법의 같은 조 1항 2호에 따르면 마을의 공동 생활편의시설을 짓도록 허용하고 있음은 물론, 1항 4~8호에는 공용·공공용·공익시설 등에 관련되는 토지이용 행위를 할 수 있도록 하고 있다.

우량농지로 지켜야 하는 농업진흥지역이건 아니건 필지별 개별 분산된 소규모 농지전용을 가능하도록 하여 우량농지를 잠식할 수 있는 여건을 제공하고 있을 뿐만 아니라 어떤 농지나 농지를 전용할 수 있다는 인식을 갖게 됨으로써 농지가격이 수익지가보다 월등히 높게 형성되고, 이로 인해 투기적(投機的) 농지소유가 만연하도록 법을 아는 힘 있는 자들이 빠져나갈 여지를 수없이 마련해 두고 있다.

농림축산식품부 농지업무 편람에 보면 어떻게 하면 농지를 전용할 수 있는지 그 요령이 자세히 나와 있다. 농지 내에 설치가 허용되는 시설은 대부분 1,000㎡ 이하인데 그 시설은 기숙사, 마을회관·마을공동작업소·공동구판장, 양수장·정수장·대피소·공중화장실, 상점·게임시설, 병원·격리병원, 학교·교육원·연구소, 가축시설·도축장·도계장, 분뇨처리시설·고물상·폐기물처리시설, 교정시설·보호관찰소·소년원, 방송국·전신전화국·촬영소, 발전소, 장례식장 등이다.

기숙사, 마을회관, 학교, 상점 병원, 교육기관, 고물상 등 전혀 농어업과 관련이 없는 시설도 농지전용이 가능하다. 농지를 너무도 손쉽게 개발할 수 있도록 길을 터놓은 것이다.

더구나 15,000㎡ 이하 농지에서는 연립주택·다세대주택 등의 건축까지 가능하다. 30,000㎡ 이하의 농지에서는 도매시장·소매시장, 물품제조·가공 또는 수리에 계속 이용되는 건축물, 창고·하역장·물류터미널·집배송 시설 등을 설치할 수 있고, 허용면적 무제한인 시설도 있다. 그것은 농업진흥구역에 설치할 수 있는 시설, 도시계획시설, 마을정비구역으로 지정된 구역에 설치하는 시설, 고속국도의 도로부속물시설, 공원시설, 골프장 등이다. 건설업자들이 마음 놓고 가짜농부 행세하며 농지를 사서 개발을 손쉽게 할 수 있는 길을 터준 것이나 마찬가지다.

또 농지전용은 심의위원회가 있는 것이 아니라 공무원이 임의로 판단해 심사하고 있어 농지전용이 너무 손쉽게 이뤄지고 있는 것도 문제다. 이같이 농지전용 허가 업무가 공정성·객관성이 결여될 우려가 있을 뿐 아니라 민원이 쇄도해 담당자는 농지전용을 허가하지 않아야 되는 경우에도 허가를 받을 수 있도록 도와주는 일은 흔하게 볼 수 있다.

1974년부터 2014년까지 총 35만 9,235ha의 농지가 전용되었는데, 시기별로 1974년부터 1984년까지 연간 2,000ha 미만에서 1990년에 1만ha를 넘어 1996년 1만 6,611ha까지 증가추세를 나타냈다가 이후 2000년 9,883ha까지 감소 추세였으며, 이어 2001년부터 2007년의 2만 ,666ha까지 증가 추세를 나타낸 다음 감소 추세로 전환돼 2014년에 1만 718ha를 나타냈다.

1974~2014년의 41년 동안 연평균 8,762ha의 농지가 전용됐으며, 2005년부터 2014년까지 최근 10년 동안에는 연평균 1만 6,385ha씩 전용된 셈이다.

용도별로는 학교시설을 포함한 공용·공공용·공익시설 용으로 1974~2014년에 17만 1,100ha가 전용돼 전체의 43.4%를 차지, 지방자치단체들이 농지를 활용하여 공공시설을 많이 지었다는 이야기가 된다. 그 다음이 주택시설용으로 6만 7,641ha(17.2%), 기타 6만 1,393ha(15.6%), 농·어업용 시설 4만 9,190ha(12.5%), 광·공업 시설 4만 4,911ha(11.4%) 순이었다.

가장 큰 비중을 차지하는 공용·공공용·공익시설용으로 전용된 농지 면적의 연도별 변화 추이는 전체 농지전용 면적의 변화 궤적과 동일하다. 농·어업 시설용 농지전용 면적은 1990년까지는 미미하였다가 1991년에 1,744ha로 증가한 이후 1995년에 농지법이 제정된 후 4,687ha의 최대치를 나타낸 다음 2000년까지 감소 추세였다가 2001~2006년에 약간 증가 추세였으나 이후 2014년 597ha까지 급감했다.

이와 같은 내용을 검토해 볼 때 농지법 32조는 농사를 짓는 농민을 위한 법이라기보다는 개발해서 수익을 취하는 개발업자, 농지 투기를 일삼는 대기업과 부자 계층에게 농지를 불법 또는 편법으로 소유해 개발하거나 개발이익을 보도록 혜택을 주는 규정이라고 볼 수 있다.

제5장
농지의 사회학

땅의 경제학

진보 경제학자들의 땅 투기 해법

기본소득제의 도입을 이야기하는 경제학자들은 임금노동의 잉여노동으로 부의 축적이 발생하며, 땅의 투기로 발생한 불로소득이 또 다른 빈부 격차의 원인이 된다고 말하고 있다. 다시 말해 기업가들의 노동착취에 의해 부가 축적된 것이며, 땅의 투기로 빈부 격차가 발생한다는 이야기다.

최근 들어서 대기업 임원들의 연봉과 노동자의 평균 연봉이 30배나 차이가 나고 있어서 이렇게 부(富)가 일부로 몰리는 것을 알수 있고 대기업이나 자본가들이 땅 투기로 빈부의 격차를 더욱 벌이고 있다는 것은 어제오늘의 이야기가 아니다.

농지의 60% 이상이 부재지주에 의해 소유되고 있는 것이 통계상 잡히고 있는 것을 보면 자본가들의 땅 투기에 의해 빈부 격차가 벌어지고 있다는 것을 확연히 인식할 수 있다.

19세기 후반 미국의 사회학자이자 경제학자인 헨리 조지'는 『진보와 빈곤: 부의 증진에 따른 산업불황과 빈곤 증가의 원인에 대한 조사(1879』에서 이 같은 이론을 정립하고 토지가치세의 부과를 통하여 재원을 마련해 기본소득의 지원을 주창하고 있다.

*헨리 조지(Henry George, 1839년 9월 2일~1897년 10월 29일)는 미국의 저술가, 정치가, 정치경제학자

헨리 조지는 단일세(Single tax)라고도 불리는 토지가치세의 주창자였고, 조지주의(Georgism, Geoism, Geonomics)라고 불리는 경제학파의 형성에 영향을 끼쳤다. (조지주의는 지공주의라는 우리말로 순화되어 사용된다.) 헨리 조지는 19세기 후반에 카를 마르크스와의 논쟁에서 자본과 토지를 구분하지 않는 마르크스주의를 비판하였다. 1891년 로마 교황청이 토지 공개념에 대해 반대하는 교황 레오 13세의 회칙 새로운 사태(Rerum Novarum)를 반포하자 이에 반발하여 교황 레오 13세에게 공개서한을 보내 교황청의 잘못을 조목조목 비판했다.

지공주의의 주된 내용을 살펴보면, 개인은 자신의 노동생산물을 사적으로 소유할 권리가 있는 반면, 사람이 창조하지 아니한 것, 즉 자연에 의해 주어지는 것(대표적으로 토지, 넓게 볼 경우 환경 포함)은 모든 사람에게 공평하게 귀속된다는 것이다.

불평등에 대한 논문이라고도 할 수 있는 그의 대표적 저서 『진보와 빈곤(1879)』은 산업화된 경제에서 나타나는 경기변동의 본질과 빈부 격차의 원인, 그리고 그에 대한 처방으로서 토지가치세를 제시하고 있다.

헨리 조지의 영향을 받아 뉴질랜드, 호주, 싱가포르, 남아프리카공화국, 타이안 등의 국가에서는 토지가치세가 시행되고 있는

데, 토지가치세의 부과방법이나 세율은 국가마다 상이하다.

특별히 뉴질랜드에서는 1890년대와 1900년대 자유주의 성향의 정부에 의해 이루어진 토지소유권 개혁에 헨리 조지의 사상이 많은 영향을 끼쳤다.

로버트 하일브로너*의『세속의 철학자들』을 비롯해 경제학사와 대공황 같은 경제위기를 다룬 책에서 보면, 헨리 조지가 논리의 근거를 제공한 기본소득제에 대한 개념이 나온다.

모든 불평등의 기원이자, 불로소득의 원천인 토지 소유의 문제를 지속가능한 성장이 가능한 방안으로 내세운 것이 기본소득제의 기원이라는 주장이다.

*로버트 하일브로너(Robert Heilbroner, 1919년~2005년) 미국의 경제학자. 하일브로너는 1919년 3월 24일 뉴욕 맨해튼에서 출생하였다. 1936년에 하버드대학교에 입학하여 폴 스위지와 조지프 슘페터 등에게서 경제학을 배웠다. 1940년에는 하버드를 최우등으로 졸업하고 경제 관련한 프리랜서 기자 생활을 한다. 1946년 뉴스쿨대학교(New School University)의 사회과학부 대학원에 진학하고, 여기서의 배움을 토대로 자신의 대표 저서인『세속의 철학자들(Worldly Philosophers)』(초판 1953년)을 쓴다. 이후 하일브로너는 뉴스쿨대학교의 교수로 임명되어 퇴직할 때까지 활약하였으며, 사회민주주의적인 정책을 옹호하는 대표적인 학자 중 하나가 된다. 2005년 1월 4일 85세로 사망하였다.

21세기 최고의 경제학자로 불리는 조지프 유진 스티글리츠*의 최신작『불평등의 대가』에서 불로소득은 부동산 투기와 상속세에 의한 재산의 대물림에서 나오며 이런 투기에 의한 빈부 격차가 더 커지는 것을 막기 위한 수단은 기본소득제의 도입에 있다고 피력하고 있다.

*조지프 유진 스티글리츠(Joseph Eugene Stiglitz, 1943년 2월 9일~)는 미국의 신(新)케인즈 학파(New Keynesian Economics) 경제학자로 컬럼비아 대학

교의 교수이다. 2001년에 노벨 경제학상을 수상하였다. 전 세계은행 부총재이기도 하다. 1943년 미국 인디애나 주에서 태어나 MIT에서 폴 새뮤얼슨의 지도 아래 박사학위를 받았으며 26세에 예일 대학교 정교수가 됐다. 기존 성장과 민영화 위주의 주류경제학에 비판적인 입장을 견지하고 있다.

    스티글리츠는 저서『불평등의 대가』(2012년)를 통해 "시장은 그 자체만으로는 효율적이지도 안정적이지도 않고, 그간의 정치 시스템은 시장의 실패를 바로잡지 않았으며, 경제적 불평등은 정치 시스템 실패의 원인이자 결과이며 불평등은 경제 시스템의 불안정을 낳고, 그 불안정은 다시 불평등을 심화시킨다."고 문제를 지적하며, 그 중 가장 심각한 불로소득이 땅 투기라고 지적하며 이에 대한 대안으로 기본소득제를 언급했다. 지난 30년간 하위 90%의 임금은 15% 증가한 반면 상위 1%는 150% 증가한 통계를 통해서, 상위 1%는 전체 사회의 부를 증가시키는 것이 아니라 정해져 있는 사회 전체의 부에서 남의 몫을 빼앗아 부를 늘려왔고 이것이 결국 불평등과 양극화를 불러일으키고, 이 결과는 상위 1%에게도 장기적으로 유리하지 않음을 지적했다.

    신자유주의를 이끌었던 시카고학파'의 시조격인 프랑크 나이트"는 개인의 노력에 대한 결과라는 차원에서 자본에 대한 세금은 유보하지만, 상속세의 경우에는 부의 대물림이 기회의 평등을 무력화시키지 않도록 하기 위해 그동안 미루었던 세금을 상속의 시기에 맞춰 일괄 과세해야 한다며 가장 완벽한 세금이라 했다. 이렇게 상속세가 몇 대에 이르러서 부과될 경우 상속되는 액수는 점차 줄게 되어서 '0'에 가까워지니 상속세만큼 완벽한 세금은 없다고 판단했던 것이다.

*시카고학파(Chicago School)란 지난 세기의 시카고대학 경제학부의 멤버들을 말한다. 그러나 일반적으로 경제학의 지나친 수리적 접근과 정형화에 반대하고, 성과 위주의 부분균형분석을 위해 너무 조심스런 일반 균형의 가정화를 기꺼이 포기할 준비가 되어 있는 자유주의, 자유시장의 가격이론을 고수하는 부류를 일컫는다. 시카고학파는 신고전주의 물가 이론과 자유주의에 관계가 있다. 시카고학파는 역사를 거듭하며 다양한 모습을 보여 왔다. 그럼에도 불구하고, 중심적 구성요소는 언제나 독창적이었다. 시카고학파의 우산 조직 아래 파생된 학파들로는 1960년대의 통화주의, 1970년대부터 현재에 이르는 화폐적/실물적 경기변동 거시경제학, 그리고 최근의 신제도주의, 신경제사 운동, 법경제학 운동 등이 있다.

**프랭크 나이트는 '시카고학파' 경제학 시조로 인정받는다. 나이트는 테네시대학을 거쳐 코넬대학교에서 교육을 받고 1916년 역시 코넬에서 박사학위를 받았다. 그 뒤 1919~27년까지는 아이오와대학교에서, 1927~52년에는 시카고대학교에서 강의를 했으며 1952년 명예교수가 되었다. 유명한 경제학자 밀턴 프리드먼도 그의 영향을 받은 많은 학생들 가운데 하나였다. 그가 1921년 출간한 저서 『위험, 불확실성, 그리고 이윤(Risk, Uncertainty and Profit)』은 경제학 이론의 발달에 크게 기여했다. 이 책에서 그는 보험의 대상이 되는 위험과 보험에 들 수 없는 위험을 구별하는 기준을 세웠다. 그의 설명에 의하면 기업가는 불확실한 상황에서 의사결정을 하기 때문에, 기업가가 얻는 이윤은 보험에 들 수 없는 위험을 부담하는 데 대한 보상이라고 한다. 그의 연구논문 〈경제조직(Economic Organization)〉은 미시경제이론에서 가히 고전이라 할 만한 해설서가 되었다. 이 논문의 특징은 논리의 명쾌함에 있다고 할 수 있는데, 이와 같은 논리성은 나이트가 초기에 철학자로 훈련받으면서 습득되었다. 철학 학습을 통해 그는 많은 경제이론에 회의를 품게 되었던 것이다. 또한 나이트는 오스트리아 경제학파에 비판적 입장을 보였는데, 특히 이 학파의 자본이론에 대한 그의 비판은 주목할 만하다. 그는 집필활동을 통해 사회조직의 자유로운 형태를 폭넓게 다루면서 사회공학에 대한 시도를 비판했다.

마찬가지로 토지와 관련해서는 모든 국민에게 기본소득의 제공을 통하여 태생적인 이유로 토지를 상속받지 못하거나, 사막이나 폐허 같은 곳에서 태어나거나, 건강과 장애 등의 이유로 노동의 기회가 원천적으로 차단된 사람들을 위해 토지의 가격상승에 세금을 부과하자는 의견이 제시됐다.

이것을 재원으로 하여 기본소득을 지급하여 부동산의 불로소득을 기본소득으로 돌리자는 이론이 제기된 것이다. 지가상승은 소유자 인근의 토지가 개간되거나, 대규모 개발이 진행되거나, 그에 따라 유입되는 인구가 늘어나면서 이루어지지만 이는 노력에 의한 결과물이 아니라 노동 없이 이뤄지는 불로소득이기 때문이다.

다시 말해 지가상승은 소유자에게는 완전한 불로소득이어서 무노동 무임금에 의거해 100% 회수해도 경제정의의 실현에 전혀 어긋나지 않는다는 이론이다. 이처럼 기본소득제는 탄생의 조건을 정할 수 없는 개인이 불가항력적으로 발생하는 불평등에 속수무책으로 당하는 것을 막기 위해 지가상승이란 불로소득을 거둬들여서 탄생의 불리함을 만회시켜주는 것을 말한다.

토지가치세는 언제나 변함없지만 가지고 있다는 이유만으로 불로소득을 취하는 불공평을 가져오는 반면 끝없이 세금이 발생하는 화수분 같은 재원의 원천이 돼, 이를 재원으로 한 기본소득제는 이것을 만족시켜줄 수 있는 유일한 방안이었던 것이다.

이같이 땅은 숨겨진 경제학을 안고 있다. 땅은 자본, 자본은 큰 자본이 작은 자본을 먹는 구조, 즉 자본은 땅을 구입하고 땅은 땅땅! 금융이자보다 높은 수익성을 남기고 있어 이에 대한 대책이 필요한 것이다.

불로소득 전액 회수와 소외계층 지원

최근 한국학계에서 관심을 받고 있는 칼 폴라니'가 저술한 『거대한 전환』에서도 기업의 노동 착취, 돈이 돈을 버는 경제구조, 땅 투기 등 불로소득의 증대 등으로 가만히 둬서는 빈부의 격차는 더욱 벌이지고 있다고 지적한다.

*칼 폴라니(Karl Polanyi, 헝가리어 Polányi Károly 폴라니 카로이, 1886년 10월 25일, 오스트리아 ~1964년 4월 23일, 캐나다)는 전통적인 경제 사조에 반대한 헝가리 지식인으로 서구의 시장체계를 분석한 그의 책『거대한 전환(The Great Transformation)』으로 유명하다.

이런 상황이 반복될 경우 전쟁이나 폭동 등 어떤 상황이 벌어질지 모르는 상태에 들어설 것이기 때문에 세계적인 세금을 거둬 범국가적인 기본소득을 실시하자는 조금은 황당해 보이는 이론을 전개하고 있다.

폴라니는 경제가 사회와 문화 속에 착근된 방식을 강조하는, 경제학을 문화적으로 접근하는 실질주의의 주창자로 각인되고 있다. 이는 주류 경제학에는 반하는 것이었지만 인류학과 정치학에서는 인기가 높았다. 고대의 경제에 대한 폴라니의 접근은, 다소의 학자들이 통상적으로 고대 사회에서의 경제의 유용성을 부인하고 있음에도 불구하고, 아메리카 대륙 발견 이전과 고대 메소포타미아와 같은 다양한 경우에 적용되었다.

그의 책『거대한 전환』은 또한 역사사회학에서 하나의 모형이 되었다. 그의 이론은 결국에는 경제 민주주의 운동의 기반이 되었다. 그는『거대한 전환』을 통해 자본주의 체제가 가지고 있는 불안정 요인을 밝혀냈다. 그는 자본주의가 상품화할 수 없는 것들 또는 상품화해서는 안 되는 것들을 상품화했기 때문에 그 자체로 불안정 요인을 가지고 있다고 주장했다.

인간이 인간일 수 있게 하는 가치인 노동능력을 상품화함으로써, 제도와 신뢰의 표시인 화폐를 상품화함으로써, 만인이 공유해야 할 자연(토지)을 상품화함으로써 필연적으로 불안을 발생시킬 수밖에 없었다는 것이다. 세계금융위기가 지속적으로 반복되고 신자유주의 경제체제가 한계에 부딪히면서, 신자유주의 세계경제체제를 넘어설 수 있는 대안 경제이론으로 폴라니의 문제의식이 각광받고 있다.

다른 학자들의 기본소득제와는 약간의 차이를 보이고 있지만 세계복지 개념의 국가별 다원적 기능지원과 국민복지 개념의 공공적 비용지원을 국제적 세금 부과를 통하여 해결하려는 제안도 일종의 기본소득제와 같은 개념으로 볼 수 있을 것 같다.

칼 폴라니가 칭찬해마지 않았던 로버트 오언*도 토지를 독점한 지주들이 노동도 하지 않은 채 불로소득을 얻는 것이 노동착취의 근본이며 이것이 쌓여 빈곤을 초래한다고 주장했다. 단지 토지를 소유했다는 이유로 자손대대 불로소득을 챙기는 것은 공정하지 않고 계급사회에서나 가능한 것이기 때문에 토지의 공유화를 통해 이런 부정의를 시정해야 한다고 주장했다.

---

*로버트 오언(Robert Owen, 1771년 5월 14일~1858년 11월 17일) 영국의 사상가, 사회주의자. '사회주의'라는 용어를 최초로 사용하였던 영국 최초의 사회주의자로서 생시몽, 푸리에와 함께 3대 '공상적 사회주의자'로 불린다. 저서로 『신사회관(사회에 관한 새로운 의견, A New View of Society)』 등이 있다. 전 세계 협동조합 설립 운동의 아버지로 불린다.

오언은 자신의 사상을 일컬어 최초로 '사회주의(socialism)'라는 용어를 사용하였다. 웨일스 북부의 신도시에서 태어났으며, 사업이 성공하여 스코틀랜드에 신식 방직공장을 갖게 되었다. 그는 노동자 관리와 교육 등에 힘써 25년 만에 대기업을 이루었다. 처음에는 협동조합을 만들고 임금과 노동조건을 좋게 고쳐 노동자

에게 의욕을 북돋우는 운동을 벌여 대성공을 거뒀다.

　1827년 오언은 이미 모든 시도를 해본 공장에 흥미를 잃고 주식을 판 다음 아들 넷과 딸 하나를 데리고 미국으로 건너가 자신의 거의 전 재산을 들여 인디애나 주 뉴하모니에 부동산을 구입한다. 뉴하모니 실험, 즉 자신이 꿈꾼 '커뮤니티(Community)'라고 부른 신공동체를 시작했으나 이 실험은 결국 참담한 실패로 끝났다.

　오언은 마르크스와 엥겔스가 주장한 '노동자에 의한 독재'는 귀족과 자본가에 의한 독재와 절대 다르지 않다고 봤다. 동시에 그는 노동자는 자신들을 직접 관리할 수 없는 존재들이라서 자기와 같은 사람이 노동자들을 가르쳐야 한다고 했다. 그래서 1848년 공산당 선언에서 오언은 부르주아이자 '유토피안 사회주의자'라고 매도당하기도 했다.

　토지의 공유화를 통해 토유로 불로소득을 챙기는 부정의(不正義)를 시정해야 한다는 주장은 마르크스'가 『자본론』에서 생산수단을 독점한 자본가들이 노동자의 잉여노동이 창출한 부를 독점하는 것에 대한 비판과 동일한 문제의식이다.

　'칼 마르크스(Karl Marx)가 저술한 『자본론』은 기본적으로 노동의 잉여가치 생산과 그것을 전유하는 자본가와의 갈등관계, 즉 착취를 둘러싸고 일어나는 갈등을 묘사하고 있다. 자본주의 체제에서 노동력은 단순히 하나의 상품이고 그 노동력을 판매한 대가가 임금이다. 자본가들은 노동자에게 생계비 수준의 임금을 주고도 남을 정도의 잉여노동을 강제함으로써 잉여가치, 즉 이윤을 생산하며 노동자가 생산한 이윤을 자본가 자신이 전유한다. 기계를 도입한 자본가는 다른 자본가보다 유리한 위치에 서게 되어 이윤을 증가시킬 수 있다. 그러나 임금비용보다 기계비용이 늘어날수록 총비용에 비해 이윤은 줄어든다. 마침내 노동자들의 생존을 보장할 수 없게 되어 자본가 계급은 지배력을 잃게 된다. 따라서 자본주의 체제는 무너지고 노동자 계급이 권력을 장악하게 된다.

자본주의에서는 생산수단과 교환수단의 독점이 불평등의 핵심 원인이라면, 사회민주주의의 경제학에서는 토지의 독점이 불평등의 핵심원인이라는 주장을 폈다.

민주주의가 작동하는 원천인 사회경제적 평등은 부와 기회를 독점한 기득권에 저항하며 정립된 개념이자, 평등한 정치적 권리를 획득하기 위한 적극적 참여의 결과다.

신자유주의의 대부이자 시카고학파의 거두인 밀턴 프리드먼*도 『자본주의와 자유』에 기본소득제에 찬성하는 내용을 실은 바 있다. 자본주의의 경쟁적 논리의 극단까지를 주장하는 학자조차도 경쟁 이전의 불평등적 요소, 즉 기업의 노동력 착취, 한계자본 원칙과 같은 대자본의 이익, 땅 투기 등 불로소득 등을 해소하기 위한 한 방편으로 기본소득제를 주장하거나 찬성하는 입장으로 보이고 있는 것이다.

---

*밀턴 프리드먼은 1946년부터 시카고대학교 교수로 재직하고 있으며, 19세기 유럽에 풍미했던 자유주의를 주장했다. 1976년 노벨경제학상을 받았다. 1962년 아내인 로즈 D. 프리드먼과 함께 쓴 『자본주의와 자유(Capitalism and Freedom)』에서 그는 당시의 사회복지제도를 개인주의의 전통적인 가치에 반하는 중앙집권적·관료적이라고 비판하면서 이를 부의 소득세로 대체할 것을 주장했다. 요즈음의 보편적 복지를 폄하하고 불로소득층의 기득권을 인정하고 경제학계가 자본과 대규모 땅 소유자들의 손을 들어줌으로써 자본의 힘으로 경제학계를 잡으려한 의도가 있었다는 추론도 있다.

해방 정국에서 농지법까지

농지개혁의 과정과 의미

해방 후 미군정은 농지개혁을 위해 입법을 시도했으나 한민당 등 지주계층의 반발로, 일제 귀속농지에 대한 분배작업만 개시했을 뿐, 입법은 성사되지 못했다.

그리고 이런 시도는 제헌헌법 제86조에 명시하는 것으로 제1공화국에 떠넘겨졌다.

1948년 8월 15일 정부수립 후 제1공화국에서는 미군정에서 낸 안보다 지주들에게 유리한 내용으로 수정함으로써 1949년 6월 마침내 법률 제31호로 공포되었으나 빈농에게 농지가격의 최대 30%까지 보조금을 줄 수 있다는 제7조 제1항 제5호가 삭제되고 정부보증 융통식 증권을 지가증권으로 바꾸는 등의 개정작업을 거치느라 집행되지 못했다.

농지개혁법은 한국전쟁이 일어나기 3개월 전인 1950년 3월 10일 법률 제108호로 개정이 완료되었다. 농지개혁을 퇴행시키던 한민당 계열의 방해공작 등 복잡한 변수를 조봉암이라는 독립운동가 출신의 진보적 정치인에 의해 나름 당시의 현실을 반영하여 최종 통과된 것이다. 그러나 6.25 전쟁으로 인해 사실상 집행이 중단되고 말았다.

농지개혁은 해방 이후, 1945년 11월 미군정법령 제33호 '조선 내에 있는 일본인 재산의 취득에 관한 건'이 공포되면서 일본인의 개인재산과 동양척식회사를 위시한 일본계 회사의 재산은 몰수되어 미군정 산하의 신한공사로 이관돼 관리됐다. 이때 신한공사는 소작료를 기존의 3분의 1 수준으로 부과하는 한편, 미군정 당국은 일본인 소유 귀속농지의 매각을 위해 1947년 대대적인 농업조사를 실시했다.

1948년 3월 미군정은 군정법령 제173호 '귀속농지 매각령' 및 동령 제174호 '신한공사 해산령'을 공포하면서 2정보 미만의 소유 상한을 두고 해당 귀속농지의 신한공사 소작농에게 우선적으로 불하하는 조치를 취했다. 농지의 매각가격은 1년 생산량의 3배로 산정해 매년 소출의 20%를 15년간 현물로 납부하도록 했으며, 등기를 통해 소유권이 일본인에서 곧바로 한국인으로 이전되는 형태였다. 귀속농지의 매각사업은 1948년 3월에 신설된 미군정 산하의 중앙토지행정처에서 담당했던 것으로 기록이 남아 있다.

그러나 친일분자들과 지주들이 소유하고 있던 농지는 북한이 무살몰수-무상분배의 농지개혁을 함으로써 남한도 농지개혁을 해야 한다는 여론의 대단한 압박을 받고 있었다.

당시 농지개혁 문제에 대한 농민들의 관심이 대단히 높았다. 당시 경제구조에서 농업이 차지하는 비중이 절대적이었고, 농민 대다수가 소작농이었다. 이러한 만큼 농민들에게 있어서 농지는 가장 큰 관심사였지만, 미군정은 소작료를 3분의 1로 낮추고 소작권 부활만 했을 뿐 구체적이고 근본적인 농지 및 토지개혁에서는 거의 지지부진했다.

오히려 미군정은 현상유지만을 원하면서 농지개혁에는 소극적이고 미비했다. 반면, 38선 이북에서는 일찍이 북조선 임시 인민위원회에서 1946년 토지 및 농지개혁이 토지상한선 5정보로 무상몰수-무상분배의 제도가 실시되었기에 대한민국에서의 늦은 농지개혁은 농민들의 불만을 고조시키는 요인이었다.

1948년에 대한민국 정부가 수립되자 농민들의 가장 큰 관심사는 농지개혁이었다. 농민들의 농지개혁에 대한 목소리가 높아지자, 제1공화국 정부는 1949년 농지개혁법을 제정하게 된다. 이 농지개혁법이 처음 제정되었을 당시, 지주세력들이나 농민세력들 양측이 모두 반발하며 불만의 목소리가 높았다.

한민당(이후 민주국민당)의 방해공작으로 많이 후퇴하기는 했지만, 1950년 3월에 농지개혁법 개정안 및 동법 시행령, 같은 해 4월 농지개혁법 시행규칙이 공포되면서 법적·제도적 기반이 마련되고, 같은 해 5월에 농지개혁이 실시됐다.

농지개혁법에서도 미군정의 귀속농지 매각사업에서와 마찬가지로 해당 경지를 현소작인에게 우선적으로 불하하도록 했으며, 농지 소유 상한선 3정보와 거주지로부터 8km 이내라는 제한을 뒀다. 귀속농지 매각사업에서와는 달리 1년 소출의 1.5배를 매각지가로 산정, 매년 소출의 30%씩 5년간 균등 상환하도록 했다.

그러나 한 달여 후인 1950년 6월 25일에 한국전쟁이 발발함에 따라 농지개혁법의 전면 실시는 연기됐다. 전쟁 중인 1951년에는 귀속농지 특별조치법이 시행되면서 1948년 분배된 귀속농지도 농지개혁법의 상환조건을 준용하도록 하였다.

이렇게 되자 귀속농지와 매수농지의 분배 및 상환 업무를 별도로 할 필요가 없게 되었고, 1952년 4월 농림부 직제개정을 통해 기존의 농지국과 귀속농지관리국을 통합해 농지관리국을 설치하고, 농지개혁을 담당하게 했다.

휴전이 된 1953년이 돼서야 본격적으로 시행에 들어가 개인에게 불하하도록 농지개혁법을 실시했다. 1950~1970년간 농지개혁법에 의해 매수/분배된 농지는 34만 2,365정보로 전국 농지 230만여 정보의 약 15%에 해당한다.

이와 같은 농지개혁은 지주와 친일세력의 편법에 의해 엄청나게 왜곡되기도 한다. 농지에만 한정된 개혁이라 임야 등은 제외되었고, 심지어 바닷가 논을 염전으로 바꿔 농지개혁 대상에서 벗어나는 행각이 벌어지기도 했다. 이 짓을 벌인 사람이 바로 한민당 당수 김성수로 고창의 삼양염전은 그대로 그들의 소유가 유지돼 삼양사라는 기업으로 이어진다.

당시에 문중이라는 이름으로 임야를 소유했으며, 친일(親日) 지주들은 토지를 빼앗기지 않기 위해 대학을 설립하거나 전문학교 등을 인수해 대학으로 전환하는 경우도 발생하고 중•고등학교를 설립하기도 한다. 당시 정치적으로 활발하게 활동하고 있던 김성수, 김활란, 임영신, 민영휘 등이 대표적인 사례다. 그래서 그들은 광활한 땅을 그대로 유지할 수 있었다.

이렇게 해방 후의 농지개혁은 다양한 방식으로 이뤄지고 여러 행태의 변질도 있었다.

이에 대헤서는 학자들의 다양한 평가가 존재한다.

긍정적 시각을 보면 대토지 소유를 해체하고 자작농을 육성한 덕분에 산업 자본주의 발전을 가로막는 낡은 요소는 사라지고 새로운 경제 주역이 급성장했다는 견해다. 지주 대신 자본가가 부상했고 자기 땅을 일구게 된 농가에서는 높은 교육 수준을 갖춘 미래의 노동자들이 배출됐다는 것이다.

농지개혁에 어느 정도 성공한 한국, 일본, 대만과 이에 실패해 대토지 소유관계가 잔존하는 라틴아메리카와 동남아시아의 산업화 정도가 농지개혁의 중요성을 증명한다고 주장한다. 또한 농지개혁으로 남한 사람들의 동요를 막아 한국전쟁이 발발했음에도 공산화를 방지하는 결과를 낳았다는 평가도 있다. 물론 북한은 무상몰수-무상분배를 했다고 하지만 나중에 협동농장의 형태로 다시 땅을 국유화했으므로 북한 인민들로서는 아무런 실익이 없었기 때문이기도 하다.

부정적 시각도 많이 존재한다.

정부의 초기 경제 정책이 미흡하다는 점과 1950년부터 시행된 이 농지개혁은 분배 조건이 지나치게 까다로웠으며 설령 토지를 불하받은 농민이라 하더라도 원조물자로 인한 곡물 값 폭락으로 쌀 가격이 생산비를 턱없이 밑도는 상황에서, 영세농의 생활을 면할 수 없는 한계를 지녔다는 주장이다.

그리고 농지개혁법이 통과되어 불하를 시행하기 이전에 미리 소식을 들었던 지주들은 토지를 빈농층에게 강매(强賣)했으며, 몇몇 지주들은 빈농층에게 다시 토지를 구매해 신흥 지주계급으로 바뀌기도 했다는 것이다. 또한 정부의 의도인 '토지자본에서 산업자본으로의 전환'과는 달리, 토지채권이 턱없이 헐값이라 지주에서 자본가로 전환한 계층은 극소수에 지나지 않았다. 이로 이유로 '농지개혁법은 불완전한 개혁'이라는 부정적 시각이 있다.

이 농지개혁법은 1993년 김영삼 대통령 재임 중 폐지가 발표되었다. 농가 경쟁력을 높이기 위해 기업농을 육성한다는 명목으로 농지 소유 한도를 3만 평에서 6만 평으로 늘리고 비(非)농민의 농지 소유를 3천 평으로 제한하는 새로운 농지법을 발표하면서였다.

과거의 농지개혁법, 농지개혁사업 정리에 관한 특별조치법(1968년 3월 13일 제정), 농지의 보전 및 이용에 관한 법률(1972년 12월18일 제정), 농지임대차관리법(1986년 12월 31일 제정), 지력증진법(1966년 3월 15일 제정)을 통합해 제정한 새로운 농지법은 1996년에 발효됐고, 이에 따라 조봉암 초대 농림부장관의 작품으로 만들어진 농지개혁법은 47년 만에 역사 속으로 사라졌다.

농지전용 허가와 협의

농지전용 제도의 문제점

현행 농지전용 허가·협의 제도의 문제점을 다음과 같이 요약할
수 있다.

첫째, 농지전용으로 인해 경지면적이 계속 감소하고 있다는 점
이다. 경지면적은 1968년 231만 8,000ha를 정점으로 점차 감소
되기 시작한 이래 1980년 219만 6,000ha, 1990년 210만 9,000
ha, 2000년 188만 9,000ha, 2010년 171만 5,000ha, 2014년 169만
1,000ha로 계속 감소해왔으며 최근 더욱 가속화했는데, 그 원인
은 농지전용과 유휴지 면적의 증가이다.

1974~2014년에 감소된 농지 면적은 55만ha에 달하였는데,
그 71%에 해당되는 39만 ha의 농지가 전용으로 인한 감소. 약
71%가 농지전용으로 농지가 없어지는 것이다.

반면 유휴지 면적은 1990년 3,515ha에서 2000년 4,734ha,
2011년 7,410ha로 늘어났다.

농지전용 후 토지가격 상승

단위: %, 명

		하락	불변	2~3배 상승	3~5배 상승	5~10배 상승	10배 이상 상승	합계
사천시	전용자	-	28	63	7	2	-	54(100.0)
	주민	-	17	77	6	-	-	53(100.0)
	합계	-	22	70	7	1	-	107(100.0)
원주시	전용자	-	-	44	57	-	-	23(100.0)
	주민	-	-	22	76	2.2	-	46(100.0)
	합계	-	-	29	70	1.4	-	69(100.0)
완주군	전용자	-	40	45	13	1.9	-	53(100.0)
	주민	-	8	80	12	-	-	61(100.0)
	합계	-	23	64	12	0.9	-	114(100.0)
합계	전용자	-	28	52	19	1.5	-	130(100.0)
	주민	-	9	63	28	0.6	-	160(100.0)
	합계	-	17	58	24	1	-	290(100.0)
통신원		-	27	57	4	0.4	-	481(100.0)

　그런데 유휴지로 바뀐 경지는 다시 경지로 개발·활용할 수 있으나 전용(轉用)된 농지는 환원할 수 없다는 점, 농지로서 입지와 농업생산기반 면에서 전용농지가 유휴지보다 우수하다는 점 등을 감안하면 농지전용이 경지면적 감소에 더욱 치명적이라 할 수 있다. 경지면적 감소는 농업생산 감소의 직접 원인이므로 최대한 억제할 필요가 있다.

　더욱이 우량농지라고 할 수 있는 농업진흥지역 내의 농지도 농업용, 공공용 시설 목적 등으로 전용할 수 있으며, 농업진흥지역 밖의 농지는 농지전용 허가 또는 개발행위 허가를 통해 필지별

로 농지를 전용할 수 있다. 농업진흥지역 농지전용 면적은 2010
~2014년에 총 1만 1,038ha로 연평균 2,208ha에 달하였으며,
농업진흥지역 내의 농지면적은 2014년에 81만ha로 전체 169만
1000ha의 48%에 불과하다.

농지전용을 하는 이유는 전용하면 땅값이 10배 이상 뛰기 때문
이다. 그렇기 때문에 당초부터 헌법정신인 '경자유전(耕者有田)
의 원칙'을 지켜 농사꾼이 아니면 농지를 소유하지 못하도록 해야
한다. 농민이 아닌데 농지가 그들에게 무슨 필요가 있겠는가. 농
지전용이나 해서 팔거나 재산적 가치를 높여 소유하는 것이 훨씬
낫기에 누구나 농지전용을 원한다. 그러나 여기에서 발생하는 불
로소득은 정부가 세금을 부과하기도 힘들다.

특히 농지는 경자(농민)가 아니더라도 소유할 수 있는 길이 너
무도 많다. 부모로부터 상속을 받거나 농사지을 때 소유한 농지지
만 탈농으로 농사를 짓지 않을 경우, 주말농장용으로 활용할 경
우, 또 가짜 농사꾼으로 지역민에게 농사를 맡긴 투기꾼들 등 여
러 가지 사례가 있다.

더구나 농지전용이 엄격히 제한되는 농업진흥지역의 농지들은
일반 농지들에 비해 농지가격이 저렴해 이를 소유한 농민들조차
불만이 많다. 2008년 현재 전국 평균으로 농업진흥지역 농지는
일반농지에 비해 값이 76.1%(논)~78.4%(밭)에 불과하다. 농지가
격이 가장 높은 경기도의 경우 70.0%~76.1%로 자산가치상의 손
실을 입고 있다.

그럼에도 농지 보전에 대한 보상제도가 없어 농민들조차 농지
보전보다 전용을 원하는 실정이다.

2014년 '논 농업 직불제'의 고정 직불금으로 농업진흥지역 농지에 대해 97만 187원/ha, 그 외 지역 농지에 대해 72만 7,640원/ha가 지급돼 농업진흥지역 농지에 242,547원/ha을 우대하고 있으나 농지보전으로 인한 지가 차손에 비하면 보상으로서는 극히 미흡한 수준이다.

또한 농지전용 규모가 건당 소규모인 데다 필지별로 여기저기 분산돼 전용됨으로써 인접농지와 농촌의 생활환경 및 경관을 오염·훼손시키며 난개발의 원인이 된다. 농지전용 기대를 높여 비농업인의 투기적 농지 소유를 유발하고 농지전용 가능성을 높이며 농지가격을 수익지가 이상으로 상승하게 하는 원인이 된다.

2007~2014년의 8년간 농지전용 건수는 총 47만 4,743건(연평균 5만 9,343건), 전용면적은 총 13만 1,977ha(연평균 1만 6,497ha)으로서, 1건당 전용 면적은 2,780㎡(842평)에 불과했다. 경지면적은 2013년의 171만 1,000ha에서 2019년 161만 8,000ha, 2024년 158만 4,000ha로 계속 감소할 것으로 전망된다.

이같이 농지전용으로 인한 농지의 감소는 더 이상 방치할 수 없는 수준이다. 농지 감소의 가장 큰 원인이 농지전용이라는 것을 알면 이를 막는 방법을 반드시 마련해야 한다. 그것은 다름 아닌 '경자유전(耕者有田)의 원칙', 즉 농민만이 농지를 소유하게 해야 한다는 원칙이며, 이래야 농지를 전용하려는 투기꾼들의 움직임을 막을 수 있다.

농지법에서 비(非)농민이 농지를 소유할 수 있는 길을 원천적으로 차단해야 하며, 사회적 필요에 의한 개발과 농지전용이 필요할 경우라도 국민의 사회적 합의를 통해 국가 및 지방의 개발계획이 세워져야 한다. 그래서 농지법 다음으로 국가 및 지방의 개발 계획을 담은 '국토의 계획 및 이용에 관한 법률(국토법)'도 총체적 점검이 필요하다.

과거 농지 불법소유와 직불금 부당수령

2009년 고위공직자들의 직불금 부당수령

저자가 고위 공직자들의 농지소유를 기록으로 남기려는 데는 이유가 있다. 2009년 당시 고위공직자들의 농지 소유뿐만 아니라 이를 통해 경작자에게 가야 할 직불금을 고위공직자는 물론 사회 각계 각층의 지도층 인사들이 가로챈 사실이 들통이 나서 언론에 크게 게재된 시기였기 때문이다. 농사짓는 농민의 몫을 농사도 짓지 않은 자들이 빼앗아 간 셈이었다.

농지를 전용하려는 이유(통신원 조사)

단위: 명, %

	응답자	비율
겸업소득을 얻기 위해	120	43.2
농지전용수요가 많기 때문	12	4.3
지가상승과 재산가치 증가	41	15
고령에 영농후계자 없어 영농중단	77	28
농지여건 불리하여 영농 곤란	17	6
기타	11	4
합계	278	100

당시 정부는 국가정책조정회의를 열고 쌀 직불금 수령자 130
만 3,000명을 대상으로 전수조사를 실시해 쌀 직불금 특별조사
결과 및 후속 조치를 발표했다. 이 발표에 따르면 부당 수령자는
전체의 1.5% 수준인 1만 9,242명이었으나 엄청나게 많은 고위공
직자와 사회 지도급 인사들이 포함돼 파장을 일으켰던 것이다.

2009년 5월 1일자 전국의 일간지들은 정부가 발표한 쌀 소득
보전 직접지불금을 부당 수령한 공공기관 임직원들의 현황을 대
대적으로 보도했다. 지난 2005년부터 2008년까지 쌀 소득보전
직접지불금을 부당 수령한 공공기관 임직원이 공무원 2,155명을
포함, 모두 2,452명인 것으로 드러난 것이다.

특히 이 중에는 통일부 및 경기도교육청 부이사관을 비롯한 3
급 이상 고위 공무원 7명과 가스안전공사·충북개발공사·김포시
설관리공단·한국산업단지공단 임원 각 1명도 포함돼 있는 것으
로 조사됐다.

지역에서 농지전용이 발생하는 이유

단위: 명, (%)

	농지가격저렴	교통편리	도시근접	전용용이	낮은농업소득	기타	합계
사천시	11(20.4)	13(24.1)	4(7.4)	20(37.0)	4(7.4)	2(3.7)	54(100.0)
원주시	4(8.7)	5(10.9)	19(41.3)	2(4.3)	10(21.7)	6(13.0)	46(100.0)
완주군	31(50.8)	3(4.9)	6(9.8)	2(3.3)	11(18.0)	8(13.1)	61(100.0)
합계	46(28.6)	21(13.0)	29(18.0)	24(14.9)	25(15.5)	16(9.9)	161(100.0)
통신원	106(24.2)	54(12.3)	33(7.5)	21(4.8)	165(37.7)	59(13.5)	438(100.0)

또 직불금을 받은 공무원 포함 공공기관 임직원 5만 7,045명 중 부당 수령자는 4.3%인 2,452명이었고 부당 수령 고위공무원 및 공공기관 임원은 모두 11명이었다.

농림수산식품부가 당시 4년간 쌀 직불금 수령자를 대상으로 전수(全數)조사한 결과 전체 부당 수령자 1만 9,242명 가운데 관외 경작자(농지 소재지나 인접 시•군•구에 살지 않고 농사를 짓는 사람)는 8,847명, 관내 경작자는 1만 395명이었다.

농지전용이 인접농지와 농업생산에 미치는 영향

단위: 명, (%)

	사례조사 지역 주민				통신원
	사천시	원주시	완주군	합계	
별 영향없다	8(14.8)	11(24.4)	12(19.7)	31(19.4)	202(46.8)
긍정적인 영향이 더 크다	-	7(15.)	5(8.2)	12(7.5)	59(13.7)
부정적인 영향이 더 크다	13(24.1)	11(24.4)	16(26.2)	40(25.0)	59(13.7)
긍정적·부정적 영향이 비슷	6(11.1)	5(11.1)	12(19.7)	23(14.4)	51(11.8)
부정적인 영향만 있다	24(44.4)	3(6.7)	8(13.1)	35(21.9)	30(6.9)
긍정적인 영향만 있다	-	2(4.4)	3(4.9)	5(3.1)	10(2.3)
모르겠다	3(5.6)	6(13.3)	5(8.2)	14(8.8)	21(4.9)
합계	54(100.0)	45(100.0)	61(100.0)	160(100.0)	432(100.0)

농지전용이 인접 농지와 농업생산에 미치는 부정적 영향

단위: 명, (%)

	사례조사 지역 주민				통신원
	사천시	원주시	완주군	합계	
농작업 방해	1(1.9)	1(2.4)	5(8.2)	7(4.5)	68(17.7)
농업용수·농지 오염	18(33.3)	17(41.5)	39(63.9)	74(47.4)	146(38.0)
인접 농지 전용 조장	25(46.3)	-	3(4.9)	28(17.9)	60(15.6)
영농의욕저하· 위화감조성	10(18.5)	23(56.1)	11(18.1)	44(28.2)	90(23.4)
기타	-	-	3(4.9)	3(1.9)	20(5.2)
합계	54(100.0)	41(100.0)	61(100.0)	156(100.0)	384(100.0)

또 행정안전부가 공무원과 공공기관 임직원의 자진신고를 받아 부당 수령 여부를 확인한 결과 부당 수령자는 모두 2,452명으로 이 중 자신이 직접 직불금을 수령한 사람은 1,488명이었고 배우자 수령이 529명, 직계존비속 수령이 435명이었다.

소속 기관별로는 중앙기관 공무원 508명, 지방공무원 941명, 교육청 706명, 공공기관 297명이었다. 특히 3급 이상 고위공무원은 방송통신위원회 고위공무원 김모 씨, 농촌진흥청 고위공무원 조모 씨, 통일부 부이사관 김모 씨, 국방부 군무원 3급 남모 씨, 경기도교육청 지방부이사관 도모 씨, 전북도 지방부이사관 민모 씨와 이종진 달성군수 등 11명이었다.

당시 농림부는 직불금을 부당 수령할 경우 원금은 물론 원금의 2배를 부당 이득금으로 추가 징수해 모두 원금의 3배를 반납하게 했다. 그러나 직불금의 부당수령은 아직 발본색원되지 않고 있으며, 지금은 아예 부재지주가 농지를 소유하는 과정에서 농사짓는 사람이 직불금을 받지 않고 지주에게 주는 지역민에게 농사를 맡기는 복덕방 시스템을 갖춰 더욱 교묘한 임대차를 하고 있는 상태다.

당시 정부는 정치인은 물론, 고위공직자, 법관, 검경, 목사, 교수 등 사회 지도급 인사들까지 직불금을 부당 수령하고 있는 것으로 소문이 퍼져 갔지만 모든 현실이 수면 속으로 감춰졌고, 걸리면 3배 벌금이라는 미봉책을 던졌지만 걸리지 않으면 그뿐 모든 사실이 묻혔다.

농지전용이 지역경제에 미친 영향에 대한 전반적인 평가

단위: %

		별영향없다	긍정영향크다	부정영향크다	긍정부정비슷	부정영향뿐	긍정영향뿐	모르겠다	합계
사천시	전용자	9.3	59	11	19	1.9	-	-	100
	주민	11	9	28	11	31.5	-	9	100
	합계	10	34	19	15	16.7	-	5	100
원주시	전용자	26	30	4	17	-	17	4	100
	주민	20	22	9	20	4.4	11	13	100
	합계	22	25	7	19	2.9	13	10	100

완주군	전용자	28	36	13	4	-	13	6	100
	주민	15	25	12	30	4.9	7	8	100
	합계	21	30	12	18	2.6	10	7	100
합계	전용자	20	45	11	12	0.8	9	3	100
	주민	15	19	16	21	13.8	6	10	100
	합계	17	30	14	17	7.9	7	7	100
통신원		45	16	9	18	3.9	4	4	100

농지전용이 지역경제에 미친 긍정적 영향

단위: %

		일자리 창출	소득기회 증대	인구 유입	지가 상승	지역 개발	기타	합계
사천시	전용자	9.3	4	-	26	57.4	4	100
	주민	-	4	-	57	29.6	9	100
	합계	5	4	-	42	43.5	7	100
원주시	전용자	13	13	17	17	21.7	17	100
	주민	7	11	13	44	15.2	11	100
	합계	9	12	15	35	17.4	13	100
완주군	전용자	28	15	13	15	15.1	13	100
	주민	13	2	12	56	16.4	2	100
	합계	20	8	12	37	15.8	7	100

합계	전용자	18	10	9	20	33.8	10	100
	주민	7	5	8	53	20.5	7	100
	합계	12	7	8	38	26.5	8	100
통신원		9	16	23	28	11.9	11	100

이렇게 만든 것은 농지법을 누더기로 만든 정권 탓이 가장 크다. 상속이나 이농에 따른 농지 소유도 한도 이상이 아니라 소유 기한을 정해 팔도록 해야 하는데, 이런 편법은 그만두고라도 주말 농장으로 이용하면 도시민도 농지를 살 수 있도록 규정하고 있다.

농사꾼이 아니면서 농지를 소유한 부재지주들은 농민 행세를 하기 위해 과수, 관상수 묘목을 심거나 자신이 농사짓는 것처럼 비닐하우스를 짓고 실제로는 지역민이 농사를 짓도록 하는 것 자체가 농지법의 허점 때문이다.

또한 부재지주들은 임차농이 사는 비료, 농약, 종자 영수증을 갖고 있으면서 직불금 받을 때 관련 자료로 제공할 수 있도록 하는 등 부재지주의 편법은 끝없이 발전해간다. 있는 자들의 농지에 대한 탐욕(貪慾)은 끝없이 새로운 전략으로 발전하고 있다.

통계청의 임차농지 비율 추이를 보면, 2012년 47.8%에서 2017년 51.4%로 증가한다. 농지은행 등을 통해 정식 임대차 계약을 맺은 농지 비율이다. 그러나 농지 소유자들의 자경(自耕) 행세를 위해 드러나지 않는 계약 관계의 소작인과 임차 농지는 통계에 잡히지 않는다. 남의 땅에서 농사짓는 소작인 증가 추이는 통계청 수치보다 훨씬 가파를 것으로 추정된다. 헌법이 규정한 '경자유전'의 원칙은 낡은 종이에 인쇄된 문구일 뿐이다.

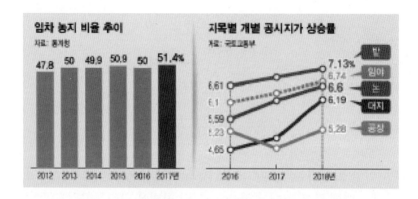

임차 농지 비율 추이
자료: 통계청
47.8 50 49.9 50.9 50 51.4%
2012 2013 2014 2015 2016 2017년

지목별 개별 공시지가 상승률
자료: 국토교통부
7.13% 밭
6.74 임야
6.6 논
6.19 대지
5.28 공장
6.61 6.1 5.59 4.23 4.65
2016 2017 2018년

국토교통부 '개별 공시지가 상승률'을 지목별로 보면 2016~2018년 3년 연속 가장 땅값이 오른 지목은 '밭'이다. 2008년부터 2017년까지 서울과 인천을 합친 규모(1549.4㎢)의 농지가 사라지면서 신도시, 산업단지, 고속도로 등으로 개발됐다. 대지보다 값은 싸지만 일단 개발이 되면 상승률은 높다.

과거 김포시에 속했던 다남동의 경우 현재 90%의 농지를 외지인이 소유하고 있다고 한다. 그러나 당시 2만 7,000원 하던 농지값은 인천시가 되고 난 직후 4개월 만에 4만 5,000원으로 오르고, 1년 만에 10만 원으로 4배가량 치솟았다고 한다. 이런 땅을 부재지주들이 농민도 아니면서 소유하고 개발을 기다리는 것이 흔히 볼 수 있는 전형적인 투기수법이다.

이런 땅 소유자들이 불법 소작농에게 대리 농사를 짓게 하고 직불금마저 가로채는 상황은 수면 위로 잘 드러나지 않는다. 이런 부재지주에 대한 정부의 조사는 매년 이뤄지고 있으나 부재지주와 부동산, 지역 토착민들의 연합에 의해 잘 드러나지 않고 있는 것이 현실이다.

농지전용의 파급 영향

비(非)농민의 농지전용을 차단하라

농지전용을 하면 그 결과로 땅값이 상승한다.

그래서 땅 주인은 재산이 늘어나지만 거기에 상응하는 다른 많은 문제점을 양산한다.

농지전용이 불가피한 경우는 있다. 자연재해 등으로 무너지거나 주변의 개발로 자투리땅이 남아 농지의 용도로 불가능할 경우, 또 농민으로서 농지를 소유하고 있지만 집이 없어서 주택을 짓는다거나 하는, 꼭 필요한 경우의 농지전용을 지적하는 것이 아니다. 지가상승을 위해 의도적으로 농지법의 규정을 악용해 편법으로 농지를 전용하는 경우가 대부분이다.

따라서 농지전용의 악영향은 꼭 짚고 넘어가야 한다. 특히 농민이 아닌 비(非)농민이 농지전용을 하는 경우에는 상속이나 이농자(離農者)의 소유를 제외하고 소유 자체가 헌법 위반이기 때문에 농지전용이 불가능해야 한다.

농지전용은 전용한 땅과 인접한 농지와 농업용수를 오염시키고 자연환경과 경관이 훼손된다. 또 농작업이 방해를 받는 것은 물론, 영농 의욕이 저하되는 등의 부정적인 영향을 미친다.

더구나 농지전용에 대한 기대수익이 커져 경쟁력 강화를 위한 농업 경영규모 확대가 이뤄지지 않고 소규모 농가들이 정체되는 현상이 발생한다. 땅을 팔지 않고 손쉬운 농사만 지으면서 이를 유지하려는 경향이 있기 때문이다.

농지전용의 부정적 영향

단위: %

		농지 면적 감소	농지 오염 증대	자연경 관훼손	농지 가격 상승	주민 위화감	기타	합계
사천시	전용자	75.9	11	11		1.9		100
	주민	30	9	44	9	5.6	2	100
	합계	53	10	28	5	3.7	1	100
원주시	전용자	22	4	22	4	13	35	100
	주민	24	4	41	9	8.7	13	100
	합계	23	4	35	7	10.1	20	100
완주군	전용자	49	6	6	11	1.9	26	100
	주민	10	30	49		8.2	3	100
	합계	28	18	29	5	5.3	14	100
합계	전용자	55	8	11	5	3.8	17	100
	주민	21	16	45	6	7.5	6	100
	합계	36	12	30	6	5.8	11	100
통신원		41	12	17	17	10.3	4	100

이런 상황에서 농지전용 면적과 농지가격, 농가자산은 서로 인과관계가 성립하고 있다. 이 때문에 농민들의 영농 의욕은 저하되고 언제라도 가능한 방법을 동원해 농지전용을 꿈꾸고 있는 것이

다. 일부 농민들은 농지를 지키려 하기보다 편법으로라도 부재지주가 될 수 있는 도시민에게 농지를 팔고 그 땅을 임대차로 농사 짓기를 원하는 경우도 많다. 이런 사례들은 결국 직불금 부당수령의 소지를 제공하는 것으로 연결되기도 한다.

농지전용이 지역의 자연환경·경관에 미친 영향

단위: %

		나빠졌다	매우나빠졌다	별 영향 없다	좋아졌다	아주 좋아졌다	잘 모르겠다	합계
사천시	전용자	72.2	4	15	6	-	4	100
	주민	59	32	7	-	-	2	100
	합계	66	18	11	3	-	3	100
원주시	전용자	30	-	39	26	-	4	100
	주민	41	7	28	7	-	17	100
	합계	38	4	32	13	-	13	100
완주군	전용자	2	6	64	15	3.8	9	100
	주민	57	7	28	5	-	3	100
	합계	32	6	45	10	1.8	6	100
합계	전용자	36	4	39	13	1.5	6	100
	주민	53	15	21	4	-	7	100
	합계	46	10	29	8	0.7	7	100
통신원		30	6	45	9	1.4	8	100

또 농지전용은 지역에 소규모 공장이 난립하게 해 지역의 환경을 변화시키기도 한다. 경남 사천시가 그런 경우로 지역주민들의 농지전용에 대한 부정적 여론도 이 때문에 형성됐다고 한다. 그렇기 때문에 농지전용은 주민 간의 마찰과 위화감을 조성하기도 한다.

국가 차원에서 농지전용의 가장 큰 문제점은 경지 면적이 점점 줄어든다는 점이다. 식량 자급률을 높여 국민에게 안정적인 식량을 공급해야 한다는 점에서 경지면적의 축소는 커다란 문제점이 아닐 수 없다. 이 결과로 헌법상 경자유전(耕者有田)의 원칙은 무너지고 농지제도는 형편없이 문란(紊亂)해지고 있는 것이다.

특히 전문 공인중개사들의 경우 농지법과 국토법의 테두리에서 농지를 전용하는 방법을 훈수하고 있어서 부동산 투기꾼들을 양산하는 경우도 발생한다. 특히 기획부동산이니, 농지전용 전문가니, 목 좋은 땅 구매 방법 강좌니… 다양한 형태로 부동산 투기를 조장하고 이를 업으로 삼아 살아가는 직종도 다수 있는 것이 현실이다. 이런 측면에서 국토법의 용도지역 제도는 용도별 지가의 차이로 부동산 투기를 유발하는 측면이 있으므로 폐기 또는 전환해야 한다는 학자들의 의견도 있다.

특히 투기꾼들이 선호하는 농지전용의 대상지는 바로 농업진흥지역이다. 농지전용이 까다로운 만큼 전용 후 땅값 상승의 폭이 커서 불로소득 비율이 높은 것이다. 더구나 현행 농지법 내에서도 다양하게 농지를 전용할 수 있는 구멍이 존재해 전문 투기꾼들에겐 고양이 앞의 생선인 셈이다.

결론적으로 농지전용은 굳이 긍정적 영향이라면 개인의 자산이 많아지는 것이지만 부정적인 영향은 농경지 감소, 헌법정신 훼손, 환경오염, 인심 각박(刻薄), 경관 훼손, 영농 의욕 저하, 직불금 부당수령의 확산, 주민 간의 마찰과 위화감 증대 등 다양한 문제점을 보이고 있어 구체적인 대안 마련이 시급한 상황이다.

농지전용 제도의 개편

어떻게 개편해야 할까

국가의 식량 생산을 기본적으로 유지하고 기본 식량을 지키기 위해서는 농지가 한계면적 이하로 줄어서는 안 된다. 이를 위해 농지전용 제도를 대대적으로 개편해야 한다.

농지전용을 막으려면 그 원인을 찾아 이에 상응하는 대책을 마련해야 한다. 일단 주택, 학교, 문화시설, 공장단지, 복지시설의 설치 등 도시계획에 필요한 용지를 구할 때 값이 싼 농지를 선호하고 있다는 문제가 지적된다.

중앙정부의 국토교통부나 지방자치단체의 경우도 도시개발을 위해 농지를 선호한다. 이는 토지 수용비가 싸게 들기 때문이다. 건설업자나 개발자들도 땅값이 싼 농지의 개발을 선호한다. 농지법상에도 개발을 허용하는 분야가 있기 때문이다. 기존 도시용지나 산업(産業)용지 등 일반 도시용지는 땅값이 비싸기 때문에 꺼려한다. 농지전용을 막으려면 기존 도시용지와 산업(産業)용지를 이용하거나 재활용해야 한다. 유럽의 농지제도와 같이 농지는 원천적으로 개발할 수 없도록 해야 한다.

용도지역별로 땅값의 차이가 큰 점과 소규모로 분산된 개별적인 농지전용도 농지를 없애는 주요 원인이다. 이를 막으려면 방법은 한 가지밖에 없다. 현행 용도지역 제도를 유럽식 계획허가제로 바꿔야 한다. 개별 분산 농지전용과 개발행위를 차단하고 계획적•집단적 개발이 되도록 하면서 개발로 인해 발생하는 이익은 최대한 환수할 수 있도록 개발이익 환수제도를 강화해야 한다.

개발 계획을 수립해 허가받지 않으면 어떤 건축이나 개발도 할 수 없을 경우 여기저기서 개별적으로 실시하던 소규모의 개발 행위나 농지전용이 불가능해지고, 이에 따라 농지전용에 따른 개발이익에 대한 기대심리는 물론 땅값 상승도 없을 것이기 때문이다.

다만 '계획 없이 개발 없다.'는 건축 부자유 원칙과 계획 허가제를 전면 도입하려면 국회의 입법 과정이 쉽지는 않다. 다수의 국회의원들이 부동산 투기를 하고 있기 때문이다.

이를 도입하려면 '국토의 계획 및 이용에 관한 법률(국토법)'을 대대적으로 손봐야 한다.

현행 제도는 계획적 개발을 목표로 삼고, 3ha 이상의 개발은 지구단위 계획 등을 세워 개발하도록 했는데, 3ha는 대지 200평의 주택 45가구가 건립될 수 있는 면적으로, 농지전용 1건당 평균 전용면적은 3,282㎡(994평)이어서 현행 국토법이 소규모 농지전용을 조장하고 있는 셈이다. 이는 당초 농지전용을 억제한다는 취지로 제정된 법 조항이 소규모 농지전용을 오히려 쉽게 할 수 있도록 하는 통로가 되는 셈이다.

또한 계획적 개발이 되려면 소규모 농지전용을 금지해야 하는데 농업인 등의 반발로 손도 대지 못하고 있는 것이다.

200

아울러 농업진흥지역에 대한 농지전용 금지를 농지법상에서 못 박아야 한다.

일본의 경우 우리의 농업진흥지역에 해당하는 농용지구역의 농지에 대해서는 농지전용을 원칙적으로 허용하지 않는다. 일본의 농지전용허가제에서 농지전용이 금지되는 농용지구역의 면적은 2005년 407만ha로 전체 농지 469만ha의 87%에 달한다. 철저한 농업진흥지역의 관리로 농지전용을 막고 있는 것이다.

그래서 농지를 소유한 농민들을 위해서는 계획적 개발과 농업진흥지역의 농지전용 금지 등을 전제로 땅값으로 인해 상대적으로 손해 보는 비율만큼 농지직불제 등의 도입 방안이 마련돼야 할 것이다. 일본의 경우 제도적으로 개발이익의 25%를 환수하며, 농지를 전용할 경우 농지 공시지가의 30%를 농지보전 부담금으로 징수하는 한편, 농지보전에 대한 지원제도를 갖고 있는데, 우리도 이런 제도를 활용하면 좋겠다.

우리나라는 개발이익에 비해 개발이익 환수금액은 극히 일부에 불과해 농지전용을 유발하는 원인이 되기도 하고, 농업진흥지역 농지를 보전할 경우 그 농지가격은 주변 농지 가격의 70%에 불과한 상황에서 농민들이 오히려 농지전용에 앞장서는 유인이 되고 있다. 따라서 개발이익 환수를 강화해 농지보전에 대해 보상비로 활용한다면 그 대안이 될 수 있다고 생각한다.

농지전용 심사를 강화해야

농지전용을 막으려면 농지전용 심사를 강화해야 한다. 농지법에서 보면 현행 농지전용 심사는 시•군의 농지관리 담당자가 알아서 심사하고 판단하도록 되어 있다. 이런 방식으로는 엄정하고 공정하게 판단하여 농지전용을 관리할 수 없다. 시•군에 따라서는 공정한 농지전용의 심사를 위해 조례를 제정해 심의위원회를 구성해서 실시하는 곳도 일부 있지만 대부분 방치하고 있다. 법으로 규정해 공정한 심사를 하도록 장치를 만들어야 한다.

더구나 농업진흥지역 농지인 경우 용도구역에서의 행위 제한에 저촉되지 않아야 하며, 전용하려는 농지와 농지면적이 전용목적 사업에 적합해야 한다. 특히 농지보전의 필요성이 크지 않아야 하며, 인근 농지의 농업경영과 생활환경 유지에 피해를 주지 않아야 함은 물론, 사업계획•자금조달계획 등이 적절해야 한다.

농지전용허가를 신청하는 데 필요한 서류는 6개 정도 된다. 해당 서류는 사업계획서, 전용대상 농지의 소유권 입증서류(등기권리증), 지적도 등본 또는 임야도 등본과 지형도, 인근 농지에 대한 피해방지계획서 등이다.

현행으로는 농지전용 허가 담당자가 전용대상 농지의 현장을 답사해 농지전용을 허가해도 될 것인지 판단하지만 이와 같은 방식으로는 제출서류나 심사절차 및 심사기준 등이 농지전용 허가 여부를 판단하는 데 충분한 제도적 장치라고 볼 수 없다.

일본의 경우 농지관리 전담기구인 시•정•촌 농업위원회에 농지전용 허가 신청서를 제출하면 농업위원회 의견을 첨부해 도•도•부•현 지사에게 송부하고, 지사는 현 농업위원회의 의견을 듣고 의견을 제출받아 허가 여부를 결정하는 데 참고한다.

농지전용 허가 여부는 도•도•부•현 지사가 결정하지만 그 과정에서 농업위원회 계통 조직의 의견이 중요한 역할을 하는 것이다. 허가기준 또한 입지(立地)기준과 일반기준으로 나누어 설정하고 있다. 입지(立地)기준은 농지의 기준을 5등급으로 구분해 우량농지는 전용을 엄격히 제한하며, 일반기준에서는 신청목적 실현의 확실성, 주변농지의 영농조건에 대한 지장 여부 등을 기준으로 심사한다.

또한 전용목적별 허가기준을 별도로 정하고 있어 허튼 투기 목적의 전용을 막고 있다. 예를 들어 택지분양, 건축물 건설을 수반하는 전용, 자재적치장, 주차장, 산업폐기물 처분장 등으로 전용용도에 따라 세밀한 허가기준이 적용된다.

농지를 보전하기 위해서는 결단코 농민들이 스스로 농지와 농업을 지키려는 의지가 있어야 한다. 농촌이 초(超)고령화되어 농업에서 은퇴하려는데 영농 후계자가 없어 은퇴하지 못하고, 농지를 임대하거나 다른 용도로 전환하게 되면 농업생산이 위축되거나 단절된다.

이런 문제를 해결하기 위해서는 노령농가 또는 영농 중단 농가의 농업경영을 물려받을 수 있도록 젊고 유능한 전업농이나 조직경영단체, 법인 경영체 등을 육성해야 한다. 나아가 핵심 경영체에게 지역의 농지가 집적될 수 있도록 지역 단위, 들녘 단위로 농지 이용조정의 조치가 이뤄져야 한다.

농지전용의 원인과 영향에 대응하는 문제점과 정책 방향

	구성 요소	문제점	정책 방향
원인	수요측 요인	기존 도시용지·산업용지 고지가로 이용 기피	기존 도시용지·산업용지의 이용·재활용·고도이용
	제도적 요인	■ 용도지역별 지가격차	■ 건축부자유·계획허가제
		■ 소규모 분산 농지전용	■ 소규모 분산 전용 금지
		■ 농업진흥지역 농지전용	■ 농진지역 농지전용 금지
		■ 개발이익 환수 미흡	■ 개발이익 환수 강화
		■ 농지전용허가 심사 형식적	■ 농지전용허가 심사 강화
		■ 농지보전에 대한 보상 미흡	■ 농지보전 보상 강화
	지가 요인	농지전용 전후 지가차익 막대	농지전용 이익 환수
	입지 요인	보전가치가 큰 농지의 전용	공용·공공용 시설에 한정
	공급측 요인	■ 농지보전 기피	■ 농지보전 보상 강화
		■ 농업 은퇴·승계단절	■ 조직경영·법인경영 육성
		■ 농업소득 저위	■ 농외소득 증대 시책
영향	농지가격상승	■ 농업소득으로 농지매입 불능	■ 농지임대차 보호
		■ 농사용 농지 매각 곤란	■ 농지담보융자, 농지연금
		■ 매입에 의한 규모확대 불능	■ 임차에 의한 규모 확대
	경지 감소·오염, 농작업 방해	■ 식량·농업생산 위축	■ 농진지역 농지전용 금지
		■ 농업생산 저해	■ 소규모 분산 전용 금지
	농지전용농가	■ 영농규모 축소	■ 농지이용률 제고
		■ 농업소득 감소	■ 겸업화·복합화·다각화
	지역의 사회·경제·자연	■ 위화감 조성, 영농의욕 저하	■ 교류·상생 프로그램
		■ 일자리·소득기회 창출 저조	■ 대규모 계획적 농지전용
		■ 자연환경·경관 훼손	■ 농지전용허가 심사 강화
	농지제도	■ 농지매입 위축, 경자유전저해	■ 농지매입자금 지원
		■ 농지임대차 촉진·확산	■ 임차농 보호
		■ 농지보전 기피	■ 농지보전 보상 강화
		■ 임차에 의한 규모 확대	■ 전업농에 농지이용집적

경자유전의 원칙과 농지농용의 원칙

경자유전(耕者有田)의 원칙

국가의 경제 산업 중 뭐니 뭐니 해도 가장 중요한 것은 농사다. 사람은 먹어야 산다. 농업은 모든 산업의 기초다. 아무리 세계화 시대이고 세계시장이고 지식정보화 산업사회라지만 자급자족의 비율이 높을수록 좋다. 아무리 고급기술의 경쟁력이 뛰어나다 하더라도 자급자족이 경제의 기반이 되는 것이다. 탄탄한 농업의 기초 위에 2차, 3차 산업을 쌓아올리는 것이 안정적이다. 그런 면에서 토지 질서, 농업 질서는 아주 중요하다고 할 수 있겠다.

헌법 제121조에서 규정한 것은 바로 경자유전의 원칙이다. 농지는 농업인과 농업법인만이 소유할 수 있다는 것을 의미하며 이는 비(非)농민의 투기적 농지 소유를 방지하기 위한 우리나라의 헌법과 농지법 규정이다.

우리나라는 1948년 정부수립 후 농지개혁법을 제정·시행하면서 경자유전(耕者有田)이란 원칙 아래 농지는 농민에게 분배되며, 그 분배의 방법과 소유의 한도, 소유권의 내용과 한계를 정했다. 우리나라 헌법의 경제 장에서는 땅과 천연자원들이 국민 모두의 것임을 분명히 하고 있다. 땅의 공공성을 분명히 하여 땅에 대한 농민의 평등한 권리를 보장하고 있다.

농사짓는 이에게 밭이 주어져야 한다는 것, 이 얼마나 이상적인가? 경자유전의 원칙은 밭을 갈 수 있을 만큼만 밭을 가지라는 것이다. 자기가 경작하지 못할 만큼의 땅을 가지는 것은 탐욕이고, 사회공동체의 구성원에 대한 죄다.

농지는 농민으로서 자기의 농업경영에 이용하거나 이용할 사람이 아니면 원칙적으로 소유할 수 없다. 돈이 있어도 농민 이외에는 농지를 살 수 없다.

농지법 제6조 1항에도 농지는 자기 농업경영에 이용하거나 이용할 자가 아니면 이를 소유할 수 없도록 규정하고 있다.

그러나 1994년 농지법이 제정되고, 1996년 1월 1일 농지법이 개정되면서 도시 거주민도 농지를 소유할 수 있게 되었다. 단, 농업인의 범위가 303평(1,000㎡)이상의 농지 경작자로 규정되어 있어서 농업인이 되려면 303평 이상의 농지를 경작해야 한다.

또한 2003년부터는 개정된 농지법에 따라 '주말농장 제도'가 도입되어 도시민 등 비(非)농민이 농지를 주말, 체험영농 등의 목적으로 취득하고자 하는 경우 세대 당 1000㎡ 미만의 범위 내에서 취득할 수 있게 됐다.

이밖에도 농지를 소유할 수 있는 경우는 국가나 지방자치단체가 농지를 소유할 경우, 상속으로 농지를 취득하는 경우, 담보농지를 취득하는 경우, 학교, 공공단체, 농업연구기관, 농업생산자단체 등이 시험지, 실습지 등으로 사용하기 위해 농지를 취득한 경우, 농업진흥지역 밖의 평균 경사율이 15% 이상인 농지를 소유한 경우 등이다.

　농지법 10조에는 소유농지를 자신의 농업경영에 이용하지 아니할 경우 농지를 처분토록 규정하고 있으나 현재까지 이 조항 위반으로 처벌받은 예는 찾아볼 수 없다. 현행 농지법에서는 경자유전의 원칙에 따라 "농지는 자기가 농업경영에 이용하거나 이용할 자가 아니면 소유하지 못한다."고 규정하고 있다.

　근대화가 진행되기 이전 우리나라는 땅을 가진 많은 지주들이 수많은 소작인을 두고 그들을 착취해 경제적 이득을 얻는 잘못된 사회 풍습이 있었는데 경자유전의 원칙을 담은 농지법은 이를 근본적으로 해결하기 위한 조치였다.

　해방과 정부 출범 후 일어난 일련의 농지개혁은 일제 강점기 일본인들이 가지고 있는 것을 빼앗고, 지주들이 가지고 있는 농지를 유상몰수 유상분배의 형식으로 농민에게 분배했다. 농지개혁은 농촌에서 지주와 소작인이라는 봉건적 관계에서 벗어나 일하는 농민에게 농경지를 수여하는 이른바 경자유전의 원칙에 따라 실시된 것이다.

농지농용(農地農用)의 원칙

　농지농용의 원칙이란 농지는 농업용으로 사용해야 한다는 것이다. 농지에 대한 '경자유전의 원칙'이 유명무실한 상황에서 농지는 반드시 농업용으로 쓰여야 한다는 '농지농용의 원칙론'이 부상하고 있다.

　2018년 6월 박석두 박사(전 한국농촌경제연구원 선임연구위원)는 한국농어촌사회연구소 종로5가 사무실에서 <경자유전 농지제도의 과거, 현재, 미래>를 주제로 한 월례강좌를 통해 "그동안 농지법이 누더기로 전락, 경자유전의 원칙이 무너진 상태이지만 지금이라도 '농지농용의 원칙'을 지켜야 한다."고 주장했다.

그동안 농지 소유보다 농지전용 규제를 강화해야 한다는 취지로 과거와 현재 농지제도와 쟁점에 대해 강의한 박 박사는 강의 말미에 "잘 지켜지고 있지 않는 '경자유전'의 헌법 명시가 실은 우리 농지를 지키기 위한 방패막이 구실을 하고 있었다."며 "확실한 농지전용 규제 등 대안(代案)이 나오기 전까지는 헌법의 경자유전은 꼭 유지돼야 한다."고 강조했다.

과거 농지개혁이 반봉건적 지주제를 해체하고 자작농 체제를 창출해 왔다. 자작농 체제의 전환을 지지하는 역할을 수행해야 할 농지법이 1994년 제정된 후 6차례의 법 개정을 거치는 과정에서 '경자유전의 원칙'을 훼손해 60%가 넘는 면적의 농지를 비(非)농민이 소유하는 결과를 초래했다고 지적했다.

특히 2000년 이후 개정된 농지법은 농업법인의 소유가 인정되면서 비(非)농민의 투자가 많은 영농법인의 농지 소유가 조장되고, 주말·체험영농에 대한 비(非)농민 소유, 경사도 15% 이상의 영농불리지역의 비(非)농민 소유가 인정되면서 '경자유전의 원칙'은 급격히 훼손됐다.

특히 전국적인 농지 실태조사를 통한 비(非)농민 소유 전환과 유예기간을 부여해 농지는 반드시 농업 목적으로 사용[農地農用]하도록 근본적인 법 개정을 해야 한다는 것이 농지농용의 원칙을 세우자는 취지다.

이명박·박근혜 정부 10년간 약 10만ha에 달하는 농경지가 농지전용으로 없어졌다. 2018년 6월 국토교통부가 발간한 '2018년 지적 통계연보'에 따르면 2017년 농경지 면적은 200만5621ha로 2007년 농경지 면적과 비교해 9만 6798ha가 줄어들었다.

이명박·박근혜 정부 10년에 이와 같은 변화를 확인할 수 있다. 2017년 임야 면적도 638만 3,441ha로 10년 전 면적에서 8만 412ha가 없어졌다.

이런 결과는 6만 524ha에 달하는 서울 면적의 160%에 해당하는 농경지가 사라진 것으로 부동산 경기를 빌미로 농지와 산지를 무분별하게 전용한 것이 그 원인이다. 이에 따라 지난 10년간 전체 국토 면적에서 농경지는 1.1%, 산지는 1.2% 각각 감소했다. 반면 부동산 경기부양을 위한 도시 시설과 교통기반 시설의 합계 면적은 1.5% 늘어났다.

농지 감소(減少)는 농지전용만 봐도 뚜렷하게 나타나고 있다. 2017년 농지전용 면적은 1만 6,296ha로 2016년 1만 4,145ha에 비해 15.2%나 늘어 2010년 이후 최고치를 보이고 있다. 매년 1만 ha 이상의 농지가 꾸준히 다른 용도로 변경되면서 국토에서 농토가 차지하는 비율이 급속히 줄고 있다.

농지전용은 개발 중심의 정권이 부동산 경기를 빌미로 기업과 기득권의 개발이익을 보장하기 위해 무분별하게 농산지를 전용하도록 규제를 완화하는 것이 가장 큰 원인이다.

시쳇말로 돈 많고 권력을 많이 가진 기득권자들의 재산 증식을 위해 농지 규제를 대폭 완화해 소유한 농지를 손쉽게 전용할 수 있도록 해준 덧일 것이다.

특히 이명박 정부 시절 '경자유전의 원칙'을 무시하고 비(非)농민이 농지를 소유할 수 있도록 농지법을 개정한 점과 박근혜 정부 시절 농업진흥지역의 10만ha 해제를 목표로 추진해왔던 것은 농지의 급격한 전용을 가져왔다.

물론 불가피하게 비(非)농민이 농지를 소유할 수는 있다. 부모로부터 상속받은 농지나 농사짓다가 탈농하면서 불가피하게 갖고 있는 경우도 있을 수 있다. 그러나 그 이외에는 대부분 농지 투기(投機)를 목적으로 소유하게 되는 것이다.

불가피하게 농지를 소유한 경우에도 유예기간(猶豫期間)을 둬서 이를 농부가 사서 소유하도록 정책적으로 대책을 마련해야 한다. 그렇지 않은 경우 농지는 소유하지 못하도록 농지법이 다시 개정돼야 한다.

농지를 소유할 경우 임대차를 할 수 없도록 해야 하며 본인이 직접 농업용도로 사용하지 못하면 벌금을 아주 강하게 매겨 농지를 조속히 처분할 수 있도록 해야 한다.

농지는 반드시 농업용도로 사용하는 '농지농용(農地農用)의 원칙'을 세워야 한다는 것이다. 농업진흥지역의 경우 어떠한 경우에도 전용되지 않도록 강한 규제와 함께 비(非)농민은 농지를 아예 소유할 수 없도록 농지법을 강화해야 한다.

이때 반드시 고려해야 할 점이 있다. 농지 소유자인 농부에 대해 농업의 공익적 기능을 담당하는 보답으로 반드시 농지보전 수당을 줘야만 한다. 이것이 이뤄지지 않으면 농부의 재산권을 국가가 마음대로 하는 꼴이기 때문이다. 정책 당국은 한 번 고려해 보길 바란다.

제6장
국회와 농지

언론이 고발한 국회의원들의 땅 투기

농지를 가진 국회의원은 전체의 3분의 1

경자유전의 원칙에 의하면 농지를 소유한 사람은 농민이어야 한다. 그런데 국정에 바쁜 국회의원의 3분의 1이 농지를 가지고 있다. 그러면 농민 국회의원인가? 아마 우리나라에서 농민 국회 의원은 손에 꼽힐 정도로 적을 것이다.

생각나는 대로 말하면 가장 기억에 남는 국회의원이 민주노동 당 출신 강기갑 의원과 통합민주당 의원을 하다가 장관까지 한 박 홍수 의원을 꼽을 수 있다. 물론 과거에도 가톨릭농민회 초대회장 이던 이길재 의원이나 함평고구마사건의 주동인물인 서경원 의 원도 농민 출신 의원이다. 지금까지 농민 출신 의원을 아무리 찾 아봐도 10명은 넘지 않을 것으로 생각된다.

그런데 2019년 현재 20대 국회의원 중에서 농지를 소유한 의 원은 298명 가운데 33%인 99명이다. 그들이 보유한 농지가 64만 6,706㎡에 달한다.*

*한겨레신문이 2019년 4월 3일자부터 22일자까지 6회에 걸쳐 <여의도 농부

212

님, 사라진 농부들>이라는 제목의 탐사기획으로 취재 보도한 내용에 기록된 것을 참조함.

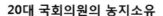

20대 국회의원의 농지소유

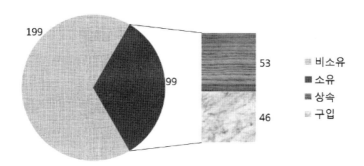

국회의원들의 농지는 자신의 개발 공약과 가까웠고, 예산을 확보해 도로를 내거나 각종 규제 해제에 앞장서면서 땅값이 뛰었다고 한다. 그러나 국회의원들의 땅은 풀이 허리만큼 자라도록 내버려진 땅이었고, 씨앗을 심지 않은 논과 밭이 대부분이었다는 것이다.

그런데 우리나라의 농지는 2008년부터 2017년까지 10년간 서울과 인천을 합친 면적에 달하는 1,549.4㎢가 사라졌다. 값싼 땅이 새 도시, 산업단지 등으로 바뀌는 과정에서 외지인들은 개발 예정지 인근을 사들였고, 농부는 그 땅의 소작농으로 전락한다. 땅을 잃은 농부들은 더 값싼 경작지를 찾아 떠난 사례는 주변에 드물지 않게 찾을 수 있다.

서초동에서 화훼를 하다가 예술의전당이 개발되면서 과천으로 이전했다가 다시 경기도 이천시로 이전한 O씨가 있는가 하면, 송

파구 장지동에서 비닐하우스를 하다 판교로 이전했다가 다시 판교가 개발돼 동탄으로 이전했는데 다시 개발돼 더 이상 이전할 곳을 찾지 못해 탈농한 농부 P씨도 찾을 수 있다.

2018년 3월 공개된 국회의원, 정무직의 공무원 등 공직자 재산 등록 내용을 분석한 결과, 국회의원 1인당(배우자 소유 포함) 평균 1만 4,908.67㎡(4,518평)의 토지를 갖고 있는 것으로 나타났다. 이는 국민 1인당 소유 토지(300.6평)의 15배, 행정•사법부 공직자(2,093평)의 2.1배에 이르는 면적이다. 의원 298명이 소유한 토지 면적은 444만 2,784.6㎡로 여의도 면적의 1.5배다.

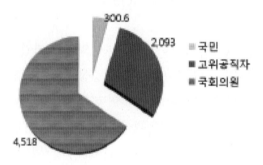

1인당 토지소유 현황(평)

300.6
2,093
4,518
■ 국민
■ 고위공직자
■ 국회의원

국회의원별로 보면, K의원이 26만 3,291평으로 최대 면적의 토지를 보유한 것으로 분석됐다. 농지를 가장 많이 가진 의원은 P의원으로 4만 568평이다.

시•군 단위로 분석했을 때 3곳 이상의 지역에 토지를 보유한 의원은 16명이다. 더불어민주당이 5명이고, 자유한국당이 8명, 바른미래당과 민주평화당, 무소속이 각각 1명씩이다.

국회의원의 농지법 위반, 공문서 위조 다수

국민 1인당 소유 토지는 통계청이 2017년 공표한 '토지소유현황 통계'를 이용해 국공유지와 법인 토지 등을 제외한 민유지 면적 5만 1,517㎢를 주민등록 인구로 나눈 수치다. 국민 1인당 소유 토지를 분석해보면 재미있는 현상을 볼 수 있다.

국회의원 1인당 보유 토지 4,518평을 지목별로 구분해보면, 임야가 3,608평으로 가장 많고 농지 658평, 목장용지 117평, 잡종지 59평, 대지 38평의 순이다. 그런데 가장 많이 차지하는 것은 산지(山地)이고 그 다음이 농지다. 그 농지를 소유한 국회의원이 99명인데 이 가운데 46명은 상속을 받았지만 매입으로 취득한 국회의원도 53명에 달한다. 이것은 전체 의원의 17.7%에 달하는 것으로 법을 만드는 국회의원이 헌법에 규정한 경자유전의 원칙과 농지법을 어긴 것이다.

법을 세워야 할 헌법기관인 국회의원이 이를 어긴 것은 물론, 이를 통해 투기(投機)를 자행하며 불로소득을 얻고 있는 것이다. 농지를 취득하기 위해선 농업경영계획서를 포함한 농지취득자격증명을 발급받아야 하고, 농지를 매입하면 휴경(休耕)을 할 수 없고 스스로 농사를 지어야 한다는 의무가 부과된다. 정부가 매년 농지 이용 실태조사를 통해 휴경 여부를 단속하는 이유도 농업이 아닌 투자 목적으로 농지를 매입하는 행위를 차단하기 위해서다.

그러나 수많은 의원들의 농지가 개발을 기다리며 휴경(休耕) 중인 사실을 확인했다는 것이 2019년 4월 한겨레신문의 보도다. 정보공개 청구를 통해 확보한 의원들의 농지취득자격증명을 보면 농사를 스스로 짓겠다는 허위 기록이 대부분이었다고 한다. 공문서 위조까지 벌인 것이다. 이를 감추기 위해 과수 묘목이나 나무 묘목을 심어놓긴 했지만 영농의 흔적을 남기기 위한 것이었지 실제 농사를 짓는 것은 아니었다는 것이다. 이처럼 '눈 가리고 아웅' 하는 짓은 일반적으로 농민이 아닌 자가 농지 투기를 위해 쓰는 전형적인 수법이다.

법안을 만들고 심사하는 국회의원들의 농지 소유 행태는 농지법 위반, 공문서 위조 등 불법으로 가득했다는 것이 취재를 통해 드러난 사실이다.

농지만은 농민 소유로

국민 1인당 평균 소유 토지와 비교하면 국회의원은 15배, 행정·사법부 공직자는 6.9배에 이를 만큼 방대한 토지를 소유하고 있다. 토지를 많이 소유하는 것은 자본주의 사회에서 그럴 수도 있는 일이다.

그러나 농지(農地)의 소유는 다르다.

헌법 제121조에 규정하고 있고, 농지법에서 상세히 세부적으로 규정하고 있기 때문에 이를 따르면 된다. 또한 식량 생산과 식량 안보를 위해 기본적으로 지켜야 할 절대면적이 있기 때문에 농지(農地)는 유지돼야 한다. 그러나 대부분의 사람들이 헌법에 규정한 '경자유전의 원칙'을 무시하고 비(非)농민임에도 농지를 소유하고 있다.

부동산이 재산 증식의 가장 중요한 수단으로 여겨지는 것도 문

216

제지만 상당수의 사람들이 부동산 투기를 하고 있는 한국의 상황에서 도시지역이나 준(準)도시지역 등 개발지를 소유하는 것을 뭐라고 할 수는 없다.

그러나 고위공직자가 농지(農地)를 포함한 부동산을 소유하는 것은 이에 대한 기준이 마련돼야 한다고 본다.

2005년 공직자윤리법에 고위공직자가 재산등록을 할 때 부동산의 실수요 목적으로 설명하게 하고, 제대로 된 설명이 부족할 경우 백지신탁을 하도록 하는 내용을 담은 법 개정안이 발의된 적이 있다. 그러나 이 법은 기득권층의 반발로 논의조차 제대로 되지 못하고 기한이 만료돼 폐기됐다.

공직자윤리법에서 이 제도가 불가능하다면 농지법에라도 이를 도입해 한국농어촌공사 농지은행에 백지신탁(白紙信託)을 하도록 하면 될 것이다. 이것이 바로 헌법 제121조를 지킬 수 있는 길이라면 말이다.

국회에서 논의된 농지법

누더기가 된 농지법

5년 주기로 조사하는 국가 기본 통계조사의 '농림어업총조사 (2015년)'에 따르면 2015년 기준 경지 면적 167만 9,000ha 중 농업인(법인) 소유의 농지는 56.2%(94만 4,000ha)로 나타났고, 비농업인 소유는 43.8%(73만 5,000ha)로 나타났다. 또 전체 농지의 절반 이상이 임대차 관계로 이용되고 있는 상황이다. 지금 시점에서 볼 때 비(非)농업인의 농지 소유는 60% 이상을 웃돌 것으로 농업계에선 보고 있다.

이들 농지가 합법적인 임대차인지 불법 임대차인지 파악도 되지 않고, 비농업인 소유 농지 중 상속 등 예외적 농지 소유 허용 대상의 비중이 어느 정도인지 가늠하기 어려워 현재의 농지 실태는 사실상 제도권에서 벗어나 있는 지점들이 한둘이 아니다. 이 때문에 제도 개선 방안을 마련하기도 쉽지 않다.

농업계와 농법학회의 전문가들은 오래 전부터 헌법에 규정된 경자유전의 원칙을 하위법인 농지법이 어기고 있다고 지적한다. 농지법 자체가 행정처분을 강제하는 조항이 미약하고 예외를 폭

218

넓게 인정하는 방식으로 개정되고 있어서 농지전용이 손쉬우며, 비(非)농민도 손쉽게 구입해 전용할 수 있는 빈틈을 주도록 무분별하게 농지법을 개정해 농민과 농업을 위한 법이라기보다 오히려 기업과 자산가들이 농지전용(農地轉用)을 할 수 있는 통로를 만들어주는 법이라는 비판이 제기되고 있다.

국회는 농지법을 어떻게 다뤘나

그래서 필자는 2008년부터 2019년까지 18, 19대 국회에서 발의된 농지법 개정안들을 살펴 흐름을 분석해본다.*

*한국농어민신문 2019년 7월 30일 『누더기가 된 농지법…농지 현주소 '처참'』(고성진 기자) 기사 참조.

2008년 18대 국회부터 2019년 20대 국회까지 발의된 농지법 개정안은 11년간 총 90건이나 된다. 국회 임기가 바뀌는 4년마다 평균 30건, 매년 8건 꼴이나 되니 월 단위로 좁혀 보면 1달 반마다 1건의 농지법 개정안이 나오고 있는 셈이다.

이 가운데 법 개정 목표를 이룬 법안은 30%. 나머지 70%는 폐기됐다. 폐기된 법안 중 비슷하거나 같은 내용으로 다음 국회에 또다시 등장하는, 이른바 '재탕, 삼탕 법안'도 여러 건이다. 헌법에서 정한 '경자유전의 원칙'을 하위법인 농지법이 훼손하고 있다는 것은 이런 사례를 통해 확인되고 있다.

국회 의안정보시스템에 따르면 18대 국회 임기가 시작된 지 20

여 일 만인 2008년 6월 23일 농지법(農地法) 일부개정안이 발의된 이후 2019년 7월 말 현재까지 11년간 발의된 농지법 개정안은 총 90건이다.

18대와 19대 때는 각각 28건씩 발의됐고, 내년 5월까지 임기가 남아 있는 20대 국회에서는 이보다 많은 34건이 발의된 상황이다. 국회 임기인 4년 동안 평균 30건 꼴이다. 특히 18대 국회(2000년대 후반)를 기점으로 농지법 개정안 발의가 급속도로 늘어났다는 점이 특징이다. 앞선 17대(2004~2008년) 14건, 16대(2000~2004년) 4건과 비교하면, 개별 국회의원들이 무턱대고 개정안을 내놓고 있다는 지적을 피하기 어려워 보인다. 실제로 개별 국회의원 발의는 18대 26건, 19대 27건, 20대 32건에 달한다.

이에 대한 처리 현황은 총 90건 발의 중 가결된 법안(대안 반영 포함)은 18대 10건, 19대 7건, 20대 10건 등 총 27건이다. 본회의 문턱을 넘은 비율은 30%다.

다시 말해 농지법 개정안 10건 중 3건이 개정에 반영되는 반면 나머지 7건은 임기만료 등의 이유로 폐기됐다.

개정안이 가결되는 패턴은 18, 19, 20대 국회 모두 비슷한 모습을 보였다. 의원들이 발의한 개별 개정안이 상임위원회(농림축산식품해양수산위원회)에서 병합 심사를 통해 '위원회 대안'으로 새롭게 제출돼 본회의에서 처리되는 방식, 또 정부가 발의한 농지법 개정안에 일부가 반영돼 본회의를 통과하는 방식 등 크게 두 가지 흐름으로 나타났다. 의원 발의 개정안의 가결은 19대 국회 때 3건뿐이다.

농지법 개정안의 주요 특징

18, 19, 20대 국회에서 발의된 농지법 개정안 내용을 분석한 결과 전체 90건 중 58건, 64%의 법안이 농지의 소유 또는 이용 규제를 완화하는 취지의 내용으로 분석된다. 개정안 중 3분의 2가 현행 농지법을 흔들고 있는 것이다. 18대 20건, 19대 19건, 20대 19건 등으로 나타났다.

해당 법안들은 헌법 제121조에서 규정한 '경자유전의 원칙'에 위배되는 내용을 담았고, 농지법의 예외 조항을 추가로 신설해 예외를 확대하려는 시도가 가장 흔했다. 개발 또는 효율성, 공공성 등을 내걸어 농지 이용 규제를 완화하는 내용의 법안도 많았다.

18대 국회에선 개인묘지 설치 목적으로 농지전용 허가를 면제하는 개정안(이명규), 19대 국회에서는 농업진흥구역에 농어촌 승마시설을 허용하도록 한 개정안(김재원•윤명희 등 2건), 20대 국회도 말 산업특구 내의 농업진흥구역 이용 완화 개정안(이만희), 농업진흥구역에 태양광 발전 설비 설치 시 농지 이용을 허용하도록 한 취지의 개정안(박정•권칠승•정운천 등 3건) 등이 이에 해당했다.

일부에 불과하지만 위원회 대안과 정부 발의 개정안은 소유•이용 규제를 완화하는 동시에 강화하는 '병행' 조치가 담기기도 했다.

'경자유전의 원칙'을 강화한 내용은 극히 소수에 그치고 있다. 농지의 소유 및 이용 규제를 강화하는 취지의 법안은 전체 90건 중 16건으로, 18%에 불과했다. 18대 4건, 19대 4건, 20대 8건으로 나타나고 있다.

경자유전의 원칙을 지키기 위한 규제를 담은 개정안의 경우에는 논의가 미흡하거나 사실상 방치되다 '임기만료 폐기'되는 경우가 많았다. 18대 국회에서 강기갑 의원이 2008년 11월 14일 발의한 개정안은 쌀 소득보전 직접지불금(직불금) 부당수령 사태가 터진 것을 계기로 농지관리위원회에 직불금 지급대상 농지의 실제 경작 확인 임무를 부여하는 내용을 신설했는데, 2009년 1~3월까지 5차례 논의했지만 결국 임기만료로 폐기됐다.

19대 국회에서도 김선동 의원이 "2009년 5월 27일 농지법 개정으로 농업회사법인 자격이 완화됐는데 대기업의 농업 진출이 용이해져 경자유전의 원칙을 고려해 농업회사법인의 요건을 엄격하게 강화할 필요가 있다."며 2013년 12월 24일 개정안을 발의했지만, 2014년 2월 한 차례 논의 끝에 방치되다 임기만료로 폐기됐다.

20대 국회에서도 비(非)농업인인 상속자와 이농자의 농지 소유를 2년 이내에 처분하도록 현행 규정을 대폭 강화한 개정안을 김현권 의원이 2017년 12월 27일 발의한 상황으로, 법안 논의는 활발하게 이뤄지지 않고 있다.

앞선 경우처럼 임기만료로 폐기될 우려가 크다는 것이 이 법을 바라보는 국회 보좌진의 이야기다.

농지법을 강화하는 내용이 통과된 경우에는 대부분 법률 미비 내용을 보완하는 성격으로 소극적 조치인 상황이다. 이를테면 관련 처벌 규정을 강화하거나, 시행령으로 돼 있는 부분들을 법률로 상향하는 내용 등이다.

정부 또는 위원회 개정안에 숨어버린 의원들

특히 국회에서 통과된 농지법 개정안은 의원 발의보다는 상임위원회의 병합 심사를 통해 위원회 대안으로 통합되거나 정부 발의 안에 일부 반영되는 식의 패턴이 일관됐다.

농지법 자체가 다른 법들과 연계돼 있고, 법 내용이 광범위할 뿐만 아니라 개정안 내용도 중복이 많고 논란과 파급력이 커 위원회 또는 정부 제출안으로 통합 처리하는 것이 논의 시간을 단축하는 등 현실적인 이유가 크게 작용하고 있기는 하다.

하지만 논란이 있는 농지법 개정에 대한 국회의원들의 부담을 덜기 위해 통합처리 방식으로 책임을 피하고 있다는 느낌을 받기에 충분하다. 18대 국회에서 의결된 농지법 개정안 10건 중 2건이 위원회 대안이며, 정부 및 의원들이 발의한 개정안 8건이 대안 반영을 이유로 폐기됐다. 19대 국회에서도 위원회 대안 1건이 처리됐고, 논의 과정에서 3건의 개정안이 대안 반영을 이유로 폐기됐다. 20대 국회에서도 2건의 위원회 대안이 의결됐으며, 8건의 개정안이 대안 반영 이유로 폐기됐다.

폐기되어도 복사판 농지법 개정안 등장

국회의원이 복사기도 아니건만 국회에서 다른 법과는 다르게 농지법만은 복사판이 존재한다. 18대 18건, 19대 21건이 폐기됐고, 20대는 24건이 현재 계류 중이다. 18대와 19대만 놓고 보면 폐기 비율은 70% 수준이다. 눈에 띠는 지점은 18대 때 폐기된 법안 중 동일한 내용의 법안이 발의자만 바뀐 채로 19대에 이어 20대 국회에서도 계속 등장하고 있다는 점이다.

종친회에게 일정 규모 이하의 농지 소유를 허용하는 법안은 18대 김낙성 의원이 발의했지만, 임기만료로 폐기됐다. 19대 국회에선 유성엽 의원이 같은 내용의 법안을 발의했다.

종중 명의의 농지 소유를 허용하도록 한 개정안도 18대 국회에서 유성엽·박대해·오제세 의원 등 3건이 발의됐고, 이어 19대 국회에서 양승조·문병호·이종걸 의원 등 3건, 20대 국회에서 박완수·이개호·주승용·주호영 등 4건으로 개정안 발의가 계속됐다. 해당 법안만 3차례 국회 임기 동안 10건이 발의됐다.

전통 사찰(寺刹)의 농지 소유를 허용하는 개정안도 18대 강창일, 20대 주호영 의원이 각각 발의했다. 농지 소유의 허용 대상 범위를 확대하는 법안도 대상만 바뀔 뿐, 예외 조항을 확대하는 취지에서 그 내용이 대동소이했다.

특히 농지법 개정안은 도시보다 농어촌 지역구 의원이 많이 발의하고 있다. 유달리 19대 국회에서 더 많았다. 배기운(나주·화순), 유성엽(정읍), 황진하(파주을), 김승남(고흥·보성), 박민수(진안·무주·장수·임실), 김선동(순천), 이한성(문경·예천), 안덕수(인천서구·강화을), 경대수(증평·진천·괴산·음성), 이개호(담양·함평·영광·장성), 신정훈(나주·화순), 이이재(동해·삼척), 김영록(해남·완도·진도), 김재원(군위·의성·청송), 한기호(철원·화천·양구·인제) 등이었다.

18대 국회에선 서울 등 대도시 지역구 의원들도 개정안 발의에 앞장섰다. 하지만 대부분 농지 소유와 이용 규제를 완화하는 취지의 내용이 많았다. 문국현(서울 은평구을), 이성헌(서울 서대문구 갑), 진수희(서울 성동구갑), 박대해(부산 연제구), 이재선(대전 서구을), 오제세(청주 흥덕구갑), 박준선(용인 기흥구), 이명규(대구 북구갑), 이주영(경남 마산갑) 등이 발의자에 이름을 올렸다.

이렇게 농지법의 개정안은 국회의원들조차 '경자유전의 원칙'을 지켜 식량의 생산기지인 농지(農地)를 유지하는 데는 관심이 없고, 오직 규제 완화를 통한 지가(地價) 상승에만 관심이 모아지고 있는 것이다.

20대 국회 발의 농지법 개정안

국회 의안정보시스템에 따르면 2019년 7월 말 현재 20대 국회에는 총 34건의 농지법 개정안이 발의돼 있다. 1994년 12월, 14대 국회에서 농지법이 제정된 이후 가장 많은 개정안이 쏟아졌다.

그런 가운데 지난해 12월 농지법 개정안이 국회를 통과해 2019년 7월 1일부터 농업진흥지역 내 염해농지(간척지)에 태양광 설비 설치가 허용됐다. 개정안에 이런 내용이 위원회 협의안으로 통과됐기 때문이다.

20대 국회에서 발의된 농지법 개정안 34건 중에서 농지 소유•이용 규제 완화를 담은 발의 안이 19건, 농지 소유•이용 규제 강화를 담은 발의 안은 총 8건이다. 여전히 농지를 유지하려는 쪽보다 규제를 풀어 농지를 훼손하려는 움직임이 많다.

더구나 20대 국회에서는 타(他)용도 일시사용 신고제도의 도입을 반영한 농지법 개정안이 통과돼 현행법상 농지를 농업'생산 및 농지개량 이외의 목적으로 일시 사용하려는 경우 농지의 타(他)용도 일시사용허가를 받거나 전용하도록 하고 있다.

썰매장이나 마을 축제장 등 농지를 단기간 이용하는 경우 민원인의 행정편의를 제고하기 위한 차원에서 '허가'가 아니라 '신고'만으로 가능하도록 이용 규제가 완화됐지만, 이용 후 농지 훼손이 심각하지 않아 크게 문제 삼을 것은 없어 보인다.

지금까지 20대 국회에서 제안된 34개 농지법 개정안 중 2건이 본회의를 통과했다. 2건 모두 상임위원회인 농림축산식품해양수산위원회(위원장) 대안으로, 의원발의 개정안 8건이 병합 심사를 통해 대안 반영됐다. 대안 반영 폐기된 법안 건수까지 포함하면 법 개정 목표를 달성한 개정안은 10건으로, 가결률은 29% 수준이다. 나머지 24건 개정안은 계류(71%) 중이다.

그러나 농지 소유(所有)와 이용 규제를 완화(緩和)하자는 취지의 법안은 전체 34건 중 절반 이상인 56% 수준이다. 이는 강화(强化) 취지의 개정안 24%에 비해 2배 이상 많은 것이다. 종중을 비롯해 전통사찰, 주말농장, 사회적 협동조합 등까지 농지 소유 허용하는 대상을 대폭 확대하는 내용이다.

농지소유·이용규제 완화 관련된 농지법 개정안

• 말 산업특구 내 농업진흥지역 이용 완화(이만희)=준(準)농림지역으로 훈련장, 사육장 등이 가능하고, 2016년 현재 말 산업특구가 제주, 경북(구미·영천·상주·군위·의성), 경기(용인·화성·이천) 등 총 3곳이 지정돼 운영 중이지만 우량농지 훼

손 및 다른 지역과의 형평성 문제 등을 종합적으로 살펴볼 필요성이 제기된다.

- 농업회사법인 요건 완화해 규제 프리존 내 농지소유 허용(이학재)=지금도 비(非)농민이 농업법인의 이사진이 될 수 있어서 농업법인을 통한 비(非)농민의 농지소유가 문제가 되고 있는 시점에 농업회사법인 요건을 더 완화해 농지 소유를 확대한다는 것은 농지법의 기본 취지를 벗어난 것이다.

- 농지조성 및 농업기반정비 10년 이상 중단 시 농업진흥지역 변경 및 해제 허용(유의동)=농지조성과 농업기반사업을 전제로 농업진흥지역을 해제한다는 것은 투기적 수요를 양산하는 결과를 초래할 수 있다.

- 농한기 농지 일시사용허가 행정규제 완화(김종회·위원회 대안)=지역에서 겨울철 논을 이용한 썰매장이나 지역축제장으로의 일시사용이 가능할 것으로 판단된다.

- 종중 명의의 농지소유 허용(박완수, 이개호, 주승용)=종중이 농지를 소유해야 할 이유와 헌법적 근거를 찾을 수 없다.

- 종중과 전통사찰 명의의 농지소유 허용(주호영)=종중이 농지를 소유해야 할 이유와 헌법적 근거를 찾을 수 없다.

- 농업 관련 사회적협동조합의 농지소유 허용(김한정)=농업관련 사회적협동조합이라면 현행 농업법인의 형태로 소유가 가능하므로 별도 규정을 필요로 하지 않는 것으로 해석된다.

- 종교·사회복지용 시설, 농지전용 허가 가능(이원욱)=농지전용은 종교나 사회복지시설이라고 함부로 허용할 수 없다. 그것이 헌법의 '경자유전의 원칙'이다.

- 비농업인 주말농장용 농지소유규모 1000㎡에서 3000㎡로 확대(이완영)=투기목적으로 활용될 가능성이 매우 높다.
- 일정규모 이하 태양광 설비, 농업진흥지역 허용(김종회)=농업진흥지역 염해농지에서 설치 가능하도록 농지법이 2018년 12월 통과됐다.
- 수산물종묘생산시설, 농지전용신고 제외(박지원)=농업진흥지역의 농지전용까지 필요로 하는 것보다 부동산수요로 판단된다.
- 농업진흥지역 염해농지에 태양광발전설비 설치 허용(박정)=농업진흥지역 염해농지에서 설치 가능하도록 농지법이 2018년 12월 통과됐다. 다만, '일시사용허가'라는 말과 달리 일시사용기간이 만료되면 추가 갱신을 통해 농업진흥지역 내 염해농지를 최장 20년 동안 사용할 수 있도록 해줘 농지 훼손이 우려된다.
- 농업진흥지역에 태양광발전설비설치 타(他)용도 일시사용 허용(박정)=농업진흥지역 염해농지에서 설치 가능하도록 농지법이 2018년 12월 통과됐다.
- 절대농지에 태양광 설비 설치 허용(장병완)=농업진흥지역 염해농지에서 설치 가능하도록 농지법이 2018년 12월 통과됐다.
- 농업진흥지역에 신재생에너지 설비설치 허용(정운천)=농업진흥지역 염해농지에서 설치 가능하도록 농지법이 2018년 12월 통과됐다.
- 농지에 태양에너지발전설비 설치시 일시사용허가 대상 허

228

용(권칠승)=농업진흥지역 염해농지에서 설치 가능하도록 농지법이 2018년 12월 통과됐다.

농지소유·이용규제 강화 관련된 농지법 개정안

- 농지불법전용 처벌 강화(황주홍)=필요성이 요구된다.
- 비농업인 상속자와 이농자의 농지소유기간 제한 및 임대차 5년 이상 확대(김현권)=비농업인 상속자와 이농자의 농지소유 기간을 2년·4년 이내로 제한하고, 농지 임대차 기간을 현행 3년에서 5년 이상으로 확대하는 한편, 농지임대차조정위원회를 농지임대차관리위원회로 개정을 통해 차임 제한 규정을 마련하는 등의 내용이 담겨 있다. 2017년 12월 발의된 개정안으로 국회 농림축산식품해양수산위원회에서 상정도 되지 못한 채 잠자고 있다. 김현권 의원이 대표발의하고 26명의 의원이 공동 발의한 이 개정안은 비농업인의 농지 소유를 대폭 강화하는 등 농지를 불로소득 목적으로 소유할 수 없도록 하는 취지를 담고 있다.
- 농지복구비용예치금 사용범위 등을 법률로 상향(설훈)=필요성이 요구된다.
- 농지취득자격증명 부정발급 시 처벌강화(황주홍)=필요성이 요구된다.
- 농지보전부담금, 농업진흥지역 안과 밖 차등부과(박완주)= 같은 농지라도 농지전용이 어려운 농업진흥지역에 대한 전용 시 농지보전부담금을 더 높인 내용을 담고 있다. 필요성

이 요구된다.

- 농업진흥지역 변경·해제요건 법률로 상향(김재원)=지방자치단체의 판단보다는 법적 요건을 충족하도록 하는 것이 농지보전에 유익할 것으로 판단된다.

- 농지개량범위 위반자 1,000만 원 이하 벌금, 원상복구 미(未)이행 시 이행강제금 부과(김정호)=야금야금 농지를 훼손하거나 농지전용을 늘려 지가상승을 노리는 사람을 일벌백계할 필요성이 있다.

- 농업경영계획서 보존기간 5년에서 20년으로 확대(김종회)=비(非)농민의 농지 소유가 굉장히 많아진 요즈음 이들의 관리강화를 위해 적절한 개정안으로 보인다.

제 7 장
제2의 농지개혁

토지개혁이란?

농지(토지)개혁은 사회변혁

토지개혁이란 사회체제가 변하고 혁명이나 폭동 등으로 새로운 지배계층이 들어서면서 땅을 기반으로 모든 경제활동이 이루어졌던 과거 제도의 모순과 새로운 질서를 확립하기 위해 추진되는 것이다. 이 때문에 신(新)정치세력이 추진하는 것이 토지 제도의 변화다.

토지개혁은 토지 소유조건의 변경, 토지 재분배, 경작 규모의 변화, 경작 유형의 변경, 거래·신용·교육 개혁 등의 부수적인 조치 등을 비롯하여 기타 여러 목표들을 추진하기 위해 구체적 방안이 제시된다.

토지개혁의 가장 보편적인 정치적 목표는 봉건제 또는 식민지 양식(지주가 외국인인 경우)을 폐지하는 것인데, 어떤 경우이든 소작농 착취가 그 타도 대상이 된다. 소작농의 사회적 지위 역시 종종 개혁의 관심사가 되기도 한다. 토지개혁의 경제적 목표에는 집약적인 경작 방식의 장려와 산업화 정책의 지원을 위한 농업 생산부문의 조정 작업 등이 포함된다.

우리나라의 경우 통일신라에 들어서면 그동안 왕족과 공신에게 준 토지와 가호(家戶)로서 조세를 수취하고 노동력을 징발할 권리를 부여했던 식읍을 폐지하면서 일반 백성에게 토지를 지급한 정전제(丁田制)가 실시된 것을 보면 당시에도 토지개혁을 통해 국가의 기반을 새롭게 마련하려는 시도를 했던 것이다.

신라의 삼국통일은 한국 문명사에서 새로운 시대를 여는 중대한 계기였다. 687년 신라는 9주와 5소경을 설치했다. 그 아래에 8세기 중엽까지 117개 군을, 군 아래에는 293개의 현을 설치했다. 이로써 읍락과 군의 누층적(累層的) 연맹에서 출발한 신라의 국가체제가 중앙집권의 관료제 형태로 일신했다.

인구와 토지에 대한 집권적 지배체제도 강화됐다. 722년 신라는 백성에게 정전(丁田)을 지급하는 토지제도를 시행했다. 이에 대해 《삼국사기》는 "처음으로 백성에게 정전을 지급했다."고 간략히 전할 뿐, 정전이 무엇인지, 어떻게 지급했는지 등에 관해선 아무런 이야기를 하고 있지 않다. 이하 당시 시행된 토지제도를 정전제(丁田制)라고 부른다.

고려시대에 들어서면 전시과 제도를 도입해 국가 설립에 기여한 공신에게 토지를 배분해 운영해 왔다. 이런 사정은 조선시대에 들어와서도 마찬가지다. 물론 고려·조선의 중후기에 새로운 토지개혁론이 등장하지만 실현되지는 못한다.

이렇게 보면 농민에게 땅을 분배했던 통일신라의 정전제는 우리가 해방 이후 농지개혁으로 전 농민에게 '경자유전의 원칙'에 따라 농지를 배분했던 점에서 유사하다.

세계사적으로 볼 때 최초의 토지개혁은 BC 6세기 아테네의 솔

론이 소작농의 땅과 노동력을 지주에게 저당을 잡히도록 강요하는 부채 제도를 폐지한 것으로부터 유래한다고 한다. BC 133년 로마의 그라쿠스 개혁은 귀족이 강탈했던 공유지를 재분배하고 개인이 점유할 수 있는 토지의 최소·최대치를 지정해 과도한 농지의 소유를 막은 사례도 있다.

농지개혁이든 토지개혁이든 우리의 현실에서 실감을 느끼는 개혁은 19~20세기 유럽의 농노제도가 없어지던 시기와 전 세계 제국들의 식민지 쟁탈이 끝나고 봉건제가 무너진 후 새로운 국가 건설이 이뤄지던 시기의 개혁이다.

프랑스 대혁명은 개혁자들이 주창하던 사회적·정치적 목표들을 전반적으로 실현시켰다. 부동산에 기초하지 않은 일체의 부채와 함께 봉건제도와 농노제가 폐지됐고, 성직자와 정치적 망명자들의 토지는 압류되어 공개경매에 붙여졌다. 비록 경제적 이익은 거의 창출하지 못했으나 소규모 가족농(家族農)은 프랑스 민주주의의 초석이 되었다.

영국의 개혁은 산업혁명 기간 중 도시 중심부로 몰려든 대규모 소작농의 대이동으로 촉진됐다. 스웨덴과 덴마크는 1820년대 후반에 농노(農奴)제도를 평화적으로 철폐했고, 독일·이탈리아·스페인은 1848년의 혁명 이후에 농노제도를 폐지했다. 아일랜드의 개혁은 1930년대까지도 완결되지 못했다.

러시아 황제 알렉산드르 2세는 1861년 러시아의 농노들을 해방시켰으나, 그 개혁이 일부에 그쳐 경제적으로는 실패하고 말았다. 러시아에서는 1917년의 혁명으로 농경지의 국유화와 집단농장화가 실시됐다. 이러한 개혁으로 처음에는 많은 희생과 자본의 유실이 발생했으나 결국에는 소비에트연방공화국 시절 농장의 기계화로 수많은 농부들이 산업 부문으로 방출됐다.

세계사적인 토지개혁

멕시코는 1915년의 혁명 이후 대다수의 소작농들을 실질적인 농노로 전락시키고 특히 농촌의 인디언들을 가난에 빠뜨렸던 악조건들을 철폐했다. 비록 소규모의 재분배가 시도되었지만, 이것은 멕시코의 정치적 안정을 지속시키는 결과를 가져왔다.

라틴아메리카의 개혁은 전형적으로 내부의 불안정과 국제적인 압력을 반영하는 것으로서, 급속도로 증가하는 인구, 극도로 높은 토지 소유의 집중, 광범위한 외국인 소유권, 부적절한 경작 방법, 그리고 소수 원료 수출품목들에만 의존하는 경제 등으로 실행하기가 어려웠다. 공산정부인 쿠바는 광범위한 개혁을 단행해 큰 성공을 거두었다.

이집트는 비록 저개발 산업부문으로 인해 경제적 효과는 미미했지만 1952년 공산국가들을 제외한 나라로서는 가장 철저한 개혁을 실시했다. 토지개혁은 또한 북아프리카와 중동의 여러 국가들에서 보통 독립이나 혁명 후에 이뤄졌다.

열대 아프리카 국가들 가운데 에티오피아와 모잠비크는 더욱 급진적인 토지개혁을 실시해 토지 소유권을 국가에 귀속시키고 실제 토지 경작자들과 그 자손들에게만 토지에 대한 사용권을 보장했다.

기타 주목할 만한 토지개혁은 중국의 공산주의자들이 권력을 잡은 후 실시한 것이다. 보다 새로운 유인과 개인의 책임을 강조한 프로그램에 의해 도입된 중국 인민공사 체제는 대체로 성공적이고 대단히 효과적인 것으로 여겨진다.

한국의 경우 8.15 해방 이후 미군정에 의해 1945년 10월 5일 소작료 3·1제 인하조치와 일본인 소유 농지를 농민에게 유상 분배하는 조치를 취했으나, 이는 토지 소유제도 자체를 변화시킨 것이 아니므로 엄밀한 의미에서 토지개혁이라고 할 수 없다.

북한은 1946년 3월 무상몰수 무상분배의 급진적인 토지개혁을 단행했으며, 나중에는 국유화됐으나 당시에는 전 경지면적의 50%에 달하는 농지가 소작농·빈농·고농 등에게 분배됐다.

이와 같이 두 차례의 세계전쟁 과정과 그 이후 전 세계적으로 토지개혁은 벌어졌다. 식민지침략을 강행한 국가들은 그들대로 산업화와 내부의 농노 체제가 붕괴되면서 토지개혁을 벌였고, 식민지 국가는 그들 나름대로 침략국에 의해서건, 전후 연합국의 군정에 의해서건, 자체적인 신정치세력의 등장에 의해서건 토지개혁이 이뤄졌다.

제국주의 침략의 전선에 섰던 국가가 많은 유럽의 경우 산업화와 프랑스·러시아혁명의 영향으로 농노 제도가 붕괴되고, 농업을 버리고 도시로 떠난 농민계층의 영향이 크게 작용해 토지개혁이 필연적이었다. 산업화와 농지의 심각한 전용을 경험한 이들 국가는 농민이 통제하는 방식으로 농지의 강한 규제를 만들면서 토지개혁을 이룩했다.

반면 식민 통치나 침략을 당했던 국가들은 침략국의 목적으로 토지개혁이 이뤄졌거나 공산화에 따른 토지의 재분배가 이뤄진 경우도 있고, 연합국의 군정에 의해 토지개혁이 이뤄지기도 한다. 공산주의 확산에 따라 공산화된 국가들은 경쟁하듯 토지개혁을 실시했다. 자본주의 연합국들은 당시 농민이 많았던 상황을 반영해 공산주의 토지개혁에 버금가는 강도 높은 토지개혁을 신생국에 요구하기도 한다.

당시 토지개혁(土地改革)이 제대로 이뤄진 국가들이 20세기 후반에 접어들면서 세계 다섯 마리 용이라는 표현을 들은 국가들로 토지개혁의 산업경제적인 효과를 크게 본 결과라고 일부 경제학자들은 이야기한다. 당시의 토지개혁이 제대로 이뤄지면서 안정적인 농업을 기반으로 산업자본이 형성되고 경제가 발전할 수 있었다는 논리다.

농지법 이렇게 바꾸자

농업인 규정부터 명확해야

부동산 투기를 예방해야 한다. 농지를 다른 용도로 전용해 시세차익을 불로소득으로 거두는 나쁜 관행은 이제 없어져야 한다. 이것은 빈부의 격차를 더욱 벌이는 것이며, 국토가 결국 계획적 개발이 아니라 난개발로 이어지고, 식량안보를 도외시하는 것이어서 나라의 경제는 물론, 환경파괴, 계층 간 갈등의 심화 등 다양한 문제를 불러일으킬 수 있다.

이를 방지하기 위해서는 헌법 제121조에서 규정하고 있는 '경자유전(耕者有田)의 원칙'을 지켜야 하며, 이를 위해서는 경자유전의 원칙을 바탕으로 제정된 농지법이 제대로 개정돼야 한다. 우선 시행령 제3조에 규정된 농업인의 범위부터 손질해야 한다. 농지법 시행령 제3조*에 준해 농업인이 되려면 다음과 같은 조항을 충족해야 한다.

*제3조 (농업인의 범위) 법 제2조 제2호에서 "대통령령으로 정하는 자"란 다음 각 호의 어느 하나에 해당하는 자를 말한다.
　1. 1천 제곱미터 이상의 농지에서 농작물 또는 다년생 식물을 경작 또는 재배

하거나 1년 중 90일 이상 농업에 종사하는 자
2. 농지에 330제곱미터 이상의 고정식 온실·버섯 재배사·비닐하우스, 그 밖의 농림축산식품부령으로 정하는 농업생산에 필요한 시설을 설치하여 농작물 또는 다년생 식물을 경작 또는 재배하는 자
3. 대(大)가축 2두, 중(中)가축 10두, 소(小)가축 100두, 가금 1천수 또는 꿀벌 10군 이상을 사육하거나 1년 중 120일 이상 축산업에 종사하는 자
4. 농업경영을 통한 농산물의 연간 판매액이 120만 원 이상인 자

4가지 중 한 가지만 해당해도 농업인에 속해 농지를 소유할 수 있다. 그러나 농업인을 이런 규정으로 취급하는 것이 맞을까? 그것은 결코 아니다.

대부분의 부재지주들이 농업인이 아니면서 법적으로 농업인의 요건을 충족하기 위해 선택하는 방법이 사과 등 과수 묘목을 심거나, 나무의 묘목을 심거나, 벌통 10개를 가지고 있거나, 까투리 30마리를 닭장에 가두고 있거나, 지역민에게 농사를 맡기는 대신 관련 영수증이나 서류 등은 자신이 받아 가지고 있는 등 속임수를 부리는 것이 보통이다.

특히 농·축협 조합장 선거가 되면 조합장 출마자들은 농민은 아니지만 자신에게 표를 줄 만한 사람들의 조합원 자격을 유지시키기 위해 벌통 10개나 까투리 30마리를 키우는 것으로, 닭장에 30마리를 두고 선거를 치른 다음 다시 팔아버리는 수법으로 조합원 자격을 유지하게 하는 사례는 주변에서 많이 볼 수 있다. 적어도 농업인이라면 연간 120만 원은 농산물을 판매할 수 있어야 농업인이라 칭할 수 있지 않을까?

그래서 3조는 다음과 같이 바꿔야 한다.

제3조 (농업인의 범위) 법 제2주 제2호에서 "대통령령으로 정

하는 자"란 농업경영을 통한 농산물의 연간 판매액이 120만 원 이상인 자로서 다음 각 호의 어느 하나에 해당하는 자를 말한다.

1. 1천 제곱미터 이상의 농지에서 농작물 또는 다년생 식물을 경작 또는 재배하거나 1년 중 90일 이상 농업에 종사하는 자
2. 농지에 330제곱미터 이상의 고정식온실·버섯 재배사·비닐하우스, 그 밖의 농림축산식품부령으로 정하는 농업생산에 필요한 시설을 설치하여 농작물 또는 다년생 식물을 경작 또는 재배하는 자
3. 대가축 2두, 중가축 10두, 소가축 100두, 가금 1천수 또는 꿀벌 20군(10군→20군) 이상을 사육하거나 1년 중 120일 이상 축산업에 종사하는 자

그리고 <4. 농업경영을 통한 농산물의 연간 판매액이 120만 원 이상인 자>는 삭제한다.

농지농용의 원칙 삽입과 농지 소유 제한

헌법에 규정한 경자유전(耕者有田)의 원칙을 강조하자면 농지법에서는 농지농용(農地農用)의 원칙을 확실히 해서 농지는 반드시 농업용도(農業用途)로 쓰이도록 해야 한다. 이렇게 되기 위해서는 농지법에서 '농지농용의 원칙'을 규정하고, 농지 소유 제한에 대한 내용을 제대로 고쳐야 한다. 농지법 3조를 보자.

제3조 (농지에 관한 기본 이념)
①농지는 국민에게 식량을 공급하고 국토 환경을 보전(保全)하

는 데에 필요한 기반이며 농업과 국민경제의 조화로운 발전에 영향을 미치는 한정된 귀중한 자원이므로 소중히 보전되어야 하고 공공복리에 적합하게 관리되어야 하며, 농지에 관한 권리의 행사에는 필요한 제한과 의무가 따른다.

②농지는 농업 생산성을 높이는 방향으로 소유•이용되어야 하며, 투기의 대상이 되어서는 아니 된다

여기에서 2항을 <②농지는 농업 생산성을 높이는 방향으로 소유•이용하기 위해 농지농용의 원칙을 지켜야 하며, 투기의 대상이 되어서는 아니 된다.>로 바꾼다면 가장 적절한 법 개정이 될 수 있을 것으로 기대된다.

농지 소유와 관련해서 제6조 ②항에서 보면 농민이 아니어도 농지를 소유할 수 있는 조건은 국가나 공공기관 관련 규정과 특수 조건을 제외하고 주말 체험영농을 하는 사람이 1,000제곱미터 미만의 농지를 소유할 수 있고, 상속인•이농인•담보농지 취득자와 농업진흥지역 밖의 농지 중 경사도 15%가 넘는 경사지 등이 비(非)농민도 소유할 수 있는 농지다.

이런 비(非)농민의 농지 소유는 불가피한 측면이 있지만 농사도 짓지 않으면서 지속적으로 농지를 소유하게 되면 추가적인 개발이익을 노리고 농지전용을 꾀하기 때문에 농지 소유의 연한을 둬야 한다. 불가피하게 농지를 가지고 있을 수 있는 기간은 3년이면 족하다. 농민에게 판매하는 것이 1차적인 처리방법이지만 만일 팔리지 않을 경우 농어촌공사의 농지은행에 위탁해 판매하는 방식까지 도입해야 한다. 그렇지 않으면 호시탐탐 농지전용을 통

한 불로소득을 노리는 것이 일반적인 현상이다.

'한국농어촌공사 및 농지관리기금법' 제24조 제2항에 따른 농지의 개발 사업지구에 있는 농지로서 대통령령으로 정하는 1,500제곱미터 미만의 농지를 공사가 판매해 비(非)농민이 소유할 수 있고, '농어촌정비법' 98조 ②항에 따라 한계농지의 정비대상에 포함되면서도 이를 소유하려는 사람은 농지취득자격증명을 취득하지 않아도 되는 특수조항이 있다.

어떠한 경우라도 비(非)농민의 농지소유와 농지전용은 공무원의 판단에만 맡겨두어서는 안 된다. 그렇기 때문에 농림축산식품부, 광역자치단체, 기초자치단체 등은 학자 및 전문가, 농민대표, 소비자, 행정 등이 함께하는 농지위원회를 구성해 판단할 수 있도록 농지법 규정을 신설(新設)해야 한다.

제28조에 따른 농업진흥지역 밖의 농지 중 최상단부부터 최하단부까지의 평균 경사율이 15% 이상인 농지로서 대통령령으로 정하는 농지를 소유하는 경우 이와 연관된 '국토의 계획 및 이용에 관한 법률'과 자치단체의 도시계획조례가 함께 검토돼야 한다.

그래서 결론을 내리자면 농지법과 연관된 '한국농어촌공사 및 농지관리기금법', '농어촌 정비법', '국토의 계획 및 이용에 관한 법률' 등 법률도 함께 개정을 논의하고 검토해야 한다.

농지법 6조 ②항 10-바의 규정에 있는 "「공공토지의 비축에 관한 법률」 제2조 제1호 가목에 해당하는 토지 중 같은 법 제7조 제1항에 따른 공공토지비축심의위원회가 비축이 필요하다고 인정하는 토지로서 「국토의 계획 및 이용에 관한 법률」 제36조에 따른 계획 관리지역과 자연녹지지역 안의 농지를 한국토지주택공사가 취득하여 소유하는 경우. 이 경우 그 취득한 농지를 전용하기 전까지는 한국농어촌공사에 지체 없이 위탁하여 임대하거나 사용대(使用貸)하여야 한다."는 규정에 부가적으로 "단, 농업진흥지역의 경우에는 한국토지주택공사가 소유할 수 없으며, 해당 농지의 국가계획이 확정된 경우에만 구입할 수 있다."는 규정을 덧붙이면 금상첨화일 것 같다.

특히 농지법 6조에 ⑤항을 덧붙여 "⑤법에서 허용된 농지라고 하더라도 농업의 목적으로 사용해야 한다. (농지농용의 원칙 규정)"는 조건을 달면 농지를 다른 용도로 사용하려는 시도를 차단할 수 있을 것이다.

농지소유 상한

농지법 7조에 보면 상속자와 이농자(離農者)가 1만 제곱미터까지 농지를 소유할 수 있게 규정하고 있다. ④항에는 농지 소유자가 농지를 임대차한 경우에는 소유상한을 초과하더라도 빌려준 기간 동안 농지를 소유할 수 있을 뿐만 아니라 주말·체험영농을 하려는 자는 1,000제곱미터까지 농지를 소유할 수 있다.

또 농지법 2조 3에 따르면 농업법인을 규정하고 있는데 농업법인은 '농어업 경영체 육성 및 지원에 관한 법률' 제16조에 따라 설립된 영농조합법인과 같은 법 제19조에 따라 설립되고 업무집행권을 가진 자 중 3분의 1 이상이 농업인인 농업회사법인을 말한다. 그런데 농업법인도 농지법상 농지를 소유할 수 있다.

비(非)농민이라도 상속, 이농, 담보농지 취득 등 불가피한 사연이 있어 농지를 소유한 경우에는 당장은 소유를 인정하더라도 소유기간을 3년 정도로 정해 그 이내에 경자(耕者)가 아니면 농지를 팔도록 해야 한다.

만일 3년 이내에 농지를 팔지 못한 경우 한국농어촌공사 농지은행에 위탁해 판매하도록 해야 한다.

그렇게 해야 이들이 해당 농지를 이용해 불로소득을 노리는 농지전용을 막을 수 있기 때문이다.

농업법인의 농지 소유도 규제해야 한다. 비(非)농민이 농업법인을 설립해 농지전용을 하는 사례가 많다. 비록 농업법인 조합원이더라도 법인 설립에 큰 비중으로 투자해 비(非)농민이면서 농업법인을 좌지우지하며 뒤에서 농지개발을 해 부동산투기를 하고 있는 사례가 대단히 많은 것을 현지인들은 잘 알고 있다. 농지를 농민이나 농업법인이 소유한 경우 골프장을 지을 수 있도록 한 규정을 악용해 뒤에서 농업법인을 통해 농지에 골프장을 개발하려는 경우도 발생하고있다.

그래서 농업법인의 경우 비(非)농민이 조합원이나 임원으로 근무하지 않는 농업법인만 농지를 소유할 수 있도록 규정을 신설해 강화해야 한다.

제10조에는 농업경영에 이용하지 아니 하는 농지 등의 처분에 대한 내용이 규정되어 있는데 그 내용을 보면 "①농지 소유자는 다음 각 호의 어느 하나에 해당하게 되면 그 사유가 발생한 날부터 1년 이내에 해당 농지를 처분하여야 한다."이다.

①항을 "①농지 소유자는…… 한다. 다만, 상속자·이농자 또는 저당권자의 농지소유 등 예외 적용으로 농지를 소유한 경우 농업

경영에 이용되지 않을 때는 3년 이내에 해당농지를 처분해야 한다."로 개정해야 할 것으로 보인다.

또 제10조 ①항에 9를 추가해 "9. 상속, 이농, 저당권자의 농지소유 등 예외적 농지 소유자는 2년차 농업경영 여부를 조사해 이행하지 않았다고 시장·군수 또는 구청장이 인정한 경우"를 추가하는 것도 필요하다.

이제 농지(農地)는 더 이상 개발이익을 추구할 경제재가 아니다. 유럽이건, 미국이건, 일본이건, 아프리카나 동남아 또는 아메리카 대륙이건 어디서도 농지는 마음대로 처리하지 않고 있다.

어떤 나라는 농업회의소가 농지의 전용을 철저히 막고 있고, 어떤 나라는 비(非)농민의 농지소유가 원천적으로 불가능하도록 되어 있다.

식량안보를 지키기 위한 것만이 아니라 지속가능한 농업과 먹거리복지의 실현을 위해 농지의 보존이 절대적으로 필요하다는 점을 인식해야 한다. 우리의 후손을 위해서 반드시 지켜야 할 자원이 때문이다.

부동산공화국 대한민국

땅 투기 불로소득이 만든 불평등사회

대한민국은 부동산공화국이다. 누구는 땅을 사서 개발시키는 바람에 재산이 우리나라의 1% 내에 들어 땅땅거리고 사는데 누구는 열심히 농사를 지어도 생산비조차 나오지 않는다. 요즈음 농촌에 남은 연세든 농민들은 자식들은 외지로 나가 잘 살고 자식들이 부모를 찾아 농촌에 오면 농사지은 것 보따리에 싸서 보내는 것이 일이다.

그 대신 자식들로부터 용돈을 받아 살아간다. 농업소득이 농가소득의 3분의 1 이하로 줄어 자식들로부터 받는 용돈, 즉 이전소득이 없으면 병원에 갈 돈도 부족하다.

그러나 농촌의 농지(農地)는 부재지주가 60%를 소유하고 있다. 농지의 개발이익에 의한 불로소득을 도시인들이 가져가고 있는 것이다. 부동산은 한국사회에서 절대적 영향력을 갖고 있다. 지금 대한민국은 땀 흘려 잘 사는 사회가 아니라 땅으로 잘 사는 사회, 불로소득을 좇아 민첩하게 움직이는 사람이 잘 사는 사회가 돼 버렸다. 정치인, 건설업자, 유력자, 재벌기업은 물론 중소기업,

중산층, 서민층까지 모두가 부동산으로 '대박'을 노린다. 불편하지만 부정할 수 없는 이 시대 한국사회의 자화상이다.

최근 사회를 뒤흔든 최대의 유행어는 '똘똘한 한 채'였다. 엄청난 기세로 불어 닥친 투기 광풍에 전국이 들썩였다. 특히 서울 지역, 그 중에서도 강남의 아파트값이 폭등하면서 평범한 시민과 국민들을 상대적 박탈감과 불안 속으로 몰아넣었다. 화들짝 놀란 정부가 부랴부랴 대책을 내놨지만, 땜질 식 응급처방에 가까워 불안감은 여전하다.

대한민국은 해방 후 농지개혁으로 평등지권 사회를 실현한 대표적 국가였다. 일제가 정착시킨 식민지 지주제를 성공적으로 해체한 뒤 온 국민이 토지에 대한 평등한 권리를 누리는 '소농의 나라'로 변모한 것이다.

농지개혁이 지주제를 해체하고 자작농 체제를 성립시키면서 세계 최고 수준의 토지소유 균등(均等)을 실현했다. 당시 인구의 95% 이상이 농사를 짓던 시절이어서 대부분의 농민이 유상몰수 유상분배 방식으로 3정보의 농지를 가질 수 있었다.

공평한 고도성장(高度成長)의 길은 바로 이 농지개혁(農地改革)으로 열렸다'는 것이 경제학자들의 이야기다.

지난 27년간 한국 부동산 문제를 연구하고 토지 정의를 전파해 왔던 경제학자 전강수(대구가톨릭대 경제통상학부) 교수가 부동산 문제를 중심으로 한국 경제사를 살펴본 저서 『부동산공화국 경제사』를 출간해 평등지권(平等地權) 사회에서 불로소득 지향 사회로 전락해버린 대한민국의 자화상을 깊숙이 들여다본다. 그리고 부동산에 대한 근본 철학부터 재정립하자며 문제의 해법을 구체적으로 제시한다.

전 교수는 19세기 말까지 미국에서 『성경』 다음으로 많이 팔린 세계적 명저 『진보와 빈곤』의 저자이자 토지개혁가 헨리 조지(1839~1897)의 사상에 크게 영향을 받은 학자로서 기득권세력, 투기세력, 뉴라이트 사학자들의 논리에 맞서 시장을 시장답게, 자본주의를 자본주의답게 만들려면 무엇보다 먼저 토지제도를 정의롭게 만들 필요가 있다고 역설해왔다. 지금의 한국경제가 심각한 불평등과 불안정, 저성장에 시달리는 근본 원인이 토지와 부동산을 잘못 다뤄왔기 때문이라는 견해를 피력하고 있다.

아시아의 다섯 마리 용으로 불릴 정도로 높은 경제성장률과 발전을 구가하던 대한민국이 점차 무너지고 있다. 대한민국을 누가, 언제, 어떤 연유로 부동산 투기와 불로소득으로 인한 불평등과 양극화의 '부동산공화국'으로 추락시키고 말았을까?

평등지권 사회가 부동산공화국으로 추락하는 데 결정적 계기를 제공한 주역은 박정희 전 대통령이었다고 전강수 교수는 그의 저서 『부동산공화국 경제사』에서 말한다. 토지 불로소득과 부동산 투기에 대한 아무런 대비책도 마련하지 않은 채 대규모 도시개발을 추진함으로써 지가 폭등과 부동산 투기를 불러왔고, 강남개발이 그 출발점이었다는 것이다.

정치자금을 마련하기 위해 직접 토지 투기까지 벌인 박정희 정권의 무분별한 도시개발로 촉발된 부동산 투기는 이후 주기적으로 반복돼 부동산값 폭등을 야기(惹起)하곤 했다.

전 교수는 "한국에서 평등지권 사회가 성립하고 후퇴한 과정은 매우 중요한 의미를 갖는다. 유례없는 고도성장, 부동산 투기, 기득권 세력 형성, 불평등과 양극화, 경제위기 등이 모두 그것과 관련이 있기 때문이다."라고 분석했다.

이후 일부 정권이 부동산공화국 형성을 저지하려는 노력을 기울이기도 했다. 노태우 정권이 토지공개념 제도를 도입하고, 김영삼 정권이 과표(課標) 현실화 정책을 추진한 게 그 대표적 사례다. 하지만 두 정권은 부동산 불로소득의 근본적 해소를 목표로 부동산공화국과 정면대결을 펼치려고 하지 않아 정책이 당초 계획보다 후퇴하거나 도중에 중단되고 말았다.

한국 정부 최초로 부동산공화국과 정면대결을 펼친 주인공은 노무현 정부였다. 김대중 정부는 계획만 세웠을 뿐 실행하지 못하고, 오히려 경제위기 극복을 이유로 부동산공화국 강화 정책으로 기울고 말았으나 노무현 정부는 획기적인 부동산 보유세의 시행으로 부동산 불로소득의 사적 취득을 차단함으로써 불평등 완화를 꾀했다.

하지만 이명박·박근혜 정권의 부동산 정책은 보유세 혁명에 대한 반혁명이었다. 전 교수는 "두 보수 정권은 보유세의 강화 정책을 무력화하고 노골적인 부동산 경기부양 정책을 펴면서 국민에게 지대 추구의 꿈을 심어주고 마음껏 부동산 투기(投機)에 나서도록 부채질했다."고 안타까워한다.

이어 등장한 문재인 정부의 부동산 정책은 어떤 평가를 받을까?
정권의 절반이 넘어가는데도 아직은 정책들이 국회에서 발목 잡히고 있어 추진되는 것이 부족하나. 유감스럽게도 촛불 정부의 소임을 다하려는 생각도, 노무현의 분투를 계승하겠다는 의지도 찾아보기 힘들다. 이제부터라도 더 적극적으로 토지 공개념 사상을 널리 알리고, 토지균등분배, 토지 공공 임대제, 토지가치세제 등의 방법으로 이전보다 진일보한 평등지권 사회를 구현키 위해 노력해야 한다.

최근 강화되고 있는 종부세도 불로소득의 대부분을 세금으로 거둬들일 수 없다. 이를 보완키 위해 국토 보유세를 도입해야 한다. 국토 보유세는 현행 보유세 제도의 근본 문제로 지적되는 용도별 차등 과세를 폐지하고 모든 토지를 인별 합산해서 누진 과세한다는 내용이 중심을 이뤄야 한다.

물론 보유세 강화에 뒤따르는 조세저항은 필수적으로 뒤따른다. 그러나 이에 대해선 기본소득과 결합하거나 국가 재건 프로젝트의 시행으로 얼마든지 극복할 수 있다. 또 "특권이익이 있는 곳에 우선 과세한다."는 것을 조세 제도의 제1원칙으로 수립해 실행해야 한다.

국토 보유세 도입 외에 도입할 수 있는 정책 수단으로 재벌·대기업 법인세 중과, 누진소득세 최고세율 인상, 상속세·증여세 최고세율 인상, 자연자원 이용료와 환경 오염세 정상화 등을 종합적으로 검토해야 땅 투기를 막을 수 있다.

'경자유전의 원칙'과
'농지농용의 원칙'이 무너지면

경자유전(耕者有田)의 원칙이 무너지면

'경자유전의 원칙'이란 경작자, 즉 농민만이 농지를 소유할 수 있다는 원칙이다. 이러한 원칙은 봉건제 아래에서 권력자와 일부 귀족들의 소유로 빈부격차가 극심해지고 심하게는 굶어죽는 사례까지 발생하던 과거의 경험을 바탕으로 하고 있다.

봉건제가 무너지고 민주제가 세계적으로 확산되면서 봉건제 하에서의 농지제도를 평등한 국민(농민)에게 골고루 분배하기 위해 나온 정책의 원리가 '경자유전의 원칙'인 것이다.

이런 변화는 제2차 세계대전 이후 승전국인 연합국으로부터 식민지에서 해방된 국가에 이르기까지 지구상에 펼쳐졌던 농지 소유에 관한 원칙인 것이다.

'경자유전의 원칙'은 헌법상 원리로 규정한 국가도 있으나 대부분의 국가에서는 법률로 규정하고 있다. 근래에 들어서서 대만이 '경자유전의 원칙'을 폐기했는데, 농지는 투기의 대상이 되어 우리나리 농지의 10베의 기격으로 폭등했다. 그 결과 대만의 농촌은 붕괴됐고, 농지는 고율의 임대차 비용을 감당할 수 없어서 임대도 불가한 상황에 놓여 있다.*

우리나라도 심각한 상황은 대만에 못지않다. 농지가격도 프랑스 농지가격의 14배에 이르고 있는 것을 보면 그 심각함은 짐작할 수 있다. 우리나라의 농지가격은 세계 최고 대만, 일본에 이어 세계 3위를 차지하고 있다.

세계 각국은 서민의 의식주(衣食住)를 보호하기 위해 저가의 식료품 정책을 추구하고 있는 것이 일반적인 현상이다. 개방화시대에 농산물가격은 대체로 저가로 유지하고 있는 데 반해 농지가격이 폭등하게 되면 농민들이 농업을 지속하고 싶어도 비(非)농민들이 농지를 대상으로 투기를 일삼기 때문에 농지의 소유가 비(非)농민에게 넘어가고 농민은 이들 부재지주에 의해 희생만 강요받게 된다.

사회적으로 농지가 더 이상 농산물 생산수단으로 적당하지 않기 때문에 농민은 어쩔 수 없이 농업 생산을 포기하기에 이르게 된다. 이럴 때 경자유전의 원칙이 없다면 비(非)농민에 의해 농지는 난개발의 소용돌이 휩싸일 수밖에 없다.

다시 말해 농지가격이 폭등하면 후속적으로 값싼 농산물의 수입 때문에 농산물 생산이 급격히 줄어들고 급기야 농업생산을 포기하기에 이르게 된다. 그 결과 국가의 중요정책 중 절대로 포기할 수 없는 식량안보 정책에 심각한 문제점을 불러일으킨다.

결국 비농업인의 농지소유가 증가하면 농업 외적인 이용, 즉 도로 뚫고 건물 짓는 등으로 땅값 상승을 위한 도시개발을 도모하게 되고, 이에 따라 농지가 농지 본연의 농업 생산수단으로 기능하는 것이 아니라 그 자체가 투기 또는 재산 증식의 수단으로 변하게 된다.

원래 '경자유전의 원칙'은 농지를 농업 생산수단으로 이용하라는 의미를 담고 있는 것이다. 말하자면 농민에게 농지 소유권이라는 권리를 부여한 것은 지가 상승 또는 임대수입을 위해 투기나 재산증식의 수단으로 이용하라는 의미가 아니라는 것이다. 그 이면에는 국가가 추구해야 할 중요한 기본정책인 국민 전체의 식량안보가 걸려 있다.

물론 식량안보 외에도 지역 균형발전, 생물 다양성의 보전, 농촌문화 보전, 인구분산 등 수많은 헌법상 국가 책무 사항과 관련되어 있기도 하다. 경작자에게조차도 농지소유를 재산증식 수단으로 인정하지 않는 것이 '경자유전의 원칙'이다. 이에 비추어, 당연히 비(非)농업인의 재산권 보장 수단으로 농지소유를 인정하지 않고 있으며, 헌법 제121조 제2항 예외적 임대차 및 위탁경영 허용 조항에서조차 이것은 전혀 고려되지 않고 있다. 이는 농법학자인 사동천 홍익대학교 교수가 인정하는 내용이다.

헌법 제121조 제1항에서의 농지에 관한 재산권은 농업 생산수단으로서의 농지만을 허용하고, 임대목적이나 지가상승, 다시 말해 투기 목적으로 소유를 허용하는 것은 아니다.

사동천 교수에 따르면 1인당 GNP기 우리나라의 1.7배에 달하는 프랑스의 농지 가격이 우리나라 농지 가격의 6.6%에 불과한 이유를 생각하면, 프랑스의 농지는 얼마나 철저하게 농업생산수단으로 잘 관리되고 있는지 알 수 있다고 설명한다.

제2항에는 예외적으로 임대차와 위탁경영을 허용하고 있는데, 이는 '농업 생산성 제고와 농지의 합리적인 이용을 위하거나 불가피한 사정으로 발생되는 농지'에 한하고, 이 경우에도 소작제는 금지된다. 다시 말해 예외적 임대차와 위탁경영의 허용은 농업 생산성이 떨어지는 경우나 농지 이용이 불합리할 경우, 불가피한 사유가 있는 경우에 한하여 허용된다는 것이다.

특히 농지법 제23조 제1항에서는 "다음 각 호의 어느 하나에 해당하는 경우 외에는 농지를 임대하거나 사용대(使用貸)할 수 없다."고 규정해 농지 임대차 등을 원칙적으로 금지하고 있는 것이다. 따라서 헌법 제121조는 농업인이든 비(非)농업인이든 농지 소유를 임대나 지가상승을 목적으로 하는 재산증식 수단으로 인정하지 않고 있다.

'농업 생산성의 제고와 농지의 합리적인 이용을 위하거나 불가피한 사정으로 발생되는 농지'에 한해 극히 예외적으로 비농업인의 농지소유를 허용(임대 등을 허용)하고 있을 뿐, 농지를 농업 생산수단으로 이용하지 않는 비(非)농업인에게는 그 소유조차 허용하지 않는다는 것이 헌법상 명령인 것이다.

'농지농용(農地農用)의 원칙'이 무너지면

'농지농용의 원칙'이란 농지를 농업생산의 용도로만 사용하라는 원칙이다. 이러한 원칙은 '경자유전의 원칙'만으로는 농지법에서 제대로 운영되지 않기 때문에 농업 분야의 학자인 박석두 전 한국농촌경제연구원 선임연구위원이 새롭게 세운 원칙이다.

농지를 비(非)경작자, 즉 비(非)농민(부재지주)이 소유하면서 쓸데없는 개발을 통해 지가상승을 노리기 때문에 이를 막기 위해 농지는 농업 생산목적으로만 사용하라는 것이다. 원래 '경자유전의 원칙'은 농지를 농업 생산수단으로 이용하라는 의미를 담고 있다. 다시 말해 '농지농용의 원칙'을 포함하는 개념인 것이다.

물론 헌법 제121조 제2항에는 예외적으로 임대차와 위탁경영을 허용하고 있다. 그런데 이는 '농업생산성 제고와 농지의 합리적인 이용을 위하거나 불가피한 사정으로 발생되는 농지'에 한하고, 이 경우에도 소작제는 안 된다. 다시 말해 예외적 임대차와 위탁경영의 허용은 농업생산성이 떨어지는 경우 및 농지 이용이 불합리할 경우, 불가피한 사유가 있는 경우 등 농지의 가치를 상실한 상황에서만 허용되는 것이다.

그래서 어떤 이들은 농지를 사용하지 못하도록 하기 위해 쓰레기를 버리거나 각종 잡석을 농지에 메우기도 한다. '농지농용의 원칙'을 의도적으로 못 지키지 못하게 하기 위해 불법으로 농지를 망가뜨리는 것이다.

농지법 제23조 제1항에 따르면 "다음 각 호의 어느 하나에 해당하는 경우 외에는 농지를 임대하거나 사용대(使用貸)할 수 없다."고 규정해 아주 불가피한 상황이 아니라면 농지 임대차(賃貸借) 등을 원칙적으로 금지하고 있다. 농지는 농업생산 목적으로만 이용돼아 한다는 점을 강조하고 있다.

이런 것을 감안할 때 비(非)농민이 농지에 산림 묘목을 식재했거나 과수 묘목을 심었어도 관리하지 않을 경우, 비닐하우스나 농업용 판넬 건축물을 지었더라도 도시민에게 창고나 공장 등 다른 용도로 빌려줬다면 이것은 '농지농용의 원칙'을 벗어난 것이다.

농민 조합원으로 인정받기 위해 전국 동시 조합장 선거 때마다 발생하는 벌통 10대 놓기, 메추리 30마리 닭장에 넣기 등으로 조합원 자격을 유지해 선거에 참여하는 것도 '농지농용의 원칙'을 어긴 것이다.

그런데 농지에서 일어나는 이런 불법을 판단하는 시·군청의 공직자는 1명 정도에 불과하다. 농지가 농업용도로 사용하지 않는 것을 단속하는 것이 아니라 부재지주를 상대하면서 오히려 농지법상의 규정을 어기지 않도록 편법을 알려주는 역할을 하는 경우도 매우 많다.

특히 부동산업자와 농지 관련 공무원이 담합해 법의 테두리에서 농사짓는 것처럼 위장해 농지를 전용하는 방법을 알려주기도 한다. 그래서 부재지주가 구입한 농지는 과수 묘목이 심겨져 있거나 묘목 밭을 조성하거나 비닐하우스나 판넬 시설을 잔뜩 지어 창고용으로 임대하거나 부동산업자를 통해 해당지역 사람에게 임대해 직불금을 빼앗아 가거나 임대농의 농자재 구입 영수증까지 받아 자신이 농자재를 구입한 것처럼 치장하는 등의 사례가 비일비재하게 일어나고 있는 것이다.

'농지농용의 원칙'을 지키는 것이 아니라 농지농용인 것처럼 위장술을 부려 농업인인 양 행세를 하고 있는 경우가 너무도 많다.

농지를 어떻게 구체적으로 지켜야 하는지는 방향이 뻔하다. 그러나 이것은 매우 어렵다. 그것은 국회의원의 3분의 1이 농지를 소유하면서 이를 개발해 투기를 하고 있기 때문에 이들이 이를 허용할 리 없기 때문이다.

뿐만 아니다. 우리나라의 요직에 있거나 권력층에 속하는 사람들 치고 부동산 투기를 하지 않은 사람이 거의 없기 때문에 농지법 개정에 대한 조직적 반발이 매우 드셀 것으로 예상된다. 그래도 어쩔 수 없다. 국가의 100년 대계를 위해서라면 과감하게 농지법을 '경자유전의 원칙'과 '농지농용의 원칙'에 맞게 바꿔야 한다.

적게는 농업 직접지불금의 부당수령을 막기 위해서이고, 크게는 땅으로 땅땅대는 부자와 재벌의 불로소득을 더 이상 방치해서는 안 되기 때문이다.

제 8 장

제2의 농지개혁
어떻게 해야 하나?

헌법과 농지개혁 개괄

헌법을 근거로 땅 관련 법규, 조례 모두 검토해야

농지를 보존하고 농업 직접지불금의 부당수령을 막아내는 등의 제2의 농지개혁을 이루려면 어떻게 해야 할까?

농지법만 대충 손보는 식의 단순한 방법으로는 아무런 효과도 없을 뿐만 아니라 농지법이 오히려 힘 있는 자들에게만 혜택을 주는 법으로 변질될 수도 있다.

그래서 농지개혁을 이루려면 종합적인 판단으로 헌법에서부터 국토법이라 불리는 '국토의 계획 및 이용에 관한 법률(이하 국토법)'도 제대로 손을 봐야 하고, '농지법'도 농지의 소유와 소유의 범위, 불가피한 소유의 경우 양도 기간은 물론, 농지전용과 관련된 규정 등 총체적인 검토를 거쳐 올바르게 개정해야 한다.

이런 정도면 다 될까? 그렇지 않다. 농지와 관련이 있는 '농어촌 정비법'을 비롯해 다양한 법규에서 개정사항을 찾아내야 하며, 지방자치단체의 조례에도 농지 훼손을 조장하는 규정이 많기 때문에 중앙정부 차원에서 이를 정비하도록 지시하거나 법률로 묶어두는 방식을 택해야 한다.

관련 헌법 조항, 4개항에 달해

헌법에서 농지와 관련된 조항은 제120조와 제121조 1·2항, 제122조, 제123조 등이다. 헌법 제120조 2항에는 "국토와 자원은 국가의 보호를 받으며, 국가는 그 균형 있는 개발과 이용을 위하여 필요한 계획을 수립한다."고 규정함으로써 국토와 자원을 보호하고 계획적으로 이용할 것을 권장하고 있다. 이에 따라 농지도 균형 있는 개발과 이용을 위해 국가 차원의 계획에 따라 이용되어야 한다는 의미를 담고 있는 것이다.

따라서 '국토법'에 담겨 있는 현행 용도지역 규정 방식의 개발은 위헌(違憲)이라는 것이 저자의 생각이며, 이에 따라 국가의 개발계획도 필요하지만 국가에서 개발계획을 세우기 전에 개발의 원칙부터 먼저 세워 광역자치단체와 기초자치단체의 개발계획이 원칙에 벗어나지 않도록 기준을 세워야 한다.

제121조에 따르면 1항에서 "국가는 농지에 관하여 '경자유전의 원칙'이 달성될 수 있도록 노력하여야 하며, 소작제도는 금지된다."라고 제시함으로써 농지만큼은 농민이 소유하도록 규정하고 있다.

그러나 하위법인 농지법에는 비(非)농민도 농지를 소유할 수 있는 규정을 갖고 있고, 불가피하게 농지를 소유하는 경우 이를 처분하는 규정이 없어서 '경자유전의 원칙'이 훼손되고 있는 것이다. 이렇게 비(非)농민에게도 농지 소유의 길이 열려 있어서 결국 이들의 농지전용을 통해 농지는 훼손되고 식량안보를 지켜야 할 농지의 면적은 점점 줄어들고 있는 것이다.

또 소작제도는 금지되어 있는데도 불구하고 농촌의 현장에서는 지주들이 영농 종사자에게 줘야 할 농업 직접지불금을 강탈해 갈 뿐만 아니라 이를 들키지 않기 위해 지역의 복지지원까지 받아 가는 편법을 부려 현대판 소작제도라는 말이 들리기도 한다.

관련 법규 '경자유전의 원칙'에 벗어나지 말아야

제121조 2항에는 "농업 생산성의 제고와 농지의 합리적인 이용을 위하거나 불가피한 사정으로 발생하는 농지의 임대차와 위탁경영은 법률이 정하는 바에 의하여 인정된다."라고 규정하고 있다. 이 규정은 일반인들은 농지를 소유할 수 없기 때문에 불가피하게 농지를 소유한 상속자, 이농자, 부채의 담보로 설정으로 인한 이전 소유자들의 땅을 빌리거나 농지은행으로부터의 임대차나 위탁경영은 할 수 있다는 규정으로, 농지법에서 불가피한 농지 소유의 한계기간이 2년 정도로 설정된다면 비(非)농민들의 투기목적으로 농지가 활용되는 것을 막아낼 수 있을 것으로 판단된다.

또한 헌법 제121조에 3항을 신설해 "③국토와 관련된 법률에서는 '경자유전의 원칙'을 지키도록 조항을 제정해야 한다."는 내용을 추가해야 한다는 것이 저자의 주장이다.

이에 더해서 국가는 국토의 효율적이고 균형 있는 이용·개발과 보전을 위해 법률로 규정하고 이에 필요한 제한과 의무를 헌법 제122조로 규정하고 있다. 헌법 제122조의 내용은 '국토의 이용 및 계획에 관한 법률(국토법)'에 그 내용을 담고 있다.

헌법 조항을 보면 "국가는 국민 모두의 생산 및 생활의 기반이 되는 국토의 효율적이고 균형 있는 이용 개발과 보전을 위하여 법률이 정하는 바에 의하여 그에 관한 필요한 제한과 의무를 과할 수 있다."라고 되어 있다.

그러나 국토법은 위헌으로 보이는 용도지역 제도를 운영하고 있는데 용도 지역별로 땅값의 차이가 커 소규모로 분산된 개별적인 농지를 전용해 개발하는 방식을 택함으로써 오히려 농지를 없애는 주요 원인이 되고 있다. 이를 막으려면 방법은 한 가지밖에 없다. 현행 용도지역제도를 유럽식 계획허가제로 바꿔야 한다.

이에 대한 구체적인 방안은 농지 보전에 무게를 둔 사람이 과반을 차지하는 전문가 그룹들이 모여 대안을 만드는 과정을 통한 다음 국회 심의를 거쳐야 한다고 생각한다.

헌법 제123조는 농지의 소유에 관한 문제만이 아니라 식량의 확보와 안정적 공급을 위해 농어민을 보호하고 육성해야 한다는 것을 의무화했다. 또 이에 필요한 계획을 수립하면서 국토 일부만의 육성이 아니라 균형 발전을 도모할 의무까지 부과했다.

*제123조
①국가는 농업 및 어업을 보호·육성하기 위하여 농·어촌 종합개발과 그 지원 등 필요한 계획을 수립·시행하여야 한다.
②국가는 지역 간의 균형 있는 발전을 위하여 지역경제를 육성할 의무를 진다.
③국가는 중소기업을 보호·육성하여야 한다.
④국가는 농수산물의 수급 균형과 유통구조의 개선에 노력하여 가격안정을 도모함으로써 농·어민의 이익을 보호한다.
⑤국가는 농·어민과 중소기업의 자조조직을 육성하여야 하며, 그 자율적 활동과 발전을 보장한다.

아울러 헌법에는 소비자의 안정적인 공급을 위해 유통구조의 개선을 지속적으로 추진할 것을 요구하고 있으며, 식량을 생산하는 농어민이 공직자적 성격을 규정해 이를 위한 자조조직의 육성으로 생활의 안정을 도모하도록 지원하게 하고 있다.

이런 상황에서 새롭게 헌법에 담아야 할 농지와 관련된 사항은 농지의 규제가 심해지면 손해를 볼 수 있는 농지 소유자인 농민에 관한 공익적 기능의 반영이 첨가돼야 한다고 본다.

지금도 농지는 개발이 가능한 도시지역이나 생산 관리지역보다 땅값이 절반 이하 수준이다. 개발만 하면 땅값이 뛰는데 개발을 할 수 없으니 이런 점에 대한 농민들의 박탈감은 매우 심하다. 이에 따라 농업의 공익적 가치만이 아니라 농지에 대한 공익적 가치를 인정하는 규정을 추가해야 한다는 학자들의 견해도 많다.

제2의 농지개혁과 국토법

국토 이용관리 원칙 바로 세워야

헌법 조항에서 검토해 봤지만 국토법은 제3조*에 규정하고 있는 '국토 이용 및 관리의 기본원칙'부터 개정해야 한다.

*제3조 (국토 이용 및 관리의 기본원칙) 국토는 자연환경의 보전과 자원의 효율적 활용을 통하여 환경적으로 건전하고 지속가능한 발전을 이루기 위하여 다음 각 호의 목적을 이룰 수 있도록 이용되고 관리되어야 한다.
1. 국민생활과 경제활동에 필요한 토지 및 각종 시설물의 효율적 이용과 원활한 공급
2. 자연환경 및 경관의 보전과 훼손된 자연환경 및 경관의 개선 및 복원
3. 교통·수자원·에너지 등 국민생활에 필요한 각종 기초 서비스 제공
4. 주거 등 생활환경 개선을 통한 국민의 삶의 질 향상
5. 지역의 정체성과 문화유산의 보전
6. 지역 간 협력 및 균형발전을 통한 공동번영의 추구
7. 지역경제의 발전과 지역 및 지역 내 적절한 기능 배분을 통한 사회적 비용의 최소화
8. 기후변화에 대한 대응 및 풍수해 저감을 통한 국민의 생명과 재산의 보호

제3조에 규정된 국토 이용관리 원칙에는 농업생산이나 식량안보 등의 규징이 없다. 따라서 3조에서 9·10항을 신설해 <9. 지속

가능한 농업과 식량의 안정적 확보를 위한 절대농지(농업진흥지역)의 유지 10. 헌법 제121조 '경자유전의 원칙'을 지키고 투기 수요 방지> 등을 추가하는 개정이 필요하다.

용도지역제, 유럽식 계획허가제로 전환해야

국토법 제6조에 담겨 있는 '국토의 용도구분'을 대대적으로 개정해야 한다. 현행 용도지역제도를 유럽식 계획허가제로 바꿔야 하기 때문이다.

개별 분산 농지전용과 개별 개발행위를 차단하고 계획적·집단적 개발이 되도록 하면서 개발로 인해 발생하는 이익은 최대한 환수할 수 있도록 개발이익 환수제도를 강화해야 한다.

이와 같은 내용은 '국토의 계획 및 이용에 관한 법률'의 관련 조항을 찾아 개정해야 한다.

이를 위해 국토법 6조부터 시작되는 용도구분과 이용에 관한 규정은 대대적으로 재검토돼야 한다. 이것은 국회의원이나 정부의 대체입법 개정 수준으로는 불가능하다.

따라서 법학 전문가들에게 구체적인 연구용역을 맡겨 대안을 모색한 후 이를 시민사회와 국민이 함께 공청회 등을 통해 확정하는 과정을 필요로 한다.

그런 과정에서 새 국토법이 확정되기까지 과도한 국토의 훼손을 막기 위해 생산관리지역을 준(準)농림지역으로 개편하는 일시적 조치가 필요할 것이다.

관리지역을 준(準)도시지역-준(準)농림지역으로 분리해야

국토법 제6조*에 규정된 국토의 용도구분에서 관리지역으로 규정하고 있는 것을 과거와 같이 준도시지역과 준(準)농림지역으로 분리해 농림지역의 용도에 맞게 사용하도록 해야 한다.

*제6조 (국토의 용도 구분) 국토는 토지의 이용실태 및 특성, 장래의 토지 이용 방향, 지역 간 균형발전 등을 고려하여 다음과 같은 용도지역으로 구분한다.
  1. 도시지역 : 인구와 산업이 밀집되어 있거나 밀집이 예상되어 그 지역에 대하여 체계적인 개발·정비·관리·보전 등이 필요한 지역
  2. 관리지역 : 도시지역의 인구와 산업을 수용하기 위하여 도시지역에 준하여 체계적으로 관리하거나 농림업의 진흥, 자연환경 또는 산림의 보전을 위하여 농림지역 또는 자연환경보전지역에 준하여 관리할 필요가 있는 지역
  3. 농림지역 : 도시지역에 속하지 아니 하는 「농지법」에 따른 농업진흥지역 또는 「산지관리법」에 따른 보전산지 등으로서 농림업을 진흥시키고 산림을 보전하기 위하여 필요한 지역
  4. 자연환경보전지역 : 자연환경·수자원·해안·생태계·상수원 및 문화재의 보전과 수산자원의 보호·육성 등을 위하여 필요한 지역

위의 6조 2항의 관리기준을 국토법 이전의 상태인 준(準)도시지역과 준(準)농림지역으로 분리해 "2. 준도시지역 : 도시지역의 인구와 산업을 수용하기 위하여 도시지역에 준하여 체계적으로 관리가 필요한 지역. 3. 농림업의 진흥, 자연환경 또는 산림의 보전을 위하여 농림지역 또는 자연환경보전지역에 준하여 관리가 필요한 지역."으로 고치고, 3.은 4.로, 4.는 5. 등으로 개정하면 최근까지 농지였음에도 비농업의 용도로 전용되는 것을 상당한 수준으로 예방할 수 있을 것으로 생각된다.

이에 따라 제7조*에 규정된 '용도지역별 관리의무'와 관련된 사항도 2항의 관리지역을 2개 항으로 분리해 개정하면 된다.

*제7조 (용도지역별 관리 의무) 국가나 지방자치단체는 제6조에 따라 정하여진 용도지역의 효율적인 이용 및 관리를 위하여 다음 각 호에서 정하는 바에 따라 그 용도지역에 관한 개발·정비 및 보전에 필요한 조치를 마련하여야 한다.

1. 도시지역 : 이 법 또는 관계 법률에서 정하는 바에 따라 그 지역이 체계적이고 효율적으로 개발·정비·보전될 수 있도록 미리 계획을 수립하고 그 계획을 시행하여야 한다.
2. 관리지역 : 이 법 또는 관계 법률에서 정하는 바에 따라 필요한 보전조치를 취하고 개발이 필요한 지역에 대하여는 계획적인 이용과 개발을 도모하여야 한다.
3. 농림지역 : 이 법 또는 관계 법률에서 정하는 바에 따라 농림업의 진흥과 산림의 보전·육성에 필요한 조사와 대책을 마련하여야 한다.
4. 자연환경보전지역 : 이 법 또는 관계 법률에서 정하는 바에 따라 환경오염 방지, 자연환경·수질·수자원·해안·생태계 및 문화재의 보전과 수산자원의 보호·육성을 위하여 필요한 조사와 대책을 마련하여야 한다.

제2의 농지개혁과 농지법

예외 없는 '경자유전의 원칙'

농지법 개정에 있어서 가장 중요한 것은 '경자유전의 원칙'에 예외를 두지 말아야 한다는 점이다. 그래서 반드시 비(非)농민은 농지를 구입할 수 없도록 해야 한다. 아무리 주말농장용이더라도 농민의 땅을 주말농장용으로 빌려야지, 주말농장용으로 구입할 수 있도록 허용하면 이를 핑계로 적은 면적이더라도 이를 구입할 수 있는 기회를 제공하게 되는 것이다.

농지법 제6조*에 그 내용이 있는데 특히 3항에는 주말·체험영 농을 목적으로 농지를 소유하도록 예외를 인정하고 있다. 그러나 이런 소유가 농지전용을 유발하거나 비(非)농업적으로 이용되는 점을 생각하면 그 원천을 봉쇄해야 한다. 농지 소유자는 지가 상 승을 노려 호시탐탐 농지전용을 노리고 있다.

*제6조 (농지 소유 제한)
①농지는 자기의 농업경영에 이용하거나 이용할 자가 아니면 소유하지 못한다.
②다음 각 호의 어느 하나에 해당하는 경우에는 제1항에도 불구하고 자기의 농업경영에 이용하지 아니할지라도 농지를 소유할 수 있다.
1. 국가나 지방자치단체가 농지를 소유하는 경우

2. 「초·중등교육법」 및 「고등교육법」에 따른 학교, 농림축산식품부령으로 정하는 공공단체·농업연구기관·농업생산자단체 또는 종묘나 그 밖의 농업기자재 생산자가 그 목적사업을 수행하기 위하여 필요한 시험지·연구지·실습지·종묘생산지 또는 과수 인공수분용 꽃가루 생산지로 쓰기 위하여 농림축산식품부령으로 정하는 바에 따라 농지를 취득하여 소유하는 경우
3. 주말·체험영농(농업인이 아닌 개인이 주말 등을 이용하여 취미생활이나 여가활동으로 농작물을 경작하거나 다년생 식물을 재배하는 것을 말한다. 이하 같다.)을 하려고 농지를 소유하는 경우
4. 상속[상속인에게 한 유증(遺贈)을 포함한다. 이하 같다.]으로 농지를 취득하여 소유하는 경우
5. 대통령령으로 정하는 기간 이상 농업경영을 하던 자가 이농(離農)한 후에도 이농 당시 소유하고 있던 농지를 계속 소유하는 경우
6. 제13조 제1항에 따라 담보 농지를 취득하여 소유하는 경우(「자산유동화에 관한 법률」 제3조에 따른 유동화전문회사 등이 제13조 제1항 제1호부터 제4호까지에 규정된 저당권자로부터 농지를 취득하는 경우를 포함한다.)
7. 제34조 제1항에 따른 농지전용허가[다른 법률에 따라 농지전용허가가 의제(擬制)되는 인가·허가·승인 등을 포함한다.]를 받거나 제35조 또는 제43조에 따른 농지전용신고를 한 자가 그 농지를 소유하는 경우
8. 제34조 제2항에 따른 농지전용 협의를 마친 농지를 소유하는 경우
9. 「한국농어촌공사 및 농지관리기금법」 제24조 제2항에 따른 농지의 개발 사업지구에 있는 농지로서 대통령령으로 정하는 1천500제곱미터 미만의 농지나 「농어촌 정비법」 제98조 제3항에 따른 농지를 취득하여 소유하는 경우
9의2. 제28조에 따른 농업진흥지역 밖의 농지 중 최상단부부터 최하단부까지의 평균 경사율이 15퍼센트 이상인 농지로서 대통령령으로 정하는 농지를 소유하는 경우
10. 다음 각 목의 어느 하나에 해당하는 경우
가. 「한국농어촌공사 및 농지관리기금법」에 따라 한국농어촌공사가 농지를 취득하여 소유하는 경우
나. 「농어촌 정비법」 제16조·제25조·제43조·제82조 또는 제100조에 따라 농지를 취득하여 소유하는 경우
다. 「공유수면 관리 및 매립에 관한 법률」에 따라 매립농지를 취득하여 소유하는 경우
라. 토지수용으로 농지를 취득하여 소유하는 경우
마. 농림축산식품부장관과 협의를 마치고 「공익사업을 위한 토지 등의 취득 및 보상에 관한 법률」에 따라 농지를 취득하여 소유하는 경우
바. 「공공토지의 비축에 관한 법률」 제2조 제1호 가목에 해당하는 토지 중 같은 법 제7조 제1항에 따른 공공토지비축심의위원회가 비축이 필요하다고 인정하는 토지로서 「국토의 계획 및 이용에 관한 법률」 제36조에 따른 계획 관리지역과 자연녹지지역 안의 농지를 한국토지주택공사가 취득하여 소유하는 경우. 이 경우 그 취득한 농지를 전용하기 전까지는 한국농어촌공사에 지체 없이 위탁하여 임대하거나 사용대(使用貸)하여야 한다.

또 농업법인이더라도 비(非)농민이 임원이나 조합원으로 참여하는 경우에는 농지소유를 막아야 한다. 농민이 아니면 농지소유가 원천적으로 막혀 있어 비(非)농민들이 편법으로 농지를 소유하는 방식이 농업법인을 통한 농지의 구입이다. 그래서 농업법인의 농지 소유에 대한 규정이 허술하게 되어 있는 점을 강화해야 한다.

불가피한 농지소유는 소유 제한 기간 설정

위의 6조를 보면 공적기관의 농지소유를 인정하는 것을 제외하고 상속인, 이농인, 담보농지 취득인 등은 개인임에도 농지소유를 인정하고 있으면서 소유의 제한을 두지 않고 있다. 이런 것이 바로 '경자유전의 원칙'을 훼손하는 것이다.

부모로부터 상속받아 어쩔 수 없이 농지를 소유할지라도 영원히 소유할 수 없도록 해야 한다. 그렇게 하지 않으면 곧 농지 훼손이 발생한다는 것을 알 수 있다. 경작자가 아니면서도 합법적으로 농지를 소유하는 것은 위헌이다.

따라서 불가피한 농지 소유자는 그 땅을 가질 수 있는 기한이 정해져야 한다. 2년 정도가 적합하다고 생각한다. 기간 내에 농민에게 처분하고 만일 처분되지 않을 경우 농지은행에 판매를 위탁하는 방식으로 농지를 처분하도록 해야 한다. 홍익대 교수인 한국 농법학회의 사동천 박사도 같은 의견을 제시하고 있다.

상속인뿐만 아니라 이와 여건이 비슷한 이농인이나 담보농지 취득인도 같은 조건으로 농지를 처분하도록 처분 기한을 규정해야 한다.

비농업인의 농지 처분 명령제 필요

농지법상 합법적으로 소유하고 있는 비농업인의 농지에 대해서도 처분 명령제를 마련해야 한다는 것이 농법학자들의 의견이다. 농지법이 처음 발효된 1996년 1월 1일 이전에 소유한 농지는 허용한다는 것이 제정 농지법 부칙 5조에 규정되어 있다.

이 법 때문에 그동안 상당히 많은 비(非)농민들이 농지를 소유해 왔고, 농업이 아닌 다른 용도로 사용되면서 농지가 전용됐다. 그래서 그들이 소유한 농지는 아직도 '경자유전의 원칙'이 지켜지지 않고 있다. 이들의 농지에 대해 처분의 기회 제공을 위한 경과규정으로서 2년 내지 5년의 처분기간을 마련하는 것이 적절하다고 생각한다.

이를 위해 가장 큰 문제점으로 지적되어 온 제정 농지법 부칙 5조를 폐기해야 한다는 것이 농법학자인 사동천 홍익대 교수의 견해다. 헌법 제121조에 비추어 보아도 비농업인의 농지 소유 허용을 소급해서 폐기하는 것이 오히려 헌법정신에 부합한다는 것이다.

비농민의 합법적 농지소유, 임대 등의 의무규정 마련해야

농지법 제10조'에는 농업경영에 이용하지 않은 농지 등의 처분에 대한 규정이 있는데 제1항에서는 정당한 사유 없이 휴경(休耕)하는 해당항목을 규정하고 있는데 이것에 저촉되지 않으면 처분하지 않아도 되는 문제점이 있다.

그래서 정당한 사유 없이 휴경하는 경우에 한하여 처분을 명하는 규정은 모든 농지에 적용될 수 있도록 개정돼야 한다.

*제10조 (농업경영에 이용하지 아니하는 농지 등의 처분)
①농지 소유자는 다음 각 호의 어느 하나에 해당하게 되면 그 사유가 발생한 날부터 1년 이내에 해당 농지(제6호의 경우에는 농지 소유 상한을 초과하는 면적에 해당하는 농지를 말한다)를 처분하여야 한다.
1. 소유 농지를 자연재해·농지개량·질병 등 대통령령으로 정하는 정당한 사유 없이 자기의 농업경영에 이용하지 아니하거나 이용하지 아니하게 되었다고 시장(구를 두지 아니한 시의 시장을 말한다. 이하 이 조에서 같다.)·군수 또는 구청장이 인정한 경우
2. 농지를 소유하고 있는 농업회사법인이 제2조 제3호의 요건에 맞지 아니하게 된 후 3개월이 지난 경우
3. 제6조 제2항 제2호에 따라 농지를 취득한 자가 그 농지를 해당 목적사업에 이용하지 아니하게 되었다고 시장·군수 또는 구청장이 인정한 경우
4. 제6조 제2항 제3호에 따라 농지를 취득한 자가 자연재해·농지개량·질병 등 대통령령으로 정하는 정당한 사유 없이 그 농지를 주말·체험영농에 이용하지 아니하게 되었다고 시장·군수 또는 구청장이 인정한 경우
5. 제6조 제2항 제7호에 따라 농지를 취득한 자가 취득한 날부터 2년 이내에 그 목적사업에 착수하지 아니한 경우
5의2. 제6조 제2항 제10호 마목에 따른 농림축산식품부장관과의 협의를 마치지 아니하고 농지를 소유한 경우
5의3. 제6조 제2항 제10호 바목에 따라 소유한 농지를 한국농어촌공사에 지체 없이 위탁하지 아니한 경우
6. 제7조에 따른 농지 소유 상한을 초과하여 농지를 소유한 것이 판명된 경우
7. 거짓이나 그 밖의 부정한 방법으로 제8조 제1항에 따른 농지취득자격증명을 발급받아 농지를 소유한 것이 판명된 경우
8. 자연재해·농지개량·질병 등 대통령령으로 정하는 정당한 사유 없이 제8조 제2항에 따른 농업경영계획서 내용을 이행하지 아니하였다고 시장·군수 또는 구청장이 인정한 경우
② 시장·군수 또는 구청장은 제1항에 따라 농지의 처분 의무가 생긴 농지의 소유자에게 농림축산식품부령으로 정하는 바에 따라 처분 대상농지, 처분 의무기간 등을 구체적으로 밝혀 그 농지를 처분하여야 함을 알려야 한다.

또한 투기적 수요를 막기 위해 기간 내에 처분하지 않는 경우 농지 보유세와 양도세를 증액하는 세법 개정도 뒤따라야 농지를 이용한 투기 수요를 잠재울 수 있다.

농지 임차료의 법적 상한선 둬야

농지법상 임차농(賃借農)을 보호하기 위해서는 농지의 지가상승, 임차료 수입, 사실상 직접지불금의 편법수령 등 재산증식 수단으로서의 농지소유가 허용되지 않아야 한다. 따라서 비(非)농업인에게 이러한 이익이 과도하게 흘러가지 않도록 임차료의 법정 상한을 정해야 한다.

연간 임차료 상한은 연간 1모작 생산량의 10%를 넘지 못하도록 하는 것이 적절하다. 이를 위반한 임대인은 해당 농지를 즉시 처분하도록 할 것도 규정해야 한다.

또한 임차농의 안정적인 영농을 위해 '상가건물임대차보호법'에 준해 적어도 10년간의 갱신청구권을 규정해야 직접지불금(직불금)의 부당수령도 막고 직불금을 미끼로 임차인을 임의로 교체하는 일도 없앨 수 있다.

따라서 농지법 제24조'에 규정된 '임대차·사용대차 계약방법과 확인' 조항에서 4항을 신설해 임차료의 법정 상한을 연간 1모작 생산량의 10%으로 규정하고, 이를 위반할 시 즉시 농지 처분조치를 취할 것을 담아야 한다.

'제24조 (임대차·사용대차 계약 방법과 확인)
①임대차 계약(농업경영을 하려는 자에게 임대하는 경우만을 말한다. 이하 이 절에서 같다.)과 사용대차계약(농업경영을 하려는 자에게 사용대하는 경우만을 말한다.)은 서면계약을 원칙으로 한다.
②제1항에 따른 임대차 계약은 그 등기가 없는 경우에도 임차인이 농지 소재지를 관할하는 시·구·읍·면의 장의 확인을 받고, 해당 농지를 인도(引渡)받은 경우에는 그 다음 날부터 제삼자에 대하여 효력이 생긴다.
③시·구·읍·면의 장은 농지 임대차계약 확인대장을 갖추어 두고, 임대차계

약증서를 소지한 임대인 또는 임차인의 확인 신청이 있는 때에는 농림축산식품부령으로 정하는 바에 따라 임대차계약을 확인한 후 대장에 그 내용을 기록하여야 한다.

농업인 정의의 정비와 개발이익 환수

농지법이 명확하려면 농업인의 정의가 현실에 맞게 확실해야 한다. 이를 위해 시행령에서 규정한 농업인의 정의를 법으로 규정하고, 이를 보완해 농업인 자경증(資格證)을 도입하는 문제도 검토할 수 있다.

현실적으로 농지의 관리감독이 매우 어려운 점을 고려해 외형상 농업인의 형태만 갖추는 것을 방지하기 위해 농업인 정의의 정비가 시급할 뿐만 아니라 보다 구체적으로 농업인의 개념을 정비하고, 유럽과 같이 구별 가능한 농업인 자격제로 바꿔야 한다는 주장이 농법학계에서 제기되고 있다.

또 적발하기 어려운 명의신탁을 막기 위해 투기로 얻은 이익을 모두 환수하는 방향으로 행정처분이나 벌칙규정을 개정해야 한다. 개발이익환수법 제5조 1항 7호*에 규정한 "지목 변경이 수반되는 사업으로서 대통령령으로 정하는 사업"이 여기에 해당한다. 농지에 해당하는 지목, 즉 농업진흥지역이나 생산관리지역을 다른 용도지역으로 전용하는 것을 뜻한다.

*개발이익환수법 제5조(대상 사업)
①개발 부담금의 부과대상인 개발 사업은 다음 각 호의 어느 하나에 해당하는 사업으로 한다.
1. 택지개발사업(주택단지조성사업을 포함한다. 이하 같다.)
2. 산업난지개발사업

3. 관광단지조성사업(온천 개발 사업을 포함한다. 이하 같다.)
4. 도시개발사업, 지역개발사업 및 도시환경정비사업
5. 교통시설 및 물류시설 용지조성사업
6. 체육시설 부지조성사업(골프장 건설사업 및 경륜장·경정장 설치사업을 포함한다.)
7. 지목 변경이 수반되는 사업으로서 대통령령으로 정하는 사업
8. 그 밖에 제1호부터 제6호까지의 사업과 유사한 사업으로서 대통령령으로 정하는 사업
②동일인이 연접(連接)한 토지를 대통령령으로 정하는 기간 이내에 사실상 분할하여 개발 사업을 시행한 경우에는 전체의 토지에 하나의 개발 사업이 시행되는 것으로 본다.
③제1항 및 제2항에 따른 개발 사업의 범위·규모 및 동일인의 범위 등에 관하여 필요한 사항은 대통령령으로 정한다.

용도에 따른 개발이익의 경우 가장 값이 싼 농지·산지의 개발이익이 가장 높기 때문에 이를 원천적으로 봉쇄하기 위해서는 농지와 산지의 개발이익에 대한 환수비율을 더 높여야 명의신탁도 농·산지를 이용한 투기도 막을 수 있다.

개발이익환수법에 있는 부담률 조항은 제13조*에 있는데 부담률이 20~25%에 달한다. 농지의 경우에는 이보다 비율을 더 높여 강력하게 규제해야 한다고 본다.

*제13조(부담률) 납부 의무자가 납부하여야 할 개발 부담금은 제8조에 따라 산정된 개발이익에 다음 각 호의 구분에 따른 부담률을 곱하여 산정한다.
1. 제5조 제1항 제1호부터 제6호까지의 개발사업 : 100분의 20
2. 제5조 제1항 제7호 및 제8호의 개발사업 : 100분의 25. 다만, 「국토의 계획 및 이용에 관한 법률」 제38조에 따른 개발제한구역에서 제5조 제1항 제7호 및 제8호의 개발 사업을 시행하는 경우로서 납부 의무자가 개발제한구역으로 지정될 당시부터 토지 소유자인 경우에는 100분의 20으로 한다.

농지취득 자격증명 발급을 농지취득 심사로

농지를 구입하기 위해서는 현행법상 일부 농지취득 자격증명을 받지 않아도 되는 경우도 있으나 대부분 농지취득 자격증명을 받아야 한다. 그러나 농지는 일단 취득하고 나면 관리가 어렵다. 영농을 하는지, 농업경영계획서대로 이행하는지, 농지를 훼손하는지 등 관리를 위해 엄청난 인력이 소모되는 것이 현실이다.

그럼에도 기초자치단체에 가면 농지 담당은 1명에 불과하다. 책임지는 부서장이 있기는 하지만 실제 업무는 한두 명이 담당하고 있다. 그래서 관리가 매우 어렵다. 이렇게 사후 관리감독이 어렵다는 점을 고려해 농지취득에 관한 농지취득 자격증명은 물권변동의 효력 규정으로 바꿔야 한다는 주장이 있다. 사동천 박사가 주장하는 방식인데, 농지법을 위반하면 바로 소유자의 효력이 취소될 수 있어야 한다는 의미다.

*제8조 (농지취득자격증명의 발급)
①농지를 취득하려는 자는 농지 소재지를 관할하는 시장, 구청장, 읍장 또는 면장에게서 농지취득자격증명을 발급받아야 한다. 다만, 다음 각 호의 어느 하나에 해당하면 농지취득자격증명을 발급받지 아니하고 농지를 취득할 수 있다.
1. 제6조 제2항 제1호·제4호·제6호·제8호 또는 제10호(같은 호 바목은 제외한다.)에 따라 농지를 취득하는 경우
2. 농업법인의 합병으로 농지를 취득하는 경우
3. 공유 농지의 분할이나 그 밖에 대통령령으로 정하는 원인으로 농지를 취득하는 경우
②제1항에 따른 농지취득자격증명을 발급받으려는 자는 다음 각 호의 사항이 모두 포함된 농업경영계획서를 작성하여 농지 소재지를 관할하는 시·구·읍·면의 장에게 발급신청을 하여야 한다. 다만, 제6조 제2항 제2호·제3호·제7호·제9호·제9호의2 또는 제10호 바목에 따라 농지를 취득하는 자는 농업경영계획서를 작성하지 아니하고 발급신청을 할 수 있다.

1. 취득 대상 농지의 면적
2. 취득 대상 농지에서 농업경영을 하는 데에 필요한 노동력 및 농업 기계·장비·시설의 확보 방안
3. 소유 농지의 이용 실태(농지 소유자에게만 해당한다)
③제1항 본문과 제2항에 따른 신청 및 발급 절차 등에 필요한 사항은 대통령령으로 정한다.
④제1항 본문과 제2항에 따라 농지취득자격증명을 발급받아 농지를 취득하는 자가 그 소유권에 관한 등기를 신청할 때에는 농지취득자격증명을 첨부하여야 한다.

그러나 농지의 소유는 전국의 농지 상황이 부재지주(不在地主)가 60%를 넘어가는 현실에서 어찌 되었든 비(非)농민이 투기를 통한 불로소득을 거두려는 경우가 매우 많으므로 이를 강력하게 제어할 장치가 필요하다.

그래서 지방자치단체에서 농지전용을 심의할 때에는 담당자가 농업경영계획서를 통해 농지취득증명을 발급해주는 방식으로는 제대로 심의가 될 수 없다. 그래서 이 문제는 지방자치단체별로 농민단체 대표, 주민 대표, 농지 전문가, 시민사회단체 등이 함께 참여하는 농지심의위원회를 구성해 농지의 취득을 결정하는 방식을 갖춰야 한다고 생각한다.

특히 부정한 방법으로 취득한 농지, 농지처분의무를 회피한 농지에 대해서는 그 소유권을 부인하거나 소유권 회복을 부정하는 내용으로 실체법상의 권리를 박탈하는 규정을 둬야 한다. 아울러 농지전용 허가나 신고 없이 행해진 농지의 불법전용의 경우 그 농지의 처분을 명하는 규정을 함께 둬서 단호한 조치가 취해져야 한다.

농지취득 자격증명, 소명 부족하면 백지신탁 해야

농지취득 자격증명에 농지 구입 목적을 명확히 하고, 등기 소유자인지 명확히 하는 한편, 이를 설명한 내용이 부족할 경우 백지신탁을 하도록 하는 규정이 필요하다. 특히 백지신탁의 권한을 한국농어촌공사에 위임하여 공사가 관리하는 농지은행을 통해 농민에게 되팔 수 있는 장치가 마련돼야 한다.

제2의 농지개혁과 기타 여러 관련법들

농지 관련법 전체를 둘러봐야

농지를 전방위(全方位)로 지켜내기 위해서는 농지와 관련된 모든 법을 종합적으로 검토해야한다. 그 대표적인 법이 '한국농어촌공사 및 농지관리기금법'이다. 이 법 제24조*에서 보면 제2항에 따른 농지의 개발 사업지구에 있는 농지로서 대통령령으로 정하는 1,500㎡ 미만의 농지를 공사가 판매해 비(非)농민이 소유할 수 있도록 규정하고 있다. 이러한 조항은 농지법을 강화한다는 점에서 농민들의 주거용이나 관련 가공시설, 농촌 관광시설 등 농업인이 필요한 시설로 활용되도록 개정을 검토해야 한다.

*제24조 (농지 등의 재개발)
①공사는 농지의 생산성 향상을 위하여 대통령령으로 정하는 바에 따라 농지를 재개발하거나 지방자치단체 또는 농지 소유자의 농지재개발사업에 필요한 기술과 자금을 지원할 수 있다.
②공사는 취득·소유하는 재산 중 「농어촌 정비법」에 따른 한계농지, 간척지, 임야 등 부동산 및 같은 법 제24조에 따라 폐지된 농업기반시설을 다음 각 호의 용도로 개발하여 이용하거나 임대 또는 매도할 수 있다. 이 경우 사업시행으로 생긴 수익금은 농어촌정비사업, 농업기반시설 유지·관리 및 농어촌지역개발사업에 사용하여야 한다.
1. 농지·초지(草地) 및 주택 등 농어촌 취락용지

2. 농어촌의 소득증대를 위한 상공업 용지
3. 도시와 농어촌 간의 교류촉진을 위한 농원
4. 농어촌 휴양지
5. 그 밖에 농림축산식품부령으로 정하는 용도
③공사가 제2항에 따른 사업을 하려는 경우에는 대통령령으로 정하는 바에 따라 사업계획을 수립하여 농림축산식품부장관의 승인을 받아야 한다

농어촌 정비법, 비(非)농민 농지 소유 조항 폐지해야

'농어촌 정비법'에도 맹점(盲點)이 있다.

법 제98조 ②항에 따르면 한계농지의 정비대상에 포함되면서도 이를 소유하려는 사람은 농지취득 자격증명을 취득하지 않아도 되는 특수조항이 있다. 비록 1,500㎡ 미만을 비(非)농민이 살 수 있는 규정이지만 '경자유전의 원칙'은 철저해야 지키기 위해 폐지해야 한다.

*제98조 (토지와 시설의 분양)
①한계농지 등의 정비사업 시행자가 제114조에 따라 준공검사를 받은 때에는 그 토지와 시설을 분양하거나 임대할 수 있다.
②한계농지 등의 정비 사업으로 조성된 농지를 분양받을 경우에는 「농지법」 제8조를 적용하지 아니하며, 임대할 경우에는 같은 법 제23조부터 제26조까지의 규정을 적용하지 아니한다.
③농업인 및 어업인이 아닌 자가 제2항에 따라 취득할 수 있는 농지의 규모는 1천500제곱미터 미만으로 한다.

농지소유자의 농지보전 직접지불제 신설

강력한 농지법이 들어설 경우 농지를 소유한 농민들은 농지가격의 차별화로 인해 재산 가지로서 손해를 본다. 그래서 농시를

소유한 농민들은 농지법 완화를 원하고 있으며, 이 때문에 농지가 더 훼손되는 경향이 있다. 그래서 농지를 보유한 농민에게 농지보유 직불제를 신설해 일반 지가와의 차액에 대한 이자율 정도를 공익 형 직불제에서 도입해 지불하는 방안을 고려해야 한다고 본다.

이를 규정할 법안으로 마땅한 것이 바로 '농업·농촌 및 식품산업기본법'이다. 법 제32조에서 보면 '농지의 보전'을 다루고 있는데 여기에 3항의 규정을 신설(新設)해 "③국가와 지방자치단체는 농지의 보전을 위해 농업을 영위하면서 다른 토지와의 가격 차이로 손해를 보고 있으므로 가격차액의 이자 분을 공익 형 직불금의 형식으로 지불해야 한다."는 것으로 추가 개정할 것을 권유한다.

> *제32조(농지의 보전)
> ①국가와 지방자치단체는 농지가 적절한 규모로 유지될 수 있도록 농지의 보전에 필요한 정책을 세우고 시행하여야 한다.
> ②국가와 지방자치단체는 제1항에 따른 정책을 세우고 시행할 때에 농업생산기반이 정비되어 있거나 집단화되어 있는 우량농지가 우선적으로 보전될 수 있도록 하여야 한다.

또 농지의 보전을 위해 중앙정부는 지방자치단체에 공문을 발송하여 지자체의 도시계획 조례에서 농지의 무분별한 훼손을 담은 규정의 개정을 요구하는 한편, 지역의 난개발을 막을 수 있는 방안을 마련해 전국의 지방자치단체가 난개발 없는 도시계획조례를 갖추도록 해야 한다.

공직자윤리법상 재산등록 시 실수요 설명돼야

공직자윤리법에 고위공직자가 재산등록을 할 때 부동산의 실수요 목적을 설명하게 하고, 제대로 된 설명이 부족할 경우 백지신탁을 하도록 하는 내용을 담은 법 개정안이 발의된 적이 있다. 그러나 이 법은 기득권층의 반발에 의해 제대로 논의조차 되지 못하고 기한이 만료돼 폐기되고 말았다.

이런 조항이 있어야 적어도 주요 공직자들은 농지로 투기를 할수 없게 될 것이다. 거꾸로 말하면 공직에 근무하려는 사람들 중에서 농지(農地) 투기를 하는 사람은 주요 공직을 맡을 수 없다는 점을 명확히 해야 한다.

공직자윤리법에서 이것을 제도화하기가 불가능하다면 농지법에 이를 도입해 한국농어촌공사 농지은행에 백지신탁을 하도록 하면 될 것이다. 이것이 바로 헌법 제121조를 지킬 수 있는 길이라면 말이다.

제2의 농지개혁과 지방자치단체의 조례

-용인시 도시계획조례를 중심으로

지방자치단체 도시계획조례도 점검해야

2015년 초반 박근혜 정부는 전국의 지방자치단체에 공문을 보냈다. 정부는 경제 활성화라는 명분으로 도시계획 관련 법규를 법은 개정하지 않은 채 법과 배치되는 시행령과 시행규칙을 개정하고, 지방자치단체에게 공문을 보내 지방의 토지 규제를 완화하도록 도시계획조례를 개정할 것을 요청하면서 이를 시행하는 지자체에 인센티브를 제공하도록 했다.

건설 관련 규제를 완화한다며 지자체 스스로 도시계획조례를 완화해줄 것을 요청한 것이다. 당시 용인시는 대대적으로 도시계획조례를 완화했는데, 완화의 수준이 매우 심각하게 난개발을 우려해야 할 정도였다.

그 내용을 보면 토목건설업체의 개발이 용이하도록 하는 내용이 대부분이다. 우선 도시계획 제안서 서류 제출을 간소화한다고 하면서 추진할 내용은 거주민과 토지 소유자의 주민동의서를 생략해도 되도록 개정안이 마련됐다.

이것은 개발을 위해서는 토지 소유자의 재산권이나 거주민의 주거권을 박탈해도 된다는 의미로밖에 보이지 않는다.

주민동의서마저 없애

또한 보전지역 허가를 5천㎡에서 1만㎡까지 받을 수 있도록 확대했고, 생산관리지역(준농림지역 포함)은 1만㎡에서 2만㎡로 확대해 웬만한 지역이면 모두 개발할 수 있도록 길을 터놨다.

개발행위 허가 요건인 경사도의 경우에도 용인시 처인구는 25도까지 허용했다.

수지구가 17.5도를 유지한 반면 기흥구가 21도, 처인구가 25도까지 대폭 완화해 중산간지의 난개발까지 우려되는 수준까지 완화했다. 현재 인근 지방자치단체에서 규정한 개발허용 경사도는 수원이 10도, 성남이 15도, 화성이 15도, 평택 15도, 광주가 20도인 것을 보면 얼마나 심하게 난개발이 가능하도록 조례를 개정했는지 알 수 있다.

심지어는 학교시설 보호지구 건축 제한까지 완화했다.

이를 해석하면 지자체가 개발하거나 개발업자의 개발허가를 받을 경우 주민동의서도 없이, 경사도가 높든 낮든, 초등학교 등 학교가 있든 없든 개발이 가능하도록 도시계획조례를 마구잡이로 개정했던 것이다.

이밖에도 생산녹지지역에서의 건폐율 완화, 농지법에 따라 허용되는 건축물의 건폐율 완화, 기존 건축물에 대한 특례조항 신설, 공동주택 건축의 도로 폭 완화 등의 내용을 담고 있는데, '국토의 계획 및 이용에 관한 법률' 제77조에 규정된 '용도지역의 건폐율'을 위반하는 위법적 조례라는 지적이다.

더구나 당시 개정안에는 개발허용에 대한 규정을 포지티브 방식에서 네거티브 방식으로 전환해 개발기업에게 조례 규정상 걸림돌이 될 수 있는 내용을 피할 수 있는 길까지 마련해 준 셈이었다.

정부가 지자체에 도시계획조례의 개정 요구

우선 모든 개발에 있어 주민동의서를 의무화해야 한다. 개발에 동의하는 토지 소유자의 주민동의서가 반드시 첨부되도록 법에서 규정해야 한다. 소유자의 재산권 보호와 무분별한 개발을 막기 위한 조치가 필요하기 때문이다.

또 20도가 넘는 개발 경사도의 경우는 국토부장관과 농림축산식품부장관, 산림청장의 허가를 받아야 개발할 수 있도록 규제를 강화해야 한다.

아울러 국토법 제77조에 규정된 '용도지역의 건폐율'을 위반하는 조례를 점검해 개정하도록 해야 한다는 지적이다. 생산녹지지역에서의 건폐율 완화, 농지법에 따라 허용되는 건축물의 건폐율 완화, 기존 건축물에 대한 특례조항 신설, 공동주택 건축의 도로폭 완화 등이 국토법 위반이라는 사실을 감사원 등을 통해 점검하는 일도 필요하다.

제2의 농지개혁과 농지이용 실태조사

투기목적 소유 농지, 처분명령 강화해야

제2의 농지개혁을 이루려면 농지법 등 관련법의 개정만으로는 안 된다. 법을 지키지 않고 편법, 탈법으로 농지를 이용하고 있기 때문이다. 이를 위해서는 가장 먼저 농지이용 실태조사가 필요하다.

농지이용 실태조사는 농지의 생산성을 위해 투기 목적으로 농업경영에 사용하지 않는 농지를 실질적으로 농업인이 소유하도록 만들기 위해 행해지는 것이다. 현행법의 테두리 안에서도 완전 박멸이 가능하다. 그러나 너무나 많은 불법 소유자들 때문에 정부에서도 골칫거리여서 전수조사가 제대로 이뤄지지 않고 있다.

농지에 대한 수요가 본래 농지의 용도인 농업경영 목적이 아닌 투기의 목적으로 변질되어 가고 있기 때문에 임대 및 불법 농지전용으로 인한 투기적 수요를 방지하고 '경자유전의 원칙'을 실현하기 위해 농지이용 실태조사가 이뤄져야 한다.

농지법이 1996년 1월 1일부터 시행되면서 그 이후에 취득한 농지에 대해 농업경영 및 경작현황을 매년 조사하는데, 조사 시기는 매년 9~11월이다. 조사내용은 전년 9월 1일부터 당년 8월 30일 중

농작물 경작, 자경, 휴경, 임대 등에 대한 농지이용실태이다.

이 조사에서 농지에 정당한 사유 없이 농업경영을 하지 않았거나 임대를 주었을 경우 청문회를 거쳐 처분대상농지로 결정되며, 처분대상농지의 소유자는 1년 이내에 해당 농지를 처분해야 한다. 처분을 하지 않을 경우 6개월 내의 처분할 것을 명하게 되며, 이 기간 내에 처분하지 않을 경우 토지가액의 100분의 20에 해당하는 이행 강제금이 부과되며, 처분될 때까지 매년 부과된다.

그런데 여기에서 농지 소유자가 빠져나갈 구멍을 만들어놨다는 데 문제가 있다. 농업경영을 하지 않아 처분대상 농지로 결정됐더라도 처분 의무기간인 1년 이내에 한국농어촌공사에 매도위탁을 하는 경우 위탁기간 동안 처분명령이 유예된다는 점이다. 더구나 처분 의무기간 내에 농업경영을 하는 경우 처분명령만 유예되는 것이 아니라 3년간 농업경영을 이행할 경우에는 처분의무가 소멸돼 농지를 그대로 소유할 수 있는 것이다.

이에 따라 농지를 개발, 건축 등 다른 목적으로 소유한 사람이 농업경영을 지역의 토박이에게 맡겨 농사짓는 것처럼 하고, 직접 지불금을 중도에 가로채더라도 농지는 그 사람이 그대로 소유할 수 있는 방법이 존재하는 것이다. 농지처분명령에 대한 강화된 법 개정이나 조치가 절실하게 필요한 이유다.

따라서 이와 관련된 법규의 개정과 함께 철저한 농지이용 실태조사가 이뤄져 불법, 편법에 의한 농지 소유를 최대한 막아야 한다.

제주도, 농지이용 실태조사 전수조사 실시

투기적 수요의 증가와 만연으로 제주도는 지난 2015년 7월부터 2년이 넘게 도내 농지에 대한 농지이용 실태조사를 샘플조사가 아닌 전수조사를 펼친 바 있다. 제주도 내에서 거래되는 농지에 대해 농지취득 자격증명서를 발급받아 취득한 농지의 이용 실태를 전수조사하고, 일부 의심이 있는 부분에 대해서는 특정조사까지 펼쳤다. 전수조사 대상의 필지 수와 전체 면적은 5만 1,238필지, 면적은 7,472ha였다.

특정조사 대상은 개인 간의 임대차가 허용되지 않는 다른 시·도 거주자가 소유한 농지, 취득세를 감면받은 후 농업경영에 이용하지 않아 취득세가 추징된 농지, 불법 농지전용 중 원상회복이 완료된 농지를 대상으로 하여 불법(不法), 편법(便法)으로 이용될 가능성이 높은 농지를 조사한 것이다.

제주도는 특정 조사한 결과 취득 목적대로 이용하지 않고 휴경 또는 방치하거나 개인 간 임대차 등 불법사항이 적발된 농지를 청문절차를 거쳐 농지처분 명령을 1년간 부여했다. 제주도가 적발한 것을 보면 2015년 8월부터 2017년 3월까지 6,061명이 소유한 7,587필지 799ha가 적발돼 처분명령을 받았다.

제주도는 농지이용 실태에 대한 전수조사를 3단계로 나눠 실시했다. 가장 먼저 도는 외국인이거나 육지 사람으로 제주도에 거주하지 않은 자를 대상으로 농지소유 및 이용실태를 조사했다. 이어 2단계로 1단계 조사자를 빼고 제주도 거주자를 대상으로 조사해 실(實)경작자인지 아닌지와 이용실태를 조사했다. 3단계는 2

단계 조사까지 나타난 결과를 토대로 농지청문을 거쳐 농지처분 명령을 1년간 내리는 등 각종 행정조치를 취한 후 전체 전수조사를 실시했다.

조사를 토대로 제주도는 농지 청문과 농지처분 명령을 발송하고 처리과정에서 수많은 소유자들이 처분에 응하게 함으로써 농지관리 체계가 강화되고, 농지관리를 제주도 특성에 맞는 관리체계를 정착시켰다.

제주만의 농지관리 체계를 구축한 것은 '제주특별자치도 농지관리 조례'를 통한 체계적인 농지 보전을 강화했고, 농지 취득 후 1년 이상 자경(自耕)하지 않은 경우 농지전용을 불허하는 등의 강력한 조치가 이를 뒷받침했기 때문이다.

이에 따라 외국인이나 육지인에게 농업경영 목적이 아닌 농지 소유가 불가능하다는 인식을 심어준 계기가 됐으며, 이를 통해 농지를 이용한 부동산 투기를 예방하는 효과도 거두었다.

제2의 농지개혁은
철저한 농지이용 실태조사부터

과거 정부의 농지규제 완화와 지금

그동안 몇몇 정부는 농지이용 실태조사를 최소화하는 것은 물론, 비(非)농민이 농지를 소유할 수 있는 규정을 만들거나 농지전용을 손쉽게 할 수 있도록 농업진흥지역의 취소 등에 중앙정부가 앞장서거나 농지법과 국토법 등을 완화해 개발을 손쉽게 할 수 있도록 해왔다.

더구나 농지 규제를 대폭 완화한 정부는 지방자치단체에까지 도시계획조례 등 개발과 관련된 지방조례를 완화하도록 지시 공문을 내린 바 있고, 이와 같은 여건 속에서 농지는 더욱 광범하게 사라져갔다.

문재인 정부의 경우 이전 정부보다는 농지이용 실태조사가 강화된 측면이 있지만, 아직 전수조사를 통해 현재 직접지불금 수령 현장에서의 문제점을 파악하려는 노력은 부족하다.

2018년 농지 취득 및 이용에 관한 실태 파악을 위해 전국 농지이용 실태조사를 실시했는데 9월 1일~11월 30일 3개월간 조사를 했다. 조사대상은 신규 취득 3년 내 모든 농지, 부재지주 소유농지 등이었다. 조사대상은 2015년 7월 이후 농지취득 자격증명을 발급받아 취득한 모든 농지와 부재지주(관외 경작자)가 소유하고 있는 농지 중 전국 약 18만ha, 120만 필지였다.

특이한 점은 1996년 이후 취득한 타 시·도 거주자 소유농지(11만ha) 중 30% 수준의 조사를 실시했다는 점이다. 특히 농업 진흥구역 내 태양에너지 발전설비가 설치된 농업용 시설 부지(축사, 버섯 재배사 등)에 대해서도 조사를 실시했다.

전국적인 농지이용 실태조사 전수조사가 절실

농지이용 실태조사는 농지법 시행(1996년 1월 1일) 이후 취득한 농지에 대해 당초 취득 목적대로 이용하는지 여부, 정당한 사유 없이 휴경 또는 임대하는지 등을 조사하기 위해 1996년부터 매년 실시하고 있다.

이것은 농지법 시행 이전부터 소유했을 경우 비(非)농민이건, 타지인(他地人)이건, 외국인이건 불문에 붙인다는 것인데, 이전부터 소유했다고 하더라도 이는 '경자유전의 원칙'에 어긋나는 것이기 때문에 제정 농지법의 부칙 5조의 규정을 폐지해야 한다. 그러고 나서 모든 농지에 대한 전수조사가 이뤄져야 한다.

전수조사의 방식은 그동안 시장, 군수, 구청장 주관으로 읍·면·동 직원 및 조사원이 현지조사, 주민 의견 청취, 농지 소유자 청문 절차 등을 거쳐 농지의 실제 이용실태를 파악하는 것이었는데 이는 현지인과의 부당한 교류가 있을 가능성을 막지 못한 상황에서

조사하는 것이므로 정부가 일괄적으로 조사체계에 대한 기준을 마련해야 한다. 시•군•구별로 시민사회단체와 농민단체 관계자, 전문가, 공무원 등으로 농지이용실태조사위원회를 꾸려 조사의 방향과 방식을 정해서 추진토록 해야 한다.

특히 이 조사는 재산권과 '경자유전의 원칙'이 대치하는 상황이므로 조사를 왜곡하는 뇌물을 방지하고 부재지주의 실상을 제대로 파악하기 위해 반드시 공정한 조사 시스템을 구축해야 한다. 조사 결과, 정당한 사유 없이 농지를 휴경하거나, 불법 임대한 사실이 확인되면 청문절차 등을 거쳐 농지 처분 의무를 부과해야 하기 때문에 현장에서의 불필요한 마찰도 막고, 공무원의 직권이 발휘되지 않도록 조치를 취해야 한다.

제주도가 2015년부터 3년간 농지의 효율적 이용관리를 위해 시행한 농지 전수조사를 참고로 정부도 조사의 방향과 추진 방식을 결정해야 할 것이다. 기초자치단체의 조사요원을 다른 지자체로 교체 투입하는 방식과 시민사회단체 관계자들이 함께 조사에 나서는 방식도 고민해볼 것을 권하며, 제주도와 같이 1차로 타(他) 지역 거주자나 외국인의 농지조사를 먼저하고, 2단계로 지역 내 거주자이면서도 농지법 위반 사례가 있는 농지 소유자를 대상으로 조사하고, 3단계로 실제 성실히 농업경영에 종사하는 나머지를 대상으로 조사한 후 행정조치를 취하는 방식이 필요하다고 생각한다. 그리고 최종적으로 6개월 정도 경과 후 전체 농지이용실태조사를 하면 그 결과를 볼 수 있다고 생각한다.

이것은 농림축산식품부와 지방자치단체만의 이야기가 아니다. 행정자치부와 국토교통부의 역할도 필요하기 때문에 총리실의 국정상황실이 개입해서 업무의 거중 조정을 하는 역할도 해야 할 것이다.

【현행 처분명령제도의 흐름】
　・농지이용 실태조사→사유 없이 임대·휴경한 경우 등→청문
　　→처분의무 통지(1년)→
　①성실경작 O : 처분명령 유예 → 3년 계속 이행 → 처분의무 소멸
　②성실경작 × : 처분명령 (6월 이내) → (미이행 시): 이행 강제
　　금 부과(매년 반복)
【농지이용 실태조사】2017년 8월부터 강화
　・(기존) : 지자체 임의조사 → (개선): 전수조사 (신규 취득 3년
　　내 농지)+특정조사(농업법인, 부재지주 소유 농지 등) 등

제2의 농지개혁 이루려면

제2의 농지개혁

농지처분명령 발동

농지전수조사

관련법의 개정

- 법 조문의 정비
- 헌법, 농지법, 국토법, 국토 관련법 개정

- 전국 농지전수조사 실시
- 1단계-외국인, 타 지역민 / 2단계-농지법 위반자 / 3단계-일반인

- 농지처분명령 발동
- 비농민 소유자, 불법 농지전용자, 상속-이농-담보 농지 취득자

개정해야할 법조문에 대한 의견

법명	조항	내 용
헌법	제121조	3항을 "국토와 관련된 법률에서는 '경자유전의 원칙'을 지키도록 조항을 제정해야 한다."로 제정
국토의계획 및 이용에관한법률	총체적 검토	용도지역제도를 계획을 유럽식 계획허가제로 전환
	3조 국토의 이용 및 관리의 기본원칙 개정	"9항 지속가능한 농업과 식량의 안정적 확보를 위한 농업진흥지역의 유지" 신설
	6조 국토의 용도구분	관리지역을 국토법 이전의 상태인 준도시지역과 준농림지역으로 분리
농지법	시행령3조 농업인의 범위	연간 농산물 판매액 120만원 이상으로 규정 강화
	기본법과 함께 검토	농지소유자 규제에 상응한 보상체계 마련
	6조 농지소유 제한	'2항의 3' 주말·체험영농 농지소유 예외규정 삭제
		농업법인이더라도 비농민이 투자자로 참여한 경우 농지소유 배제
		상속인, 이농인, 담보농지 취득인 등의 농지소유가한 설정
	부칙5조의 폐지	전수조사 후 비농업인의 농지처분명령 발동
	10조 농업경영에 이용하지 않은 농지등의 처분	농업경영에 이용하지 않아 처분해야 하는 항목을 규정하고 있는데 이를 억울하게 처분해야 하는 항목만을 규정하고 나머지는 모두 처분토록 규정을 개정해야 함.
	24조	농지임차료의 법적 상한선을 두는데 1모작의 10% 이내로 규정하는 한편, 임차농의 안정적인 영농을 위하여 '상가건물임대차보호법'에 준해 적어도 10년간의 갱신청구권을 규정해야 한다.
	8조 농지취득자격증명의 발급	농지취득 자격증명을 농지취득 심사로 개정하고 농지법 위반시 소유자 효력 취소
농어촌정비법	98조 2항	폐지돼야

농업·농촌 및 식품산업기본법	32조 농지의 보전	"국가와 지방자치단체는 농지의 보전을 위해 농업을 영위하면서 다른 토지와의 가격차이로 손해를 보고 있으므로 가격차이의 이자분을 공익형직불제의 일환으로 지불해야 한다"라는 3항을 신설
공직자윤리법	재산등록신고규정	고위공직자가 재산등록신고를 할 때 부동산을 소유한 경우 이에 대한 소명을 하게 하고 제대로 소염되지 않을 경우 백지신탁을 하도록 규정 개정.
국토보유세		비농업인의 농지보유에 대한 중과세 부과
개발이익환수법	5조	1항7호에 규정한 지목변경이 수반되는 사업으로서 대통령령으로 정하는 사업-농지에 대해 가중적 부담금 부여
한국농어촌공사 및 농지관리기금법	24조	농업인의 주거 또는 농업시설로 활용할 수 있도록 규정

<참고문헌>

- 공민달. 2015. 『북한 경제와 토지제도』. 도서출판 청림
- 국토교통부. 2013. 2013년도 국토의 계획 및 이용에 관한 연차보고서. 국토연구원. 2005. 산업입지제도 개편방안 연구 실증분석 자료집. 건설교통부·한국토지공사.
- 김수석 외. 2008. 경제·사회여건 변화에 따른 농지제도 개편방안(1/2차연도). 한국농촌경제연구원.
- 김수석 외. 2009. 경제·사회여건 변화에 따른 농지제도 개편방안(2/2차연도). 한국농촌경제연구원.
- 김영하. 2017. 농민이 사는 길, 농촌을 살리는 길. 새로운사람들
- 김윤희. 2009. 개별입지의 계획적 정비방안. 국토해양부.
- 김정부 외. 1990. 농지가격 변동과 파급효과 분석. 한국농촌경제연구원.
- 김정부. 1991. 농지가격의 형성요인과 영향에 관한 연구. 경희대학교 경제학과 박사학위 논문.
- 김정부 외. 1994. 농지소유 및 전용제도 개편의 영향과 대책에 관한 연구. 한국농촌경제연구원.
- 다음백과, 위키백과, 동아백과사전

- 대한상공회의소. 1992. 기업의 공업입지수요 실태와 과제. 대한상공회의소 공업입지센터.
- 박석두 외. 2009. 간척지의 효율적 활용방안. 한국농촌경제 연구원.
- 백선기. 1998. 농지전용에 따른 가격변화에 관한 연구. 한국 농촌경제연구원.
- 사동천. 2018. 비농업인의 농지소유에 관한 바판적 고찰. 홍 익법학 제19권 2호. 홍익대 법학연구소.
- 사동천. 2018. 농업•농촌의 공익적 기능의 헌법 반영. 가톨 릭농민회 안동지회 강연자료.
- 사동천. 2019. 농지법의 개정방향. 지역재단 민위방본 제47호.
- 쌀 이야기- 쌀의 기원 https://ecotown.tistory.com/383
- 쌀의 기원지는 한국! 세계고고학개론서에 명시.
- (http://blog.naver.com/PostView.nhn?blogId=nimaparis&logNo=221227619449
- 유용태. 2004. 『동아시아의 농지개혁과 토지혁명』. 팍스씨 앤씨.
- 이덕배 외. 2010.6. "농지전용과 수자원 취약성 간의 관계 분 석". 한국기후변화학회. 한국기후변화학회지. 제1권 제1호. pp.75-83.
- 이용만. 1995. 한국의 지가결정에 관한 연구-지대와 지가, 그리고 합리적 거품. 연세대학교 경제학과 박사학위 논문.
- 이재우, 2008. 충남서북부권 준산업단지•공장입지 유도지 구 도입을 위한 기초연구. 충남발선연구원.

- 이정환, 조재환. 1995. 농지가격·임대차료 결정요인과 상호연관성 분석. 한국농촌경제연구원.
- 이정환, 조재환. 1996. "농지가격의 결정요인과 요인별 영향력 분석". 농촌경제 제19권 1호. pp.1-16.
- 장동헌. 2009. 6. "농지전용이 농촌지역 사회에 미치는 영향: 완주군 구이면 계곡리를 사례로". 한국농촌사회학회. 농촌사회. 제19집 제1호. pp.213-239.
- 전강수. 2019.『부동산 공화국 경제사』. 여문책.
- 정권섭교수정년기념논문집간행회. 2000.『토지제도와 법이론』. 법원사.
- 정희남, 김원희. 1995. 기업의 개별공장 입지 실태와 개성방안. 국토개발연구원.
- 조근열. 2008. "농지전용에 영향을 주는 요인에 대한 분석". 서울대학교 농경제사회학부 석사학위 논문.
- 주봉규. 1986. " 농지전용에 따른 지가변화 구명". 한국농업정책학회. 농업정책연구.
- 지식몰. 2013.『농지개혁에 관하여』. 리포트.(http://m.jisikmall.com/600883.)
- 채광석, 김관수. 2007. "농지의 비농업수익가치에 관한 연구". 경제학연구 . 제55권 제3호.
- 채미옥. 2008.5. "토지용지 공급 원활화를 위한 토지이용규제 합리화 방안". 국토 319호. 국토연구원.
- 최영준. 2004. "농지가격 변동요인에 관한 연구: 신도시 주변 농지를 중심으로". 성균관대 행정대학원 석사학위논문

- 최혁재. 2003. 국토의 효율적 관리를 위한 농지이용관리제 도의 발전방향. 국토연구원.
- 충북개발연구원. 2009. 난개발 방지를 위한 제조업 개별입지 관리방안: 충북음성지역을 중심으로. 충북개발연구원.
- 한겨레신문. 2019. 4월 3~22일자 탐사기획 <여의도 농부님, 사라진 농부들>
- 한국농어민신문. 2019. 7월 30일~8월 2일자.[농지개혁 70년 기획] 누가 농지법을 흔드나 .
- 한국농촌경제연구원. 2019.『농업전망 2019(Ⅰ)』.
- 한국농촌경제연구원. 2013.『농업전망 2013(Ⅰ)』.
- 한국산업단지공단 산업입지연구소 편. 2011. (2012) 산업입지 요람.
- 한표환, 박희정. 1992.11. "도시 내 농지전용 요인에 관한 실증연구". 한국지방행정연구원. 지방행정연구. 26. pp.1-18
- 高橋寿一. 2001. 農地転用論: ドイツにおける農地の計画的保全と都市. 東京大学出版会.
- 谷下雅義. 2009. "市街化区域内農地転用率の影響要因-東京圏内の特定市を対象にして", 日本都市計画学会 編. 都市計画論文集 44号. pp. 223-228.
- 農林水産省. 2004.10.1. 農地制度について .
- 農林水産省. 2007.3. 土地利用計劃と農業振興地域制度・農地轉用許可制度の概要.
- 農業総合研究所 編. 1969. 農地価格形成要因としての農地転用及び農業生産力に関する調査. 農政調査会.

・藤居良夫, 渥美浩和. 2008. "地方都市縁辺部における都市開発と農地転用の動向-長野市における事例", 農業農村工学会論文集 通巻 253号. pp.61～70.

・藤田佳久. 1985. 自動車工場進出下の愛知県田原町における土地利用の変化: 農地転用と農家の対応を中心 に(愛大中産研研究報告 第36号). 愛知大学中部地方産業研究所.

・柳川豪 他, 2006. "堺市を事例とした大都市における市街化調整区域内の農地転用に関係する立地要因に関する研究", 環境情報科学センター編. 環境情報科学論文集 pp.117-122.

・小林弘明. 1984. "農地転用の供給関数分析", 農業総合研究 38(1). pp.71-104.

・遠藤和子. 2008. 中山間地域の農地保全計劃論. 農林統計協會.

・足立基浩, 橋本卓爾. 1999. "農地課税強化と農地転用に関する仮説の実証", 和歌山大学経済学部 編. 和歌山大学経済学部研究年報 通巻 3号. pp.1-32.

・黒岩和夫. 1978. "地価上昇と農地の転用", 加藤 譲, 荏開津典生 編. インフレーションと日本農業. 東京大學出版會. pp.83-98.

・廣島縣農林水産局農水産振興部農業經營課. 2010. 農業振興地域の整備に關する法律について(平成22年度農業委員會等新任職員・擔當職員研修會 資料4)

・香川縣農政水産部農政課. 2010. 農業振興地域制度について

- Burt, O. R. 1986. "Econometric Modeling of the Capitalization Formula for Farmland Prices." American Journal of Agricultural Economics. vol 68. pp.10-26.
- Chavas, J.P and Thomas, A. 1999. "A Dynamic Analysis of Land Prices." American Journal of Agricultural Economics. vol 81. pp.772-784.
- Just, R.E., and J.A. Miranowski. 1993. "Understanding Farmland Price Changes." American Journal of Agricultural Economics vol 75. pp.156-168.
- Ronald I. McKinnon. 1991. The order of economic liberalization : financial control in the transition to a market economy. Johns Hopkins University Press.
- Xiangping Liu & lori Lynch. 2007. "Do Agricultural Preservation Programs Affect Farmland Conversion? Evidence from a Propensity Score Matching Estimator". Economics Association Meeting, Portland, OR, July 29-August 1, 2007
-